P. Gaspar Astete, sj
P. Eliécer Sálesman

NUEVO CATECISMO CATÓLICO EXPLICADO

Puesto al día según el Catecismo de
S. S. Juan Pablo II
o Catecismo de la Iglesia Católica

CON GRÁFICOS Y EJEMPLOS

Meneses 318 y La Gasca - C. P. 17-03-866
Tel.: (0/2) 235423 - *Fax:* (0/2) 2568816
E-mail: specua@uio.satnet.net
www.sanpaolo.org/ecu/home.htm
Quito - Ecuador

ISBN: 997-806-038-3

Distribución:
Ecuador
Ventas: Andagoya 388 y Av. América - C. P. 17-03-866
Tel.: (0/2) 22541650 - *Fax:* (0/2) 2231444
E-mail: specua@uio.satnet.net
www.sanpaolo.org/ecu/home.htm
Quito - Ecuador

Costa Rica
Calle 9 Avenida Central y Segunda
Tel.: 2565005 - *Fax:* 2562857
www.sanpaolo.org/cos/home.htm
San José - Costa Rica

Panamá
Boulevard El Dorado - Av. 17B Norte
Apartado 67210 El Dorado
Tels.: 2603738 - 2604862 - *Fax:* (507) 2606107
E-mail: pablopa1@cwpanama.net
Panamá - República de Panamá

Estados Unidos
Alba House: 2187 Victory Boulevard
Tel.: (718) 7610047 - *Fax:* (718) 7610057
E-mail: sspsiny@aol.com
Staten Island, New York N. Y. 10314 - U.S.A.

Queda hecho el depósito que ordena la Ley

AVISOS DE S. S. JUAN PABLO II EN EL CATECISMO DE LA IGLESIA CATÓLICA

***Un catecismo para ser completo debe tratar** CUATRO TEMAS: El Credo, la Oración, los Sacramentos y los Mandamientos.

***El nuevo Catecismo de la Iglesia Católica no está destinado a sustituir los antiguos catecismos aprobados por las Conferencias episcopales, sino para ayudar en las redacciones de estos catecismos.

***El personaje central de todo catecismo ha de ser Nuestro Señor Jesucristo, su vida, sus enseñanzas, su amor al Padre Celestial, el habernos enviado al Espíritu Santo y el dejarnos por madre nuestra a su Madre Santísima, María.

***Conviene que en cada tema haya resúmenes o fórmulas sintetizadas que sean fáciles de memorizar.

OPINIONES DE GRANDES PERSONAJES

"En buena hora debemos retornar a la antigua y provechosa tradición de hacer aprender respuestas de memoria en el estudio del Catecismo".

(Juan Pablo II, en *Catechesi Tradendae*)

"ENSEÑAR CATECISMO SIN HACER APRENDER NADA DE MEMORIA ES FORMAR ATEOS".

(*Revista Catequética*, PP. Jesuitas, España)

"Todo el que propague el Catecismo de la religión católica, cuente con nuestra bendición apostólica".

(Pablo VI)

"Se equivoca quien quiera acabar con las respuestas de memoria en el Catecismo. Si en otras ciencias se hacen aprender tantas fórmulas de memoria, ¿por qué las verdades importantísimas de la religión no se han de memorizar también? Lo que de niño se aprende de memoria quedará grabado en la mente para toda la vida y será muy útil".

(Juan Pablo I, Catequética No. 14)

"MI DESEO ES QUE EL CATECISMO DE ASTETE SE VUELVA A ENSEÑAR EN TODAS LAS ESCUELAS".

(Carta de Bolívar en 1829, publicada por el historiador Hernández de Alba, 1983)

"Los que enseñen a otros a ser buenos, brillarán como estrellas por toda la eternidad"

(S. Biblia profeta Daniel, 12)

PRÓLOGO

25 CONSEJOS DE S.S. JUAN PABLO II ACERCA DE LA ENSEÑANZA DEL CATECISMO

(Basados en su libro "Nociones de Catequética")

1. CATECISMO: *Es una palabra muy antigua. Significa "enseñar de manera que se entienda bien". Hoy esta palabra significa tres cosas: 1) Enseñar la religión de manera directa y clara. 2) Un libro que contiene las verdades religiosas en forma sencilla y fácil de entender. 3) Las verdades que están contenidas en ese libro.*

2. EL CATECISMO SE DIFERENCIA DE LAS DEMÁS CIENCIAS EN ALGO MUY ESPECIAL: *En que no es sólo una instrucción de la mente, sino una instrucción que lleva a un cambio en la vida. No tiene por fin solamente hacer aprender unas verdades, sino sobre todo formar fuertes convicciones que lleven a una transformación de la propia vida y a progresar en la virtud. Uno puede especializarse en aritmética y saberse toda la geografía de memoria y no por eso ser más bueno, pero si estudia el catecismo como lo debe estudiar, este estudio sí lo lleva a volverse muchísimo mejor de lo que era antes.*

EL EJEMPLO DE DOS PERSONAS QUE ENSEÑAN CATECISMO: *La primera habla y explica muy bien, pero no logra que sus alumnos se vuelvan mejores. La segunda habla con menos facilidad, pero con su ejemplo, con sus convicciones y con su fervor y exhortación hace que sus alum-*

nos se vuelvan mejores, oren con más gusto, se acerquen más a la Iglesia... Como catequista, la segunda persona vale mucho más.

HAY DOS CLASES DE ALUMNOS: *Al uno le queda fácil aprender y entender todo, pero su vida no corresponde a las enseñanzas que da el catecismo. Al otro le queda más difícil entender y aprender, pero se esfuerza por volverse mejor y por practicar lo que el catecismo enseña. Este segundo ha tomado el catecismo en serio y así sí es como hay que tomarlo.*

3. MIGUEL ÁNGEL: *El mejor de los escultores decía: "Las estatuas están ya en la piedra, pero hay que sacarlas a base de martillo, sudor, esmero y cincel". Amable catequista: en el alma de cada personita que viene a que Ud. le enseñe catecismo hay un santo por formar, pero usted tiene que esmerarse por sacar de allí ese santo bien formado, a base de sus esfuerzos en la catequesis.*

4. SI NO SE ENSEÑA CATECISMO, NO ENCONTRAMOS MEDIOS PARA HACER SANTOS A NUESTROS JÓVENES: *Algunos dicen: "Basta con enseñarles sociología, con enseñarles a defender sus libertades civiles, a liberarse de las ataduras injustas de los opresores" (Horizontalismo se llama esta enseñanza). Pues bien: después de enseñarles y machacarles hasta el aburrimiento todas estas doctrinas que son sólo de hombres, tendréis muchos ex alumnos atracadores, secuestradores, anarquistas, amargados perpetuos. Pero enséñales que Dios los ve, que Él premia lo bueno y castiga lo malo; que ha dado diez mandamientos con la promesa de ayudar inmensamente a quienes los cumplan y castigar con rigor a quienes desprecien esos santos mandatos; que les ofrece 7 sacramentos* *para fortalecer nuestra voluntad; que ha prometido escuchar siempre toda oración hecha con fe; que nos dejó a Cristo, a María y a sus santos como nuestros amigos incondicionales, y veréis que vuestros ex alumnos no brillarán en el campo de los revolucionarios, que todo lo cubren de sangre y destrozos, pero sí estarán en primera fila entre los ciudadanos pacíficos que le dan gloria a la patria y buen nombre a nuestra santa religión.*

5. ALGUNOS DICEN: "ES QUE ESTUDIAN EL CATECISMO Y LLEGAN A SER PECADORES": *Sí, pero, ¿quién no es pecador? "El que no tenga pecado que lance la primera piedra", decía Jesús, y todos salieron huyendo. Pero es que hay dos clases de pecadores: Los que viven en paz con su pecado como Herodes, Judas, Nerón, etc., son los candidatos seguros para la condenación; y los que sí han pecado pero no aman sus pecados, como David, el rey; como san Pedro, el renegado; como el publicano de la parábola que rezaba diciendo: "Misericordia, Señor, que soy un gran pecador"; como el ladrón arrepentido en la cruz: ellos, tarde o temprano recuerdan las enseñanzas de su clase de catecismo, y este recuerdo los puede llevar a la conversión y a la salvación.*

6. DICEN: "ES QUE LA FILOSOFÍA Y LA CIENCIA TAMBIÉN LO PUEDEN VOLVER BUENO A UNO": *Sí, pueden ayudar a volver mejores a algunos, eso no lo negamos. Pero no hay comparación con la influencia que el Catecismo tiene para irlo haciendo a uno mucho mejor de lo que era antes. En cada una de sus páginas va repitiendo: sean buenos, sean pacientes, sean puros, perdonen, amen al Señor Dios.*

Y todo esto que el Catecismo dice, está apoyado y bendecido por la fuerza poderosísima del Dios que tanto nos ama. Por eso hace tanto bien.

7. EL GRAN MAL DE LA ACTUALIDAD ES QUE NO SE APRENDE CATECISMO: A los niños se les insiste poco en que lo aprendan. Los mayores se imaginan que ya lo saben bien y no vuelven a leer ni a aprender nada. Muchos hay que jamás han leído ni siquiera el Evangelio. La mayoría llegarán al fin de su vida sin haber leído ni una sola vez la S. Biblia. Leen montones de páginas de periódicos alarmistas y de libros basura, y no gastan ni cinco minutos diarios, ni media hora semanal en instruirse en su santa religión.

¿Y qué decir de las personas "piadosas" que frecuentan la iglesia, pero que no tienen ningún afán por aumentar su instrucción religiosa? Su piedad es sentimentalismo, pero ignoran la verdadera devoción porque jamás se toman un poquito de tiempo para leer un libro religioso que los instruya. Cuánto aumentaría su amor de Dios y su personalidad si tomaran en serio la obligación que tienen de aprender, y leyeran un poco más de religión.

8. ¿CUÁNDO HAY QUE EMPEZAR A ENSEÑAR RELIGIÓN A UN NIÑO?: A Napoleón le preguntaron: "¿Cuándo empieza la educación de un niño?". *Y él respondió: "La verdadera educación del niño empieza desde que comienzan a educar a la abuela". Porque lo que se aprende en familia es lo que en verdad quedará para siempre. Nadie aprende tanto en diez años de universidad como aprendió en los diez primeros años de su vida en su hogar: de aquí que* *sean los familiares los que tienen que preocuparse desde el principio para que el niño se vaya instruyendo acerca de los deberes que tiene para con Dios. Ellos son los verdaderos responsables.*

9. DICEN: "NO QUIERO IR CONTRA SU LIBERTAD; QUE A LOS VEINTE AÑOS DIGA SI QUIERE APRENDER CATECISMO": *¿De veras? También cuando había peligro de que le diera la poliomielitis dijiste: "No me meto en su libertad... No lo mando vacunar sin pedirle permiso...". ¿Y dejarás para vacunarlo cuando esté paralizado de ambas piernas por polio?... ¿Le pediste permiso para vacunarlo contra el sarampión... o para mandarle arreglar los dientes dañados, o para inscribirlo en el registro civil, o para enviarlo a que aprendiera a leer o escribir? ¿Quieres dejar que aprenda catecismo (que es la mejor de las vacunas contra las enfermedades del alma) cuando ya esté podrido con toda clase de malas costumbres a los 20 años? ¿Y dices que amas a tu niño? ¿De veras?*

10. "PERO ES QUE NUESTRO NIÑO NO TIENE TIEMPO PARA EL CATECISMO: TIENE QUE TRABAJAR Y ESTUDIAR...": *Es terrible no tener tiempo para Dios. Tenemos tiempo para comer, pero no tenemos tiempo para Dios. Tenemos tiempo para la TV, para charlar y para dormir, pero no tenemos tiempo para Dios.* **¡Es horrible no tener tiempo para Dios!** *¡Y es fatal!*

Cada uno tiene tiempo para lo que quiere. Así como en el día del Juicio nadie se atreverá a decirle a Dios: "No tuve tiempo para ir a misa", un día nos daremos cuenta de que **todas las excusas de "falta de tiempo" para aprender la ciencia de Dios, son mera farsa** y engaño *del enemigo del* *alma. El niño tendrá tiempo para aquello que sus padres crean importante. Y Dios se encargará de premiar maravillosamente ese tiempo dedicado a Él.*

Pero si tu hijo "no tiene tiempo" para estudiar religión, puedes estar seguro de que **estás mandando un soldado a las batallas de la vida sin armas,** *sin cartuchos, sin entrenamiento, y harás de él un derrotado infeliz.*

11. DICEN LOS MAYORES: "ES QUE YO ESTUDIÉ YA MI CATECISMO CUANDO ESTABA PEQUEÑO": *Pero era una enseñanza para menores. Ahora* **el adulto necesita una enseñanza para mayores.** *Hoy los enemigos de la religión son tan terribles y atrevidos que se necesita leer y estudiar la religión para poder darles respuestas claras y convincentes y para lograr defenderse de sus trampas, que son continuas y muy bien preparadas. Ante un materialismo ateo internacional que dirige todos sus cañones contra Dios y contra su religión, ¿puede un católico quedarse "momificado" en lo poco que aprendió de niño y expuesto a que el enemigo le haga un "lavado cerebral" con sus mentiras y lo lleve al ateísmo? En ninguna otra época fue tan importante como hoy el instruirse más en la religión.*

12 ¿QUÉ LEYES HAY ACERCA DEL CATECISMO? **La primera ley** *son aquellas palabras de Jesús: "Id y enseñad lo que yo os he enseñado" (S. Mateo 28, 19). Esto vale para todos los mayores en relación con los menores que dependen de ellos.* **La segunda ley** *es la voz de la conciencia que dice a los papás: "Este hijo te fue dado no sólo para cuidar de su cuerpo, sino para hacer que se salve su alma. Tienes la obligación de alimentar no sólo su cuerpo con los* *alimentos, sino también su alma con las buenas enseñanzas de la religión.* **La tercera ley** *son los mandatos de la Iglesia Católica, que dice:* **"Es deber** *del párroco, de los religiosos, y de los laicos que se dedican al apostolado, y de los padres de familia, enseñar la religión a los niños".*

13. ¿VALE LA PENA SER CATEQUISTA?: *"Por sus frutos sabrán qué es lo que sí vale", decía Jesús y, ¿qué mejores frutos espirituales que los que obtiene quien se dedica a enseñar catecismo? Claro que estos frutos no se ven al instante, pero de un buen cristiano se puede repetir aquella frase: "Lo que el árbol tiene de frondoso, vive de lo que tiene sepultado". ¿Por qué aquel niño ha hecho su Primera Comunión tan fervorosamente y ha mejorado tanto en su conducta? Por la clase de catecismo. ¿Por qué este matrimonio es tan ejemplar? Porque las enseñanzas de religión que recibieron están produciendo sus preciosos frutos de santidad. Alguien va a misa con gran fervor y saca de la Eucaristía enorme provecho, ¿por qué? Es que al estudiar la religión aprendió estos secretos. Viene una persona a confesarse con tan sincero arrepentimiento y tan firmes propósitos. ¿A qué se debe? Es que ha tenido un excelente catequista que le instruyó muy bien acerca de cómo se hace una confesión bien hecha. Por eso el papa Pío X decía:* **"El apostolado de enseñar catecismo es el más grande de los apostolados que existen hoy día".**

14. NO ES UN TRABAJO TAN DIFÍCIL: *Tiene sus dificultades. Éstas* **provienen en primer lugar del propio catequista,** *que se siente a veces impreparado, que no tiene tiempo para dedicarse a prepararse convenientemente, que se fatiga nerviosamente para conseguir disciplina entre los alumnos, y que fácilmente se ve atacado por la pereza que* *le pide no hacer tantos esfuerzos, y por la desilusión y el desaliento que al ver que no aparecen pronto los frutos de sus clases y sí las amarguras, y las dificultades tienden a desanimarlo.* **Las dificultades provienen también de los alumnos,** *que son a veces inconstantes, inquietos, distraídos, desaplicados, desagradecidos, maleducados. Y aun de las mismas familias, que en muchos casos en vez de apoyar al catequista lo que hacen es ponerse en su contra o no interesarse ni lo más mínimo por lo que hace.*

15. PERO EN ESTO, LOS ÉXITOS NO PUEDEN FALLAR: *Cuando uno trabaja por Dios jamás fracasa, porque Dios no pierde batallas y en catequesis el trabajo es una compañía: 99 por ciento Dios y 1 por ciento nosotros. ¿Cómo vamos a poder quebrar, si el accionista principal es Dios? Las dificultades se superan y ellas son las que aumentan la personalidad. Quien tiene entusiasmo, repite y no se desanima, y sobre todo* **procura prepararse debidamente para hacer atrayente la lección de catecismo** *y lograr atraer la atención de los niños.*

Y el fruto no puede faltar. Hay **dos frases muy famosas** *acerca de esto. La primera la dijo Jesús: "Todo el bien que hacéis a uno de estos pequeñuelos, a mí me lo hacéis". Y la segunda la escribió el profeta Daniel: "Los que enseñen a otros la religión, brillarán como estrellas por toda la eternidad" (Daniel 12, 3). ¿Que ahora no se ven los frutos? Aguardemos un poco: el fruto de estas enseñanzas se verá cuando les llegue una desgracia, un peligro de muerte o cuando tengan la oportunidad de practicar un acto heroico. En el cielo nos quedaremos boquiabiertos al saber los* **maravillosos resultados que se consiguieron con una sencilla clase de catecismo.**

16. LAS CUALIDADES PARA SER BUEN CATEQUISTA. LA PRIMERA DE TODAS LAS CUALIDADES: Una buena conducta. *El papa Pío XII decía: "Los niños tienen malos oídos para escuchar, pero muy buenos ojos para observar". Si le pueden decir al catequista "No puedo oír lo bueno que dices porque me lo impide el ver lo malo que haces", es fatal. Nadie da lo que no tiene. Si quieres enseñar a ser amables, no puedes vivir odiando. Si deseas enseñar a ser puros, no puedes andar con el alma emponzoñada con malos pensamientos. San Juan Bosco, san Felipe Neri enseñaban con palabras a ser alegres, pero sus alumnos aprendían la alegría observándolos a ellos, tan supremamente alegres en todo momento.*

17. SEGUNDA CUALIDAD: LA PIEDAD. *Consiste en sentir un afecto de hijo hacia Dios. Esto es lo que produce en el catequista aquello que se llama "unción", o sea, un modo de hablar tan impresionante que los oyentes se dejan convencer acerca de las verdades religiosas. Ha habido catequistas como san Francisco de Asís, san Juan María Vianney, etc., que tenían muy pobre apariencia y que no eran brillantes en sus palabras. Pero sus clases de catecismo transformaban a los oyentes porque ellos sentían hacia Dios el cariño del más agradecido de los hijos hacia el más bondadoso de los padres. Y eso es lo que se llama piedad. ¿Cómo puede un catequista hacer que los catequizandos amen a Dios si él no lo ama? ¿Cómo puede enseñarles a rezar si él no hace bien la señal de la Cruz, ni la genuflexión, ni entra a una iglesia cuando pasa por frente de ella? Los niños deberían decir del catequista lo que los alumnos exclamaban al ver a ciertos santos: "Se parece a Nuestro Señor".*

18. TERCERA CUALIDAD: CONVICCIÓN PROFUNDA. *La ley de la oratoria sagrada es: "Llénese el* *tonel hasta el borde y ábrase la llave de salida: Verán qué fuerza la de esa corriente". O sea: convénzase el que enseña religión plenamente de lo que va a enseñar y verá que ya nadie lo ataja ni logra ponerle freno en su enseñar. Demóstenes, el mejor orador de la antigüedad, quería aprender los medios para convencer. Se fue y vio a una madre con sus hijos defendiendo ante un tribunal la herencia que les había dejado el padre de familia y que alguien les quería robar. Ese día aprendió* **una gran lección:** *que cuando uno está convencido plenamente de lo que dice y entusiasmado por lo que defiende, se vuelve orador sin darse cuenta y convence a los oyentes. Al catequista no le basta enseñar.* **Es necesario que entusiasme,** *que apasione a los oyentes, que los arrastre hacia el ideal religioso que les enseña.*

19. CUARTA CUALIDAD: AMAR A LOS CATEQUIZANDOS. *Lacordaire decía: "Dios ha dispuesto de tal manera la humanidad, que a la gente no se le logra hacer bien si no es amándola". Hay que hacer como ciertos grandes actores de teatro, que antes de abrirse el telón se dicen: "Yo amo a este público. Este público es mi razón de existir. Adoro a mi público. Por él me desgastaré completamente y haré todo lo mejor que me sea posible". El catequista, si no ama al público, a sus catequizandos, se desanimará fácilmente, pero si los ama de todo corazón seguirá adelante sin desanimarse nunca. (Pero no olvidemos que el amor del prójimo es una virtud sobrenatural, y no se obtiene sin más porque a uno se le antoja. Hay que pedirla todos los días a Dios. Quizá no amamos más porque no hemos pedido a Dios que nos conceda ese amor que tanto estima la divinidad).*

"Enamórese usted de Cristo y de las almas, y verá que nunca jamás se desanima en la enseñanza del catecismo", decía san Antonio Claret a uno que se admiraba de que él pudiera enseñar doce horas diarias y no sentir agotamiento.

20. QUINTA CUALIDAD: UNA GRAN PACIENCIA. *El formidable catequista san Juan Bosco, repetía: "Para enseñar catecismo se necesita la amabilidad de san Francisco de Sales y la paciencia del santo Job". Eso sí que es verdad. Cuántos catequistas han echado pie atrás porque no fueron capaces de aguantarse a los jóvenes. Pidamos a Dios más paciencia.*

21. SABER RELIGIÓN Y SABER ENSEÑAR. *Si el catequista sabe mucho puede enseñar bien. Si sabe bastante puede enseñar regular. Si sabe muy poquito enseñará mal. Puede saber bastante pero no tener técnicas para enseñar, y fracasar por eso. Hay que esforzarse por aprender a enseñar.*

22. HACERSE ENTENDER: *Usar un lenguaje fácil de entender. Aquel catequista decía a los niños: "Jesús salió del sepulcro sin romper la losa". Y preguntaron a uno qué había dicho. Éste respondió: "Que Jesús salió del sepulcro sin romper ni un solo plato". El otro enseñaba a los adultos y les repetía: "misterio pascual, misterio pascual". De pronto preguntó a un campesino: ¿Qué conoce usted del misterio pascual?, y el viejo respondió: "Yo el único Pascual que conozco es el sepulturero". Recordemos que el vocabulario de la gente no siempre es abundante. Expliquemos cada palabra nueva. No demos por entendido lo que no está entendido. Hay que presentar las grandes verdades de manera agradable y simpática a los niños y a los rudos.*

23. SABER NARRAR: *Un poeta dijo: "A los niños les son dulces, gratísimas y amables las crónicas, historias y leyendas". Y yo diría que también a los mayores. La narración es uno de los métodos más eficaces para obtener que el auditorio juvenil esté atento al que habla. Tanto que uno de los pedagogos más famosos de los últimos tiempos recomendaba: "Jamás hablen a un público juvenil sin preparar una bella y emocionante historia para narrarles. Esto es mágico para tenerlos atentos y contentos". Pasarán los años. Las verdades enseñadas se habrán olvidado quizá en su mayoría, pero ese ejemplo hermoso e interesante estará allí fresquito en la memoria y les puede recordar una importante lección moral. Entre las narraciones más impresionantes y provechosas estarán siempre las 40 parábolas de Jesús y las emocionantes historias del Antiguo Testamento. San Agustín se propuso narrar historias de la Biblia en su catequesis y dice que le producían muy buen resultado. Hay catequistas que hacen concursos entre sus alumnos acerca de quién se sabe mejor las parábolas de Jesús, y luego al final de año al preguntar qué fue lo que más les gustó de toda la catequesis, los niños le responden con rara unanimidad: "lo más bonito que nos pareció de la Biblia fueron las parábolas".*

24. PRACTICAR, PRACTICAR, PRACTICAR: *A enseñar se aprende enseñando. El aprendiz de albañil comete muchos errores al principio, pero después de muchos años es un maestro constructor. Dicen que en los primeros meses todo maestro hace más mal que bien... pero después va adquiriendo habilidad. Le pasa como al aprendiz que es enviado a un techo a tapar goteras: por tapar un roto, rompe diez tejas más con sus pisadas... pero después de algún tiempo de práctica, ya no cometerá tantos errores.*

25. CONSULTAR A LOS QUE SABEN: *Hay un epitafio en la tumba de uno de los grandes industriales de este siglo. Lo mandó redactar él mismo antes de morir. Y dice así: "Aquí yace uno que triunfó, porque supo consultar a los que sabían más que él". Consulte, catequista. Pregunte y charle con los que llevan más tiempo que usted. Oiga a los que saben dar las clases bien. Asista a cursillos y a convivencias, y lea, lea y lea. Su cerebro se le duerme si no lee, pero las células cerebrales se le excitan si lee. Lea libros fáciles adaptados a usted, pero no deje de leer. No coma alcantarilla con sus ojos leyendo lo que no conviene, pero alimente su vista y su cerebro con el maná de las buenas lecturas. Primero, y ante todo una página diaria de la S. Biblia. Después, otros libros. Una persona debe gastar en libros al menos tanto como lo que gasta en vestidos y mobiliario. Consulte al párroco qué libros le conviene leer y no tenga miedo en gastar dinero en esto, que el Señor le va a recompensar cien veces más lo que gaste por prepararse mejor para su clase de religión. Ya verá que así es. Ya lo verá. Yo quiero hacer mías las palabras del testamento del gran Pasteur: "No dejéis ni un solo día sin leer algo provechoso para vuestra alma. Eso es atesorar para el futuro". Día sin leer es día muerto.*

Cada catequista debe ir haciendo una colección de narraciones, historietas, pinturas, chistes (¿por qué no chistes? Ellos deselectrizan el ambiente y traen descanso a la clase), etc., y adaptar esas historias al público al cual tiene que hablar. Algunos dicen que no saben contar historias. Lo que pasa es que no se saben bellas historias. Si las van leyendo y aprendiendo, las sabrán contar después. Y escribir: ¿Que se oyó una frase bonita en un sermón o en una conferencia? Escribirla, para que no se olvide. Le servirá después para repetirla en su clase. Lo que el árbol tiene de florido, vive de lo que tiene sepultado.

A Dios rogando, y con el martillo dando... Preparemos nuestra clase, tratemos de hacerla lo más simpática y agradable posible, y recemos, oremos sin cansarnos al buen Dios pidiendo como Salomón: "Envíame la Sabiduría asistente de tu trono. Tú sabes que soy débil y de pocos años y sin cualidades suficientes, pero si envías tu sabiduría podré enseñar a este pueblo que me has confiado" (Sb 9, 4-7). Y si nosotros hacemos lo que podemos, Dios hará lo que no podemos, y el éxito en nuestra catequesis será la alegría en esta tierra y la felicidad eterna en el cielo. Ánimo: es grande la cosecha que nos espera. Amén.

(Basado en "Nociones de Catequética"
de S.S. Juan Pablo I).

"Quien se humilla hasta hacerse como un niño, será el más grande en el Reino de los Cielos"

S. Biblia, Mateo 18, 4

Por la señal
de la santa Cruz
(se hace la Cruz en
la frente);

de nuestros
enemigos,
(se hace la Cruz
en la boca);

líbranos, Señor
Dios nuestro. (se
hace la Cruz en
el pecho).

En el nombre del
Padre.

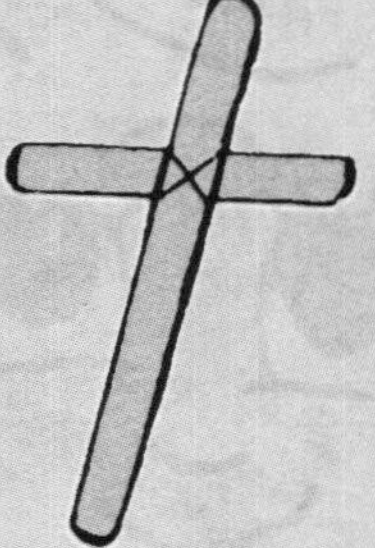

Y del hijo,

Y del Espíritu

Santo.

Amén.

"PARA LOS QUE HACEN EL BIEN HABRÁ GLORIA, HONOR Y PAZ".

(S. Biblia, Romanos 2, 10).

(S. Biblia, Romanos 2, 9).

"PARA TODO EL QUE OBRE MAL, TRISTEZA Y ANGUSTIA VENDRÁ".

Catecismo Católico Explicado

P. Gaspar Astete y P. Eliécer Sálesman

I. EL NOMBRE DEL CRISTIANO

1a. Pregunta: ¿Somos cristianos?
R. Sí, somos cristianos por la gracia de Dios.

2a. ¿De quién recibimos el nombre de cristianos?
R. El nombre de cristianos lo recibimos de Cristo, Nuestro Señor.

Fue en Antioquía, ciudad de Siria, donde por primera vez los discípulos de Cristo recibieron el nombre de "cristianos" (Hechos 11, 26).

3). ¿Qué quiere decir "cristiano"?
R. Cristiano quiere decir una persona que cree en Jesucristo y quiere cumplir lo que Él enseñó.

4). ¿Cuándo empezamos a ser cristianos?
R. Empezamos a ser cristianos el día de nuestro Bautismo, pues desde ese día somos hijos de Dios y hermanos de Jesucristo.

Jesús cuando iba a subir al cielo dijo a sus discípulos: "Id por todo el mundo y haced discípulos míos a todas las gentes, bautizándolas en nombre del Padre, y del Hijo y del Espíritu Santo" (Mateo 28, 19).

EJEMPLO: *El rey san Luis de Francia iba cada año a visitar la pequeña iglesia donde había sido bautizado y decía: "Aquí, en este baptisterio, se me hizo el mayor regalo que una persona pueda recibir: aquí, al recibir el Bautismo, empecé a ser hermano y discípulo de Jesucristo, que es el mayor honor que a un hombre se le pueda dar. Aquí en esta iglesia, al ser bautizado, empecé a ser cristiano".*

Averigüemos en nuestra partida de Bautismo el día en que fuimos bautizados y consideremos esa fecha como la más importante de nuestra vida.

Dice el **Catecismo de Juan Pablo II:** "El nombre de cristiano exige una adhesión irrevocable a las verdades enseñadas por Jesucristo" (No. 88).

Los cristianos veneramos el Antiguo Testamento como Palabra de Dios y le damos gran importancia al Nuevo Testamento, especialmente a los 4 evangelios (123-124).

II. LA SEÑAL DEL CRISTIANO

5) ¿Cuál es la insignia o señal del cristiano?
R. La insignia o señal del cristiano es la Santa Cruz.

Dice san Pablo: "Líbreme Dios de gloriarme en otra cosa si no es en la Cruz de Nuestro Señor Jesucristo" (Gálatas 16, 14).

6) ¿Por qué la Santa Cruz es la señal del cristiano?
R. La Santa Cruz es la señal del cristiano porque nos recuerda que en ella Jesucristo, al ser crucificado, nos redimió y pagó nuestros pecados.

"Por medio de Jesucristo quiso Dios reconciliar consigo todos los seres, tanto los del cielo como los de la tierra, haciendo las paces por su sangre derramada en la Cruz" (Colosenses 1, 20).

7) ¿De cuántas maneras hacemos la señal de la Cruz?
R. Hacemos la señal de la Cruz de dos maneras: santiguándonos y signándonos.

8) ¿Qué es santiguarnos?
R. Santiguarnos es una oración que hacemos, formando sobre nosotros una Cruz, desde la frente hasta el pecho y del hombro izquierdo hasta el derecho y diciendo al mismo tiempo: "En el nombre del Padre y del Hijo y del Espíritu Santo".

EJEMPLO: *Cuando la Santísima Virgen se le apareció en Lourdes a una niña muy pobre, Bernardita Soubirous, la* *jovencita al ver a Nuestra Señora quiso hacer la señal de la Cruz, pero la mano se le quedó como paralizada. Entonces la Virgen María, muy despacio y con mucha devoción, se santiguó haciendo la señal de la Cruz con la mano, desde la frente hasta el pecho y desde el hombro izquierdo hasta el derecho. Apenas Nuestra Señora terminó de santiguarse, entonces sí pudo Bernardita hacer la señal de la Cruz. Y con esto* **entendió Bernardita la lección que la Madre de Dios quería darle:** *es que la niña hacía muy rápido la señal de la Cruz, y es necesario hacerla despacio y con devoción si queremos que a Dios le agrade.*

9) ¿Qué es signarnos?

R. Signarnos es una oración que hacemos formando una cruz en la frente, otra en la boca y otra en el pecho, diciendo al mismo tiempo: "Por la señal de la santa Cruz, de nuestros + enemigos líbranos Señor + Dios Nuestro.

La S. Biblia narra que les fue dada esta orden a los ángeles "No causéis daño en la tierra, hasta que pongamos en la frente la señal a los que son amigos de Dios" (Apocalipsis 7, 3).

10) ¿Para qué nos signamos en la frente?

R. Nos signamos en la frente para que nos libre Dios de los malos pensamientos.

"Lo que sale de la mente, eso es lo que mancha el alma y hace impura a la persona. Porque de la mente salen los malos pensamientos de impureza, de robo, de avaricia, de envidia, de hacer trampas y de ofender a los demás. Y esto es lo que hace impura a una persona", dijo Jesucristo (Marcos 7, 21-23).

CON ESTA SEÑAL, VENCEREMOS

"A mí líbrame Dios de gloriarme si no es en la cruz de Jesús" (S. Pablo, Gálatas 6, 14).

Por CRISTO Nuestro Señor

11) ¿Para qué nos signamos en la boca?

R. Nos signamos en la boca para que nos libre Dios de las malas conversaciones y de las malas palabras.

Jesús dijo: "De toda palabra dañosa que diga una persona tendrá que dar cuenta a Dios en el día del Juicio. Por tus palabras te salvarás o por tus palabras te condenarás" (Mateo 12, 36-37).

12) ¿Para qué nos signamos en el pecho?

R. Nos signamos en el pecho para que nos libre Dios de las malas obras y de los malos deseos.

"Para todo el que obra mal, tristeza y angustia vendrán" (Romanos 2, 9).

13) ¿Qué es persignarnos?

R. Persignarnos es signarnos y enseguida santiguarnos.

14) ¿Cuándo debemos usar la señal de la Cruz?

R. Debemos usar la señal de la Cruz al levantarnos y al acostarnos; antes y después de las comidas, al emprender un viaje, al entrar en los templos, al empezar nuestros trabajos y cuando nos vemos en alguna necesidad, tentación o peligro.

EJEMPLO: Se narra en la vida de santa Teresa que un día, al verse asaltada por una tentación del enemigo del alma, ella hizo muy despacio y con fe la señal de la Cruz y sintió que la tentación se alejaba. Y en la vida de san Benito se narra que un día le sirvieron un vaso de vino envenenado. El santo hizo la señal de la Cruz sobre el vaso y éste se rompió, derramándose el vino envenenado. De otra santa se

LA IGLESIA ME HA DADO

Mi mayor dicha: Ser cristiano

LA REVELACIÓN:

revelar= algo que está oculto hacerlo público, darlo a conocer.

cuenta también en su biografía que, viéndose asaltada por la tristeza —que es una tentación muy dañosa—, sintió alejarse la melancolía cuando hizo con toda fe la señal de la Cruz. Es que el trazar sobre nosotros la Cruz, que es el recuerdo de nuestra redención, y el pronunciar los nombres de las tres divinas personas de la Santísima Trinidad, trae gran bendición y aleja muchos males.

15) ¿Por qué debemos usar tantas veces la señal de la Cruz?

R. Debemos usar tantas veces la señal de la Cruz porque en todo tiempo y lugar los enemigos del alma nos combaten y persiguen.

Jesús decía: "Mientras el hombre descansa, viene su enemigo y siembra cizaña en su campo" (Mateo 13, 25). Y el profeta David dijo: "Mira, Señor, que son muchos mis enemigos, los que desean que me vaya mal".

16) ¿Cuáles son los enemigos del alma?

R. Los enemigos del alma son: el mundo, el demonio y la carne. Mundo son las malas costumbres y las ideas equivocadas. El demonio es Satanás. Y la carne son los malos deseos del cuerpo.

Dice san Juan: *"Todo lo que hay en el mundo es concupiscencia de la carne, concupiscencia de los ojos y las ambiciones y del orgullo, y esto no viene del Padre Dios" (1Jn 2,16).*

17) ¿Por qué la santa Cruz tiene poder contra los enemigos del alma?

R. La santa Cruz tiene poder contra los enemigos del alma, porque Jesucristo los venció en ella con su muerte.

“La prueba de que Dios nos ama es que Jesucristo murió por nosotros siendo nosotros pecadores (Romanos 5, 8).

18) ¿Cómo debemos venerar a la santa Cruz?

R. Debemos venerar la santa Cruz teniéndola en nuestras casas con todo respeto, celebrando su fiesta el 3 de mayo y diciendo: “Te adoramos, oh Cristo, y te bendecimos, que por tu santa Cruz redimiste al mundo”.

Dijo Jesús: *“Cuando yo sea levantado en alto —en la Cruz— todo lo atraeré hacia mí” (Juan 12, 32).*

III. FIN DEL HOMBRE

19) ¿Para qué creó Dios al hombre?

R. Dios nos creó a cada uno de nosotros para que lo amemos y le obedezcamos en esta tierra, y después seamos felices con Él en el cielo para siempre.

El día en que Dios hizo a Adán lo hizo a imagen suya. “El hombre llamó a su mujer Eva, por ser ella la madre de todos los vivientes” (Génesis 2, 23).

20) ¿Qué es necesario saber para conocer, amar y servir a Dios?

R. Para conocer, amar y servir a Dios debemos saber lo que debemos creer, lo que debemos orar, lo que debemos hacer y lo que debemos recibir.

"No hay nada mejor en el mundo que la clase de catecismo, porque en ella aprendemos a conocer a nuestro Dios, a amarlo, a obedecerlo y a recibir bien los sacramentos. Y la experiencia ha demostrado que el aprender de memoria el catecismo hace un gran bien a los niños" (Juan Pablo II).

21) ¿Cómo sabremos lo que debemos creer?

R. Sabremos lo que debemos creer aprendiendo el Credo, leyendo la S. Biblia y atendiendo a las enseñanzas del Sumo Pontífice y de los obispos y sacerdotes.

Jesús dijo a sus Apóstoles: "El que a vosotros os escuche, a mí me escucha". Y el Sumo Pontífice y los obispos reemplazan ahora a los Apóstoles.

EJEMPLO: CÓMO SE FORMÓ EL CREDO. *La antigua tradición dice que los 12 Apóstoles antes de separarse compusieron un resumen de 12 creencias que obligan a todo cristiano, y que ese resumen se llamó Credo. En el primer Concilio de la Iglesia en el año 325, se proclamó como obligatorio para todo cristiano creer las 12 verdades del Credo. Concilio es la reunión de los obispos de todo el mundo.*

22) ¿Cómo sabemos lo que debemos orar?

R. Sabemos lo que debemos orar aprendiendo el Padrenuestro y el Avemaría y participando activamente en las oraciones y en los cantos de la S. Misa. Es también muy conveniente rezar de vez en cuando un salmo de la Biblia.

"Es necesario orar siempre y no cansarse nunca de orar" (S. Lucas 18,1).

DIJO JESÚS:
“ID Y ENSEÑAD A TODAS LAS GENTES”
(Mt 28, 19).

Los salmos son las oraciones más hermosas que existen, después del Padrenuestro y el Avemaría. Cuando una persona empieza a rezar salmos, ya no los cambia por otras oraciones.

23) ¿Cómo sabemos lo que debemos hacer?

R. Sabemos lo que debemos hacer aprendiendo los mandamientos de la ley de Dios, los mandamientos de la santa Iglesia, y las obras de misericordia, y leyendo cada semana una página de la Biblia.

Un joven le preguntó a Jesús: *"Maestro, ¿qué debo hacer para conseguir la vida eterna?* Y Jesús le dijo: *"Si quieres conseguir la vida eterna tienes que cumplir los mandamientos" (S. Mateo 19, 16).*

24) ¿Cómo sabemos qué es lo que debemos recibir?

R. Sabemos qué es lo que hay que recibir aprendiendo las verdades que se refieren a la gracia y a los sacramentos.

Las verdades acerca de la gracia y los sacramentos están al final de este catecismo. También se encuentran en un bellísimo libro llamado "Militantes de Cristo", donde cada sacramento está muy bien explicado.

25) ¿Dónde se encuentra lo que debemos creer, orar, hacer y recibir?

R. Lo que debemos creer, orar, hacer y recibir se encuentra en la S. Biblia, y de manera resumida y fácil se encuentra en el Catecismo de la Doctrina Cristiana.

Del catecismo se puede afirmar lo que Jesús dijo del primer mandamiento: "Aquí se encuentra resumido lo que manda la ley y lo que enseñaron los profetas" (Mateo 22, 40).

26) ¿De qué trata el Catecismo de la Doctrina Cristiana?

R. El Catecismo de la Doctrina Cristiana trata del Credo, de la oración, de los mandamientos, de la gracia y los sacramentos.

El que quiere ser bien instruido en el Reino de Dios, se esfuerza por aprender lo antiguo y lo nuevo (cf. Mateo 13, 52).

27) ¿Tenemos obligaciones de saber, creer y practicar la doctrina cristiana?

R. Todos tenemos obligación de saber, creer y practicar la doctrina cristiana, porque Jesucristo lo mandó expresamente para que así honremos a Dios y consigamos la salvación.

Dijo Jesús: *"El que crea se salvará, y el que no crea se condenará" (Marcos 16, 16).*

"Los ojos de Dios están en todas partes, observando a los buenos y a los malos"

(S. Biblia, Proverbios 15, 3)

Dios es omnipresente.
ESTÁ EN TODAS PARTES
Oye lo que digo,
Ve lo que hacemos
presente de modo
particular en...
Vive en mi corazón
Dios es omnipresente
Dios conoce el presente
El pasado
El futuro
conoce mis pensamientos más ocultos....
Dios es Santo
Dios es Justo
TAMBIÉN YO QUIERO SER SANTO
Premia
el bien
Castiga
el mal

PRIMERA PARTE
EL CREDO

28) ¿Qué es creer?

R. Creer es tener como cierto todo lo que Dios ha dicho, y aceptar con confianza a Jesucristo y lo que Él nos enseñó, porque Él es Dios.

"En verdad en verdad os digo: quien cree en mí tiene vida eterna" (Juan 6, 47).

29) ¿Por qué debemos creer todas las verdades que Dios ha revelado?

R. Debemos creer todas las verdades que Dios ha revelado porque Él es infinitamente sabio y dice siempre la verdad, y no puede jamás engañarse ni engañarnos.

"Antes pasarán los cielos y la tierra que deje de cumplirse una sola letra de lo que Dios ha dicho" (S. Mateo 5, 18).

30) ¿Dónde se encuentran todas las verdades que Dios ha revelado?

R. Todas las verdades que Dios ha revelado se encuentran en la Sagrada Escritura o S. Biblia y en la Tradición de la Iglesia.

"Toda la S. Biblia es divinamente inspirada y útil para enseñar y corregir y para educar y guiar hacia el bien" (2Tm 3,16).

31) ¿Qué es la Sagrada Escritura?

R. La Sagrada Escritura o Sagrada Biblia es la colección de los 73 libros inspirados por Dios y escritos por profetas y santos.

32) ¿Cómo se divide la Santa Biblia?

R. La S. Biblia se divide en dos grandes partes: Antiguo Testamento y Nuevo Testamento. La palabra Testamento significa un pacto o alianza que Dios hizo con los hombres.

33) ¿Qué es el Antiguo Testamento?

R. El Antiguo Testamento es lo que sucedió desde la creación del mundo hasta que llegó el tiempo de la venida del Hijo de Dios, y contiene los pactos o Testamentos que Dios hizo con su pueblo y los éxitos que obtuvieron los que cumplieron estos pactos o Testamentos y los fracasos que sufrieron los que no los cumplieron.

34) ¿Qué es el Nuevo Testamento?

R. El Nuevo Testamento es la narración de lo que sucedió desde el nacimiento del Hijo de Dios en Belén, sus enseñanzas, su vida y sus grandes milagros; su Pasión, Muerte, Resurrección y Ascensión; la historia de los Apóstoles y las cartas de algunos de ellos y el libro del Apocalipsis que trata del fin del mundo.

35) ¿Qué es la Tradición?

R. Tradición son las enseñanzas de Dios que no están expresamente en la S. Biblia sino que han sido transmitidas oralmente o por escrito desde Jesucristo y los Apóstoles hasta ahora por los Sumos Pontífices y los santos de la Iglesia.

Dice san Juan: "Hay además muchas otras cosas que hizo Jesús, que si se contaran una por una, no cabrían en el mundo los libros en que se escribieran" (Juan 21, 25).

36) ¿Qué es el Credo?

R. El Credo es el resumen de las principales verdades que debemos creer.

"La fe es la seguridad de las realidades que no se ven" (Hebreos 11, 1). "Dichosos los que creen sin haber visto" (S. Juan 20, 29).

37) ¿Por qué el Credo se llama Símbolo de los Apóstoles?

R. El Credo se llama Símbolo de los Apóstoles porque contiene el resumen de las principales verdades que los Apóstoles enseñaron por mandato de Cristo.

San Pablo decía: *"Si alguno os viene a enseñar algo contrario a lo que os hemos enseñado, no le creáis aunque diga que es un ángel del cielo" (Gálatas 1, 8).*

38) ¿Por qué debemos rezar el Credo con frecuencia?

R. Debemos rezar el Credo con frecuencia porque no basta creer interiormente sino que es necesario proclamar exteriormente lo que creemos.

Dijo Jesús: "El que me proclame delante de la gente, yo también lo proclamaré delante de mi Padre Celestial" (S. Mateo 10, 32).

39) Recitar el Credo

R. (1) Creo en Dios Padre Todopoderoso, Creador del cielo y de la tierra (2) y en Jesucristo, su Único Hijo, Nuestro Señor, (3) que fue concebido por obra y gracia del Espíritu Santo y nació de Santa María Virgen; (4) padeció bajo el

La Santa Cruz es la señal del cristiano

poder de Poncio Pilato; fue crucificado, muerto y sepultado; (5) descendió a los infiernos y al tercer día resucitó de entre los muertos; (6) subió a los cielos y está sentado a la diestra de Dios Padre Todopoderoso. (7) Desde allí ha de venir a juzgar a los vivos y a los muertos. (8) Creo en el Espíritu Santo; (9) en la santa Iglesia Católica, (10) la comunión de los santos, el perdón de los pecados; (11) la resurrección de los muertos, (12) y la vida eterna. Amén.

40) ¿Cuál es el medio seguro y necesario para conocer las verdades que debemos creer y proclamar como cristianos?

R. El medio seguro y necesario para conocer las verdades que debemos creer y proclamar como cristianos es seguir las enseñanzas de la santa Iglesia Católica, Apostólica y Romana.

Jesús dijo a sus Apóstoles: *"El que a vosotros escucha, a mí me escucha, y el que a vosotros desprecia, a mí me desprecia". El Papa y los obispos reemplazan ahora a los Apóstoles, por eso el medio más seguro de saber lo que debemos creer es atender a lo que enseñan el Sumo Pontífice y nuestros obispos.*

Dice el Catecismo de Juan Pablo II: "La fe es la respuesta del ser humano a Dios que se revela" (26).

"El deseo de Dios está grabado en el corazón humano, porque ha sido creado por Dios y para Dios, y sólo en Dios encontrará la verdad y la paz" (27).

"El ser humano es *"un ser religioso"* que tiende naturalmente hacia Dios" (28).

"Aunque olvidemos a Dios, Él no cesa de llamarnos e invitarnos a creer en Él y a amarlo" (30).

PRIMER ARTÍCULO DEL CREDO

1. DIOS: LA SANTÍSIMA TRINIDAD

41) ¿Cuál es el primer artículo del Credo?

R. El primer artículo del Credo es: "Creo en Dios Padre Todopoderoso, Creador del cielo y de la tierra".

La S. Biblia dice: "Lo primero que hay que creer es que Dios existe y que Él premia a los que lo aman; por la fe sabemos que el universo fue creado por la Palabra de Dios" (Hebreos 11, 3).

42) ¿Quién es Dios, Nuestro Señor?

R. Dios es nuestro Padre que está en los cielos. Él es un ser infinitamente bueno, sabio, poderoso, justo, principio y fin de todas las cosas, que premia a los buenos y castiga a los malos.

Cuando Moisés preguntó a Dios: *"¿Cuál es tu nombre?", Dios le respondió: "Mi nombre es Yahveh, (Yo soy el que soy) que significa: yo hice a todos, yo soy el Creador y Dueño de todo" (cf. Éxodo 3, 14).*

43) ¿Tiene Dios figura corporal como nosotros?

R. Dios no tiene figura corporal como nosotros, porque Él es espíritu puro.

"Dios es Espíritu, y los que lo adoran lo deben adorar en espíritu" (Juan 4, 24).

La S. Biblia dice que "Dios hizo al hombre a su imagen y semejanza". Pero como Dios no tiene cuerpo, lo que es imagen y semejanza de Dios no es nuestro cuerpo sino el espíritu. Nos parecemos a Dios en nuestra inteligencia y en nuestra voluntad.

44) ¿Quién es la Santísima Trinidad?

R. La Santísima Trinidad es el mismo Dios, Padre, Hijo y Espíritu Santo, tres personas distintas y un solo Dios verdadero.

Ejemplo: El niño y san Agustín: *Dicen que san Agustín paseaba a la orilla del mar pensando cómo podría ser posible que Dios sea a la vez tres personas y un solo Dios. Y vio a un niño haciendo un hoyito con las manos en la arena. ¿Qué haces? —le preguntó—. "Hago un hoyito en la arena para echar en él toda el agua del mar". ¿Pero cómo quieres que en un hoyito tan pequeño quepa el agua del mar? "Pues así tú —le dijo el niño— ¿cómo quieres que en tu cabeza tan pequeña quepa lo grande que es Dios?".*

45) ¿El Padre es Dios?

R. Sí, el Padre es Dios.

"Bendito sea el Dios y Padre de Nuestro Señor Jesucristo, Padre de las misericordias y de toda consolación" (2Co 1, 3).

46) ¿El Hijo es Dios?

R. Sí, el Hijo es Dios.

Jesús decía: *"Mi Padre y yo somos uno mismo" (Jn 10, 30). Y la causa por la cual lo crucificaron fue haber dicho que Él sí era el Hijo de Dios (Mt 26, 64; Mc 14, 62). Los Apóstoles, cuan-*

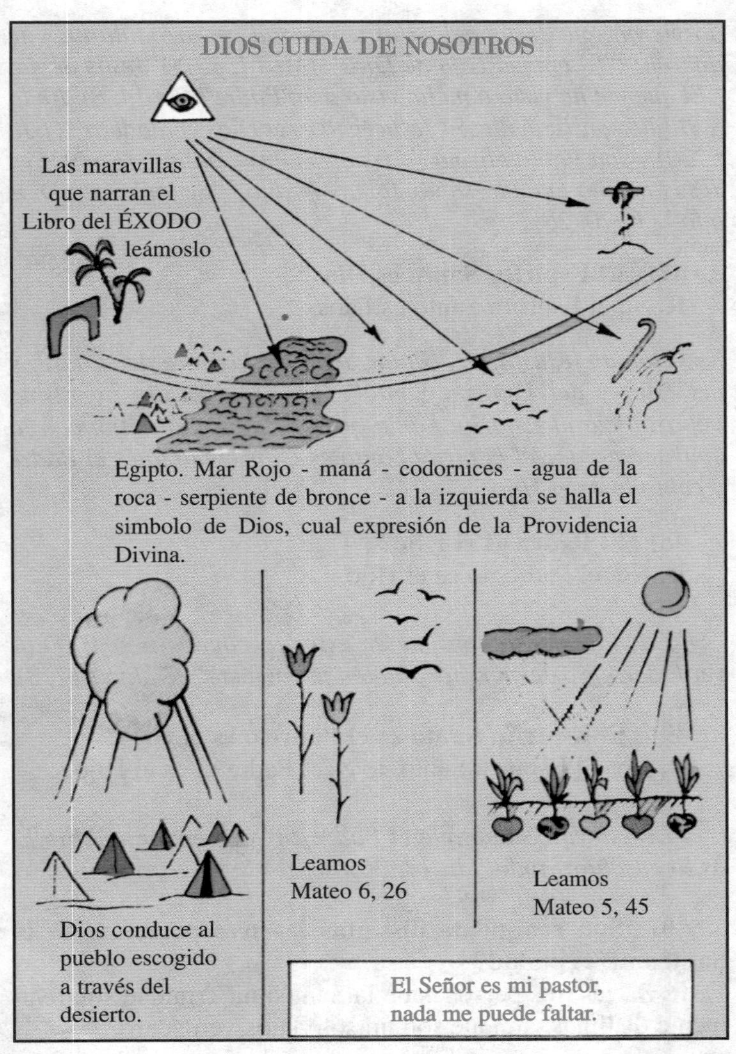
DIOS CUIDA DE NOSOTROS
Las maravillas
que narran el
Libro del ÉXODO
leámoslo
Egipto. Mar Rojo - maná - codornices - agua de la roca - serpiente de bronce - a la izquierda se halla el simbolo de Dios, cual expresión de la Providencia Divina.
Dios conduce al
pueblo escogido
a través del
desierto.
Leamos
Mateo 6, 26
Leamos
Mateo 5, 45
El Señor es mi pastor,
nada me puede faltar.

do vieron que Jesús calmó la tempestad, se arrodillaron y le dijeron: "Tú eres el Hijo de Dios" (Mt 14, 33). Y Jesús decía: "El que me ha visto a mí ha visto a mi Padre" (Jn 14, 8). En la S. Biblia san Juan dice: "Jesucristo es el Dios verdadero" (1 Jn 5, 20) y san Pablo afirma "Cristo es Dios bendito" (Rm 9, 5) y Jesús aceptó cuando santo Tomás le dijo: "Señor mío y Dios mío" (Jn 20, 28).

47) ¿El Espíritu Santo es Dios?
R. Sí, el Espíritu Santo es Dios.

Cuando Jesús dijo: "Bautizad en el nombre del Padre, y del Hijo y del Espíritu Santo" (Mt 28, 19), dio la misma importancia al Espíritu Santo que al Padre y al Hijo, con lo cual señala que el Espíritu Santo es Dios como lo es el Padre y como lo es el Hijo.

48) ¿El Padre es el Hijo?
R. No, el Padre no es el Hijo.

"La vida eterna consiste en esto: en conocerte a Ti, Dios verdadero, y a Jesucristo, a quien tú enviaste" (S. Juan 17, 3).

49) ¿El Espíritu Santo es el Padre o es el Hijo?
R. No. El Espíritu Santo no es el Padre ni es el Hijo.

"El Espíritu Santo que el Padre enviará en mi nombre Él os lo enseñará todo"(Jn 14, 26).

50) ¿Son realmente distintas las tres personas de la Santísima Trinidad?
R. Sí, las tres personas de la Santísima Trinidad son realmente distintas, aunque son un solo Dios verdadero.

San Pablo las señalaba como tres personas distintas. El saludo que él le daba a los cristianos era éste: "La gracia de Nuestro Señor Jesucristo, el amor del Padre y la comunicación del Espíritu Santo estén con vosotros" (2 Co 13, 14). Así como lo ancho, lo largo y lo alto de una pieza son tres cosas distintas, pero las tres forman una sola pieza, así el Padre, el Hijo y el Espíritu Santo son tres personas distintas pero son un solo Dios.

51) ¿Qué significa que Dios es Todopoderoso?

R. Que Dios es Todopoderoso significa que para Él todo es posible, y que Él tiene poder para hacer todo cuanto quiere.

El arcángel san Gabriel dijo: *"Nada hay imposible para Dios" (S. Lucas 1, 35) y Jesús decía: "Padre, para ti todo es posible" (Mc 14, 36) y san Pablo afirma: "Dios tiene poder para hacer muchísimo más de lo que nos atrevemos a pedir o desear" (Efesios 3, 20).*

52) ¿Qué significa que Dios es Creador?

R. Que Dios es Creador significa que Él hizo existir a todos los seres que hay en el universo.

"Mira al cielo y a la tierra, y al ver todo lo que en ellos existe recuerda que todo lo hizo Dios, y que es por obra de Dios que existen todas las personas del mundo" (2 Macabeos 7, 28).

53) ¿Dios cuida de los seres que viven en el mundo?

R. Sí. Dios cuida de todos los seres que viven en el mundo y los dirige y conserva con su infinito poder y sabiduría.

Salomón dijo: *"Al pequeño y al grande, a todos los hizo Dios y los cuida igualmente" (Sb 6, 7)* y el Divino Maestro *repetía: "Mirad las avecillas del bosque, mirad las florecitas del campo, y a todas ellas las cuida Dios. ¿Cuánto más os cuidará a vosotros que valéis mucho más que las aves y las flores?" (S. Mateo 6, 26).*

54) ¿Qué significa que Dios es Salvador?

R. Que Dios es Salvador significa que nos dio a su propio Hijo para librarnos de los males que merecíamos por nuestros pecados.

"Tanto amó Dios al mundo que le envió a su Hijo Único, para que todo el que crea en Él no perezca, sino que tenga vida eterna" (S. Juan 3,16).

2. LOS ÁNGELES

55) ¿Creó Dios otros seres fuera de este mundo visible?

R. Fuera de este mundo Dios creó también innumerables espíritus que se llaman ángeles.

La S. Biblia habla 99 veces de los ángeles. Jesús decía: "Yo podría rogar a mi Padre y Él me enviaría más de doce ejércitos de ángeles" (S. Mateo 26, 53).

56) ¿En qué estado creó Dios a los ángeles?

R. Dios creó a los ángeles en estado de inocencia, de gracia y amistad con Él.

"Tened cuidado para no dar mal ejemplo a los niños, porque sus ángeles en los cielos ven continuamente el rostro de mi Padre Celestial" (Mt 18, 10).

CREACIÓN DE LOS ÁNGELES

57) ¿Permanecieron todos los ángeles en el estado que Dios los creó?

R. No; todos los ángeles no permanecieron en el estado en que Dios los creó, porque muchos de ellos se rebelaron contra Dios y fueron arrojados por eso al infierno.

Dice el Apocalipsis: *"Hubo una batalla en el cielo: Miguel y sus ángeles combatieron contra el dragón y los suyos. Pero fue derrotado el dragón llamado diablo y ya no hubo más sitio en el cielo ni para satanás ni para sus ángeles" (12, 7).*

58) ¿Qué hacen los ángeles malos o demonios?

R. Los ángeles malos o demonios sufren eternamente en el infierno, y llenos de odio contra Dios y de envidia contra nosotros tratan de hacernos caer en el pecado para llevarnos a la condenación.

San Pedro dice: *"Estad alerta porque vuestro enemigo, el diablo, anda alrededor dando vueltas como león rugiente buscando a quién devorar" (1P 5, 8) y san Juan añade: "Ay de la gente de la tierra, porque el diablo ha bajado con gran furor a atacar, sabiendo que le queda poco tiempo" (Apocalipsis 12, 12).*

59) ¿Qué hacen los ángeles buenos?

R. Los ángeles buenos gozan de Dios en el cielo: lo alaban y bendicen eternamente, y son mensajeros suyos en muchas cosas, especialmente en proteger a la Iglesia y ayudar a los seres humanos.

La S. Biblia dice: *"Dios te encomendó a sus ángeles para que te acompañen en todos tus caminos" (Salmo 90, 11). "El ángel del Señor acampa en torno a sus fieles y los protege"*

(Salmo 33, 8). Cuando Jesús venció las tentaciones del diablo, los ángeles de Dios vinieron y le servían (Mt 4, 11).

60) ¿Quién es el Ángel de la Guarda?

R. El Ángel de la Guarda es un ángel bueno que Dios da a cada uno de nosotros para que nos proteja, nos aconseje lo bueno que debemos hacer, y nos aparte del mal.

Dios dijo: "Yo voy a enviar un ángel delante de ti, para que te proteja en el camino y te conduzca al sitio que te tengo preparado" (Éxodo 23, 20).

61) ¿Qué obligaciones tenemos para con el Ángel de la Guarda?

R. Para con el Ángel de la Guarda tenemos tres obligaciones: ser dóciles a sus inspiraciones, respetar su presencia portándonos bien y encomendarnos a él todos los días.

Dijo Dios: "Pórtate bien delante del ángel que yo te envío, y no seas rebelde, porque él me representa a mí" (Éxodo 23, 21).

62) Oración al Ángel de la Guarda:

Ángel de mi guarda - mi dulce compañía - no me desampares - ni de noche ni de día, - hasta que me pongas - en paz y alegría - con todos los santos, Jesús y María. Amén.

63) ¿Qué ángeles nombra la Sagrada Biblia?

R. La Sagrada Biblia nombra especialmente a tres ángeles: san Miguel que derrotó a Satanás en el cielo; san Rafael, que guió a Tobías y curó a su padre; y san Gabriel, que anunció a la Virgen María que ella iba a ser la Madre de Jesucristo Nuestro Señor.

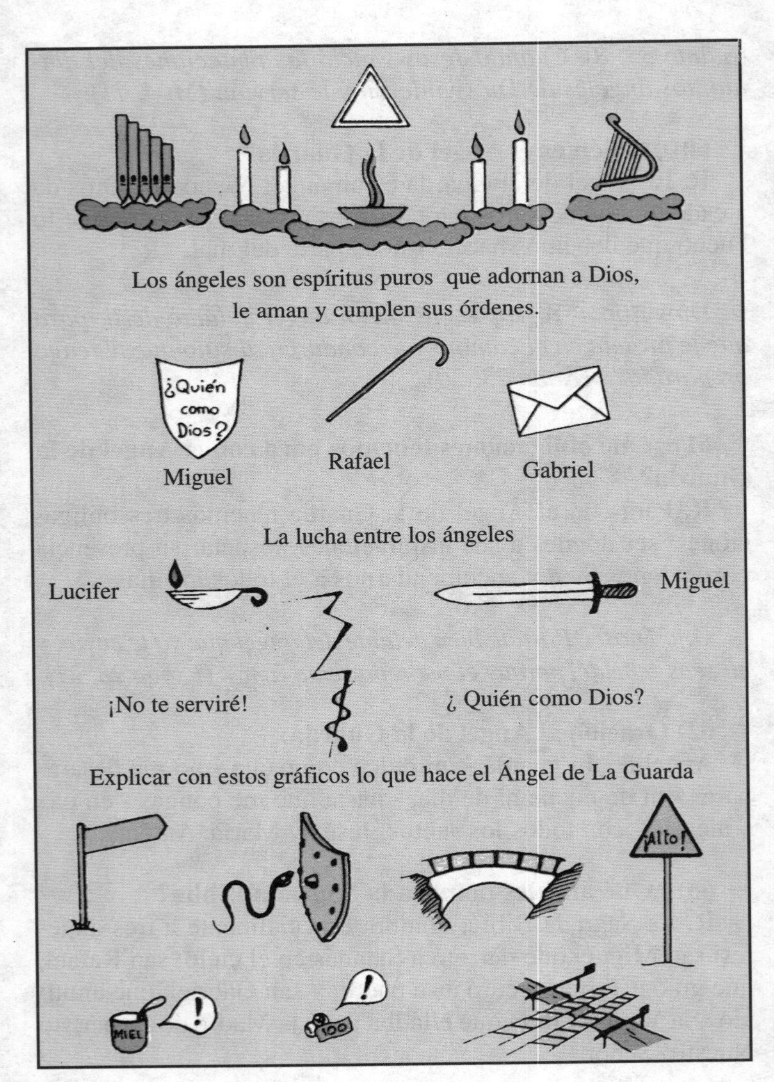
Los ángeles son espíritus puros que adornan a Dios,
le aman y cumplen sus órdenes.
¿Quién como Dios?
Miguel
Rafael
Gabriel
La lucha entre los ángeles
Lucifer
Miguel
¡No te serviré!
¿ Quién como Dios?
Explicar con estos gráficos lo que hace el Ángel de La Guarda
¡Alto!
MIEL
100

"Miguel es el gran príncipe que defiende a los hijos del pueblo de Israel" (Daniel 12, 1). El ángel dijo a Tobías: "Yo soy Rafael, uno de los siete ángeles que están siempre junto a la gloria de Dios" (Tobías 13, 15). "Fue enviado por Dios el ángel Gabriel a una ciudad de Galilea llamada Nazareth, a una Virgen llamada María" (S. Lucas 1, 26-27).

LOS ÁNGELES: UNOS BUENOS AMIGOS

(Del Catecismo de la Iglesia Católica, números 328 a 336)

La existencia de los ángeles es una verdad de fe. La Sagrada Escritura y la fe lo afirman. Los ángeles son mensajeros de Dios, que contemplan continuamente el rostro del Padre celestial (Mt 18, 10). Son cumplidores de sus órdenes, atentos siempre a la voz de su palabra (Salmo 103, 20).

El papa Pío XII decía que los ángeles son creaturas personales que tienen inteligencia y voluntad.

Los ángeles pertenecen a Cristo. "Cuando el Hijo del hombre venga en su gloria, llegará acompañado de todos sus ángeles" (Mt 25, 31). Le pertenecen porque fueron creados por Él y para Él: "Porque en Él fueron creados todos los seres, así del cielo como de la tierra" (Col 1, 16).

Los ángeles aparecen ya en el primer libro de la S. Biblia, el Génesis, custodiando el paraíso terrenal (Gn 3, 24).

Ellos protegen a Lot (Gn 19). Un ángel detiene la mano de Abrahán para que no sacrifique a Isaac (Gn 21). Los ángeles anuncian el nacimiento de algunos personajes como Sansón y otros traen mensajes como a Gedeón. El arcángel Gabriel anuncia el nacimiento de Juan Bautista y el de Jesucristo.

Cuando Dios mandó su Hijo al mundo dijo: "Adórenlo todos los ángeles" (Hb 1, 6). En Belén en la Navidad los ángeles cantaban: "Gloria a Dios en el cielo, y en la tierra paz a los hombres que ama el Señor" (Lc 2, 14). Cuando Jesús se fue al desierto "los ángeles le servían" (Mc 1, 12) y cuando estuvo en la agonía del huerto, un ángel vino a consolarlo (Lc 22, 43). Al decirle a Pedro que no atacara con la espada, Jesús dijo: "Yo podría pedir a mi Padre y me enviaría miles de ángeles a protegerme" (Mt 26, 53). Al resucitar Jesús, fue un ángel el que le dio la noticia a las mujeres para que fueran a contar esto a los Apóstoles (Mc 16, 5). Los ángeles serán los encargados de separar los buenos de los malos al final del mundo (Mt 13, 41).

Ángel de mi guarda,
mi dulce compañía,
no me desampares ni de noche ni de día,
hasta que me pongas en paz y
alegría con todos los santos,
Jesús y María. *Amén*

LA PERSONA HUMANA

64) ¿Cuál fue la criatura más noble que Dios creó sobre la tierra?

R. La criatura más noble que Dios creó sobre la tierra fue la persona humana, o sea el hombre y la mujer.

El Salmo 8 de la S. Biblia dice a Dios, por haber creado a la persona humana: "La hiciste apenas un poco inferior a los ángeles, y le has dado el mando sobre todas las obras de tus manos" (v. 6).

65) ¿En qué libro se narra la creación del hombre y la mujer?

R. La creación del hombre y la mujer se narra en el primer libro de la Santa Biblia que se llama Génesis, en los capítulos uno y dos.

Pidamos al catequista que nos lea los capítulos 1 y 2 del Génesis.

66) ¿Cómo se llamaron el primer hombre y la primera mujer que Dios creó?

R. El primer hombre y la primera mujer que Dios creó se llamaron Adán y Eva.

"El día en que Dios hizo a Adán lo hizo a imagen suya". "El hombre llamó a su mujer Eva, por ser ella la madre de todos los vivientes" (Génesis 2, 23).

67) ¿Cómo creó Dios a Adán?

R. Dios creó a Adán formando un cuerpo material e infundiéndole un alma espiritual e inmortal.

Dice así el Génesis: "Formó el Señor Dios al hombre del polvo de la tierra y le inspiró en el rostro un soplo de vida y quedó hecho el hombre: un ser viviente" (Gn 2, 7). La frase que dice: "Dios formó al hombre del polvo de la tierra", no significa que Dios se puso a fabricar un muñeco de barro con sus manos, sino que Dios hizo al hombre de algo que ya existía, y por lo tanto no lo hizo de la nada. ¿De dónde y de qué formó Dios al hombre? No lo sabemos.

68) ¿Cómo creó Dios a Eva?

R. Dios creó a Eva formando su cuerpo de la misma naturaleza que el cuerpo de Adán e infundiéndole también un alma espiritual e inmortal.

"De la costilla que el Señor Dios había sacado al hombre, formó la mujer y la presentó ante el hombre. Entonces Adán exclamó: "Ésta sí que es hueso de mis huesos y carne de mi carne" (Génesis 2, 22-23). Lo que la Santa Biblia quiere enseñar con esta narración no es que Dios se puso con una navaja a sacarle una costilla a Adán y fabricar así a Eva. Lo que quiere enseñar es que la mujer vale lo mismo que el hombre porque está hecha de la misma materia que es hecho el hombre. Esto para que nadie caiga en el "machismo", que consiste en imaginarse que el hombre vale más que la mujer o que la mujer es superior al hombre.

69) ¿En qué estado creó Dios a Adán y a Eva?

R. Dios creó a Adán y a Eva en estado de inocencia y de gracia y de amistad con Él, para que ellos y todos sus descendientes pudieran ir al cielo.

"Y creó Dios al ser humano a imagen suya: a imagen y semejanza de Dios los creó" (Génesis 1, 27).

CREACIÓN DEL PARAÍSO

EL PECADO ORIGINAL

70) ¿Permanecieron Adán y Eva en el estado de inocencia y de gracia?

R. Adán y Eva no permanecieron en el estado de inocencia y de gracia, porque quisieron ser como Dios y le desobedecieron gravemente.

"Dijo la serpiente a Eva: *'Si coméis del fruto prohibido, seréis como dioses'. La mujer tomó del fruto y comió, y dio también a su marido que igualmente comió" (Génesis 3, 4-6). —La Santa Biblia no dice que la fruta era una manzana–; lo que quiere significar con esta narración del árbol de la ciencia del bien y del mal es que ellos quisieron experimentar lo que es hacer el mal. Lo experimentaron y fueron desdichados. El pecado de Adán y de Eva no pudo ser de impureza, pues ellos eran casados. Los había casado el mismo Dios y les había dicho: "Multiplíquense y tengan muchos hijos" (Gn 1, 28). El pecado de Adán y Eva consistió en querer hacer y decir lo que a ellos se les antojaba y no lo que Dios manda.*

Por favor, catequista: *lee a tus alumnos el capítulo 3 del Génesis donde se narra el primer pecado y su castigo.*

"Tanto amó Dios al mundo que le dio a su propio Hijo"

(Juan 3, 16).

LA PELÍCULA DE LA VIDA

Hace más o menos 2'000.000.000 DE AÑOS: formación de la corteza terrestre

Hace más o menos 1'500.000.000 DE AÑOS: précambrino aparición de la vida

Hace más o menos 400'.000.000 DE AÑOS: era primaria peces e invertebrados

Hace más o menos 150.000.000 DE AÑOS: era secundaria pájaros y mamíferos

Hace más o menos 50.000.000 DE AÑOS: era terciaria primates

Hace más o menos 1.000.000 DE AÑOS: era cuaternaria el hombre

Pasan millones de años. Ningún ser. Nada más que tierra, agua y fuego.

Un enorme globo en fusión. Sobre la superficie, por allí, por allá, espumas como en una olla hirviendo.

Luego de una inmensa invasión de trilobitos las plantas salen del agua y toman posesión de la tierra.

Y aparecen los primeros pájaros: he aquí el arqueoterix.

Mamíferos prehistóricos, prosperando ora en clima tropicales, ora huyendo de la invasión.

El hombre, llegado en el último momento, el rey del cortejo.

CREACIÓN DEL MUNDO

LIBRO DEL GÉNESIS

LA CREACIÓN DEL MUNDO

CAPÍTULO 1:

"Al principio creó Dios el cielo y la tierra. La tierra estaba vacía y las tinieblas cubrían el abismo, y el Espíritu de Dios soplaba sobre la superficie de las aguas. Dijo Dios: "Haya luz" y hubo luz. Vio Dios que la luz era buena y la separó de las tinieblas, y a la luz la llamó "día" y a las tinieblas "noche". Y hubo tarde y mañana, día primero. Dijo Dios: "Haya un firmamento que separe las aguas unas de otras". Y así fue: y vio Dios que el firmamento era bueno. Y lo llamó cielo. Y hubo tarde y mañana, día segundo. Dijo Dios: "Júntense en un lugar todas las aguas y aparezca lo seco". Y así fue. Y a lo seco lo llamó tierra, y a la reunión de aguas lo llamó mar. Y vio Dios que era bueno. Y dijo Dios: "Brote de la tierra hierba y árboles, cada uno con su semilla". Y así fue. Y vio Dios que era bueno. Y hubo tarde y mañana, día tercero. Dijo Dios: "Haya en el firmamento lumbreras para separar el día de la noche y servir de señales para medir el tiempo", y así fue. Hizo Dios las dos grandes lumbreras: la mayor para alumbrar el día y la pequeña para alumbrar la noche. Y las estrellas. Y vio Dios que era bueno. Y hubo tarde y mañana, día cuarto. Dijo Dios: "Produzca el agua toda clase de animales y haya también aves que vuelen en el aire". Y así fue. Y Dios creó los grandes animales del mar y todos los animales que viven en el agua y todas las clases de aves. Y vio Dios que era bueno. Y los bendijo diciendo: "Creced y multiplicaos y llenad las aguas del mar y multiplíquense las aves sobre la

tierra". Y hubo tarde y mañana, día quinto. Dijo Dios: "Que produzca la tierra toda clase de animales: domésticos y salvajes, y los que se arrastran por la tierra". Y así fue. Dios hizo todos los animales". Y vio que era bueno. Dijo entonces Dios: "Hagamos al hombre a nuestra imagen y semejanza, para que domine sobre todos los animales". Y creó Dios al hombre, a imagen suya. Y los creó hombre y mujer. Y les dijo: "Creced y multiplicaos. Y llenad la tierra, y sometedla y dominad sobre todos los animales. Y vio Dios ser muy bueno todo lo que había hecho. Y hubo tarde y mañana, día sexto. Y el séptimo día, como ya en el sexto día había terminado Dios toda la obra, descansó. Y bendijo el día séptimo, y lo declaró día sagrado, porque en ese día descansó de todo su trabajo de creación".

71) ¿Cómo castigó Dios a nuestros primeros padres?

R. Dios castigó a nuestros primeros padres Adán y Eva privándolos de la gracia y de los demás favores especiales que les había concedido.

Dijo Dios a Adán: *"Por haber desobedecido a mi mandato, ganarás el pan con el sudor de tu frente; polvo eres y en polvo te convertirás". Y a la mujer le dijo que cada hijo le traería muchos sufrimientos. Y los expulsó del paraíso (Génesis 3). Por el pecado de los primeros padres vinieron al mundo la muerte, la enfermedad, la pobreza, la escasez, las plagas y una fuerte inclinación de cada uno a hacer y decir lo malo.*

72) ¿Pasó el pecado de Adán y Eva a los demás seres humanos?

R. El pecado de Adán y Eva pasó a los demás seres humanos y se llama mancha o pecado original.

Hoy se llama mancha original más que pecado original, porque no es que nosotros desde que nacemos ya cometemos pecado, pues un niñito no puede cometer pecado contra Dios, sino que nacemos con esa "mancha original" que nos dejaron como herencia nuestros primeros padres. Esa mancha o pecado original es la que hace que desde pequeños estemos muy inclinados al mal.

73) ¿Qué es el pecado original?

R. El pecado original es aquel que heredamos de nuestros primeros padres por el cual nacimos sin la gracia santificante y sometidos al desorden de nuestras malas inclinaciones, a la ignorancia, a los sufrimientos y al peligro de la muerte eterna.

Dice san Pablo: *"Así como por un solo hombre, Adán, entró el pecado en el mundo y por el pecado la muerte, así también por un solo hombre, Jesucristo, vinieron al mundo todos los bienes" (Rm 5, 17).*

74) ¿Qué hizo Dios para librarnos del pecado y de los males que causó?

R. Para librarnos del pecado y de los males que causó el pecado, Dios prometió y envió un salvador que es Jesucristo, el Hijo de Dios hecho hombre.

Dijo Dios a la serpiente, que es Satanás: "Pondré enemistad entre ti y la mujer, y entre tu descendencia y la suya. La descendencia de la mujer te aplastará la cabeza" (Génesis 3). El descendiente de mujer que le aplastó la cabeza a Satanás, fue Jesucristo nacido de la Virgen María.

2DO DÍA
DIOS HIZO EL FIRMAMENTO. ALLÍ COLOCÓ LAS NUBES PARA QUE PROVEYERA HUMEDAD. Y DIOS LLAMÓ CIELO AL FIRMAMENTO.
3ER DÍA
LUEGO DIOS ORDENÓ QUE TODAS LAS AGUAS SE JUNTARAN EN UN SOLO LUGAR, QUE LLAMÓ MAR; Y A LA PARTE SECA LLAMÓ TIERRA.

4TO DÍA
PARA ILUMINAR LA TIERRA, DIOS
HIZO EL SOL PARA BRILLAR DE
DÍA, Y LA LUNA PARA BRILLAR DE
NOCHE,... ASÍ, DIOS MISMO
SEPARÓ LOS DÍAS, LOS AÑOS Y
LAS ESTACIONES. LUEGO DIOS
HIZO LAS ESTRELLAS Y LAS
COLOCÓ EN LOS CIELOS.
5TO DÍA
MIRÓ DIOS LA TIERRA Y
LOS MARES Y DIJO: "QUE LAS
AGUAS PRODUZCAN VIDA"; Y
LOS MARES Y LOS RÍOS SE
LLENARON DE VIDA, DE
BALLENAS Y PECES... "QUE HAYA
AVES"; Y LOS CIELOS SE
LLENARON CON TODA CLASE DE
AVES. "REPRODÚZCANSE Y
MULTIPLÍQUENSE", DIJO DIOS
MIENTRAS BENDECÍA A LAS
CRIATURAS VIVIENTES DE LOS
MARES Y CIELOS.

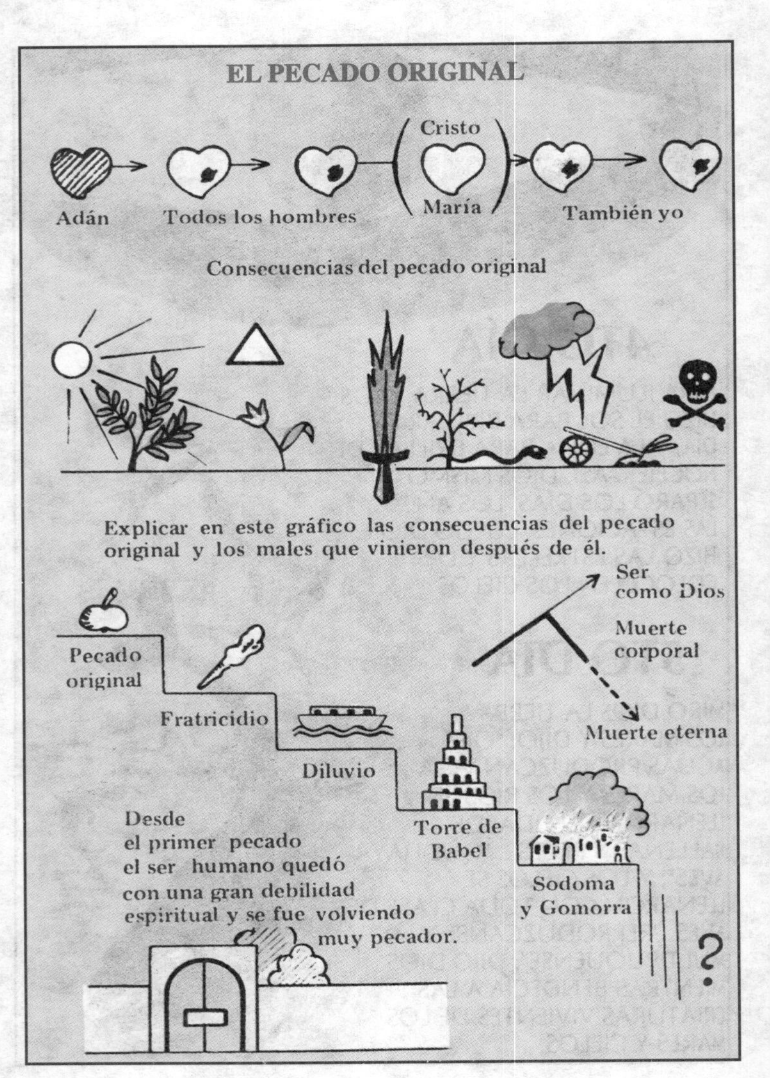
EL PECADO ORIGINAL
Cristo
Adán
Todos los hombres
María
También yo
Consecuencias del pecado original
Explicar en este gráfico las consecuencias del pecado original y los males que vinieron después de él.
Ser como Dios
Muerte corporal
Muerte eterna
Pecado original
Fratricidio
Diluvio
Torre de Babel
Sodoma y Gomorra
Desde el primer pecado el ser humano quedó con una gran debilidad espiritual y se fue volviendo muy pecador.
?

EL PECADO ORIGINAL Y SUS CONSECUENCIAS

(Del Catecismo de la Iglesia Católica, números 396 a 409)

La doctrina del pecado universal es como el "anverso" de la doctrina que enseña que Jesucristo es el Salvador de todos los seres humanos y que todos necesitamos de su salvación.

Negar que haya pecado original es negar también que haya sido necesaria la redención (389).

El árbol de la ciencia del bien y del mal es un símbolo que recuerda que el ser humano tiene un límite en lo que puede hacer y que debe reconocer y respetar ese límite (396).

El ser humano atacado por el diablo desconfió de Dios y desobedeció su mandamiento; se prefirió a sí mismo antes que al Creador y con esto ofendió a Dios (397).

Desde el primer pecado una verdadera invasión de pecados invadió al mundo (por ej. el pecado de Caín, la corrupción que hizo que llegara el diluvio, etc.) (401).

Lo que la revelación divina nos enseña coincide con la propia experiencia, pues cada cual al examinar su corazón descubre que tiene una inclinación hacia el mal (401).

Siguiendo san Pablo, la Iglesia ha enseñado siempre que la inmensa miseria espíritual que oprime a la creatura humana y su inclinación hacia el mal no se pueden comprender sino por su conexión con el pecado de Adán y con el hecho de que esa mancha se nos ha transmitido a nosotros. Segura de todo esto la Iglesia concede el Bautismo para librar de ese pecado o mancha, y lo concede incluso a los niños que todavía no han cometido pecados personales (403).

¿Cómo se puede comprender que el pecado de Adán se haya transmitido a sus descendientes? Esto es un misterio que no podemos comprender. Pero sabemos por revelación que Adán había recibido la santidad del alma no sólo para él sino para transmitirlo a sus descendientes, pero al cometer pecado personal, con este pecado afectó a toda la naturaleza humana y transmitió a sus descendientes una naturaleza caída y debilitada, privada ya de la santidad. El pecado original se llama así de manera análoga o de semejanza. Él no es un acto cometido por cada uno, sino una mancha heredada (404).

El pecado original no es una falta personal de cada cual, es la privación de la santidad original que deberíamos haber heredado de los primeros padres. Por él la naturaleza humana quedó herida y debilitada en las fuerzas que necesita para resistir al mal y sometida a la ignorancia y al sufrimiento. Esa inclinación a hacer lo malo se llama "concupiscencia". Por el Bautismo, a causa de los merecimientos de Cristo se borra la mancha del pecado original que tenía el alma, pero quedan sus consecuencias: la inclinación hacia el mal y la debilidad; por eso la vida humana es un combate espíritual (405).

EN AQUEL MOMENTO OYEN QUE DIOS LES LLAMA Y SIENTEN HABERLE DESOBEDECIDO.
TENGO MIEDO
¡ESCONDÁMONOS!
EN LA QUIETUD DEL PARAÍSO, SE OYE LA VOZ DE DIOS "¿POR QUÉ HAS COMIDO DEL FRUTO PROHIBIDO?"
EVA ME LO DIO Y YO COMÍ...
LA SERPIENTE, ME TENTÓ
"POR CUANTO ME HABÉIS DESOBEDECIDO", DIJO DIOS, "SALDRÉIS DEL PARAÍSO Y TENDRÉIS QUE TRABAJAR PARA VIVIR."
¡MIRA ESA ESPADA ENCENDIDA! NOS IMPIDE LA ENTRADA. NUNCA PODREMOS REGRESAR...
¿A DÓNDE IREMOS? ¿QUÉ HAREMOS?

75) ¿Cuál es el segundo artículo del Credo?

R. El segundo artículo del Credo es: "Creo en Jesucristo, su Único Hijo, Nuestro Señor".

Dijo Marta a Jesús: *"Yo creo que tú eres el Cristo, el Hijo de Dios que ha venido al mundo" (S. Juan 11, 27). Y san Pablo afirma: "Si proclamas con tus palabras que Jesús es el Señor, y con tu corazón crees que Dios lo resucitó, alcanzarás la salvación" (Romanos 10, 9).*

76) ¿Cuál de las tres Divinas personas se hizo hombre?

R. De las tres divinas personas se hizo hombre solamente la segunda que es el Hijo eterno de Dios, el cual hecho hombre se llama Jesucristo.

"Hay un solo Dios y también un solo Mediador entre los hombres y Dios: Jesucristo, hombre también, que se entregó a sí mismo para salvarnos a todos" (1Tm 2, 5).

77) ¿Quién es Jesucristo?

R. Jesucristo es el Hijo Eterno de Dios que se hizo hombre para salvarnos y darnos ejemplo de vida.

"Él es el Hijo Único del Padre, lleno de gracia y de verdad. De su abundancia hemos recibido todos gracia y más gracia, bendición tras bendición. El amor, la gracia y la verdad nos han llegado y se han hecho realidad por medio de Jesucristo. A Dios nadie lo ha visto, pero su Hijo Único nos lo ha dado a conocer (Juan 1, 17-18).

78) ¿Cuántas naturalezas, cuántos entendimientos y cuántas voluntades hay en Cristo?

R. En Jesucristo hay dos naturalezas: una divina y otra humana; dos entendimientos: uno divino y otro humano; dos voluntades: una divina y otra humana.

Jesús es **perfecto Dios y perfecto hombre**. *Como perfecto Dios tiene naturaleza divina, entendimiento divino y voluntad divina. Como perfecto hombre tiene naturaleza humana, entendimiento humano y voluntad humana: o sea tiene cuerpo, entendimiento y voluntad de hombre. Esto se puso de manifiesto durante su agonía del huerto de Getsemaní donde su naturaleza divina quería que fuera a la pasión y muerte, pero su naturaleza humana sentía tristeza y temor y por eso exclamaba: "Padre, si es posible aleja de mí este cáliz de amargura, pero no se haga mi voluntad sino la tuya" (Mateo 26, 42).*

79) ¿Cuántas personas hay en Jesucristo?

R. En Jesucristo hay una sola persona que es la Persona Divina del Hijo eterno de Dios.

Jesús decía: "Si no creéis que yo soy el que soy, moriréis en vuestros pecados" (S. Juan 8, 24).

80) ¿Qué quiere decir Jesús?

R. Jesús quiere decir Salvador.

El ángel le dijo a san José: "Le pondrás por nombre Jesús, porque Él salvará al pueblo de sus pecados" (Mateo 1, 21).

81) ¿De qué nos salvó Jesús?

R. Jesús nos salvó de nuestros pecados y de la esclavitud del demonio.

San Juan Bautista señalaba a Jesús diciendo: "He aquí el Cordero de Dios que quita el pecado del mundo" (S. Juan 1, 29). Y san Pedro dice: "Jesús pasó por el mundo haciendo bien y curando a todos los oprimidos por el diablo" (Hechos 10, 38).

82) ¿Qué quiere decir Cristo?

R. Cristo quiere decir Ungido.

En la S. Biblia, se llama "ungidos" a los que han recibido una consagración especial por medio de la unción con aceite sagrado. En el Antiguo Testamento se ungía a tres clases de personas: El rey, el sacerdote y el profeta. Al ungirlos, quedaban convertidos en personas sagradas y nadie les podía irrespetar. Dios dijo: "Cuidado: no toquéis a mis ungidos" (1Cro 1, 7). Jesucristo es triplemente ungido por Dios, porque es a la vez Rey, Sacerdote y Profeta. Por eso el Evangelio lo llama "El Ungido del Señor" (S. Lucas 2, 26).

83) ¿Con qué fue ungido Jesucrito?

R. Jesucristo fue ungido con todas las gracias y dones del Espíritu Santo.

El profeta Isaías dijo que éstos serían los dones del Espíritu Santo que tendría el Mesías, o sea Jesucristo: don de Sabiduría, don de Fortaleza, don de Consejo, don de Piedad, don de Entendimiento, don de Ciencia y don de Temor de Dios (Isaías 11, 2).

Pero la serpiente tentó a Eva: "Si coméis su fruto seréis como dioses...

... y conoceréis el bien y el mal". Y Eva comió de su fruto y le dio a Adán.

"Espinas y abrojos te producirá. Comerás el pan con el sudor de tu frente hasta que vuelvas a confundirte con la tierra, de la que fuiste formado, y puesto que polvo eres al polvo volverás". Y echó Dios a Adán y a Eva del paraíso y colocó delante un querubín con espada de fuego para guardar el camino que conducía al árbol de la vida.

Un día ofrecieron ambos un sacrificio a Dios. El Señor aceptó con agrado el de Abel, pero no apreció el de Caín porque éste tenía mal corazón.

Caín se encolerizó por ello y mató a su hermano. Exclamó el Señor: "¿Dónde está tu hermano Abel?" "¿Soy yo acaso guarda de mi hermano?", replicó Caín.

84) ¿Dónde nació, vivió y murió Jesús?

R. Jesús nació en el año 1 en Belén de Judá, el pueblecito donde había nacido el rey David que era su antepasado. Vivió en Nazaret, ciudad de Galilea, y murió crucificado en Jerusalén, la capital de Israel, cuando tenía cerca de 33 años.

Jesús es el único hombre que al nacer ya tenía escrita su biografía. Un profeta había anunciado que nacería en Belén. Otro había dicho que nacería de una virgen. El salmista había anunciado que le quitarían sus vestidos y le darían a beber hiel y vinagre. Jeremías había dicho que lo venderían por 30 monedas y los profetas habían anunciado todos los detalles de su pasión, muerte y resurrección).

"Si el afligido invoca al Señor, Él lo escucha y lo libra de sus angustias"

(Salmo)

MILAGROSO NIÑO JESÚS

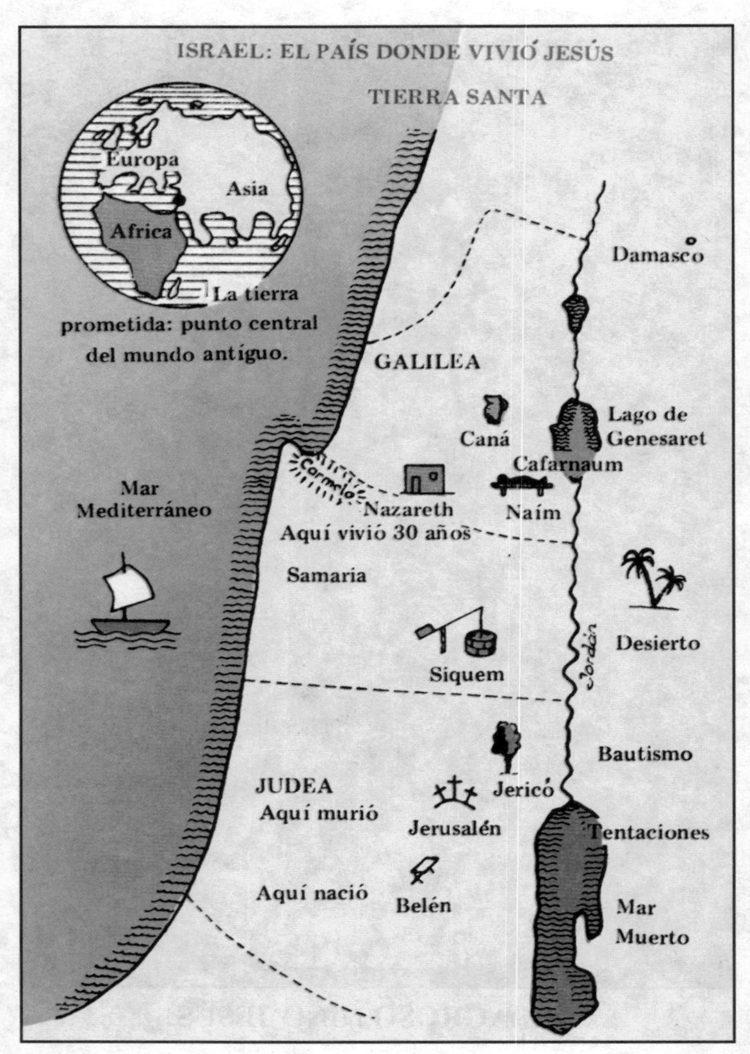
ISRAEL: EL PAÍS DONDE VIVIÓ JESÚS
TIERRA SANTA
Europa
Asia
Africa
La tierra prometida: punto central del mundo antiguo.
Damasco
GALILEA
Caná
Lago de Genesaret
Cafarnaum
Carmelo
Mar Mediterráneo
Nazareth
Aquí vivió 30 años
Naím
Samaria
Desierto
Jordán
Siquem
Bautismo
JUDEA
Aquí murió
Jericó
Jerusalén
Tentaciones
Aquí nació
Belén
Mar Muerto

85) ¿Cuál es el tercer artículo del Credo?

R. El tercer artículo del Credo es: "Que fue concebido por obra y gracia del Espíritu Santo, y nació de santa María Virgen".

Dice el Evangelio: *"El nacimiento de Jesucristo fue de esta manera: su madre, María, estaba comprometida en matrimonio con José, y antes de vivir juntos se encontró que esperaba un hijo por obra y gracia del Espíritu Santo" (S. Mateo 1, 18).*

86) ¿Por qué decimos que Jesucristo fue concebido por obra y gracia del Espíritu Santo?

R. Decimos que Jesucristo fue concebido por obra y gracia del Espíritu Santo, porque fue concebido por obra sobrenatural; Él no fue concebido ni nació como los demás hombres.

El ángel dijo a María: *"El Espíritu Santo vendrá a ti, y el poder del Altísimo te cubrirá con su sombra; por eso el que ha de nacer será santo y será llamado Hijo de Dios" (Lucas 1, 35). Y luego dijo a san José: "No temas llevar contigo a María, porque lo que ella ha concebido viene del Espíritu Santo" (S. Mateo 1, 20).*

87) ¿En qué evangelio se nos narra cómo fue concebido y cómo nació Jesucristo?

R. La concepción y el nacimiento de Jesús se narra en el capítulo 1 de san Mateo y en los capítulos 1 y 2 de san Lucas, capítulos que nos conviene leer porque son muy hermosos y de gran provecho.

Cristo es el centro de la historia Universal

Plenitud de los tiempos

antes de Cristo

Después de Cristo

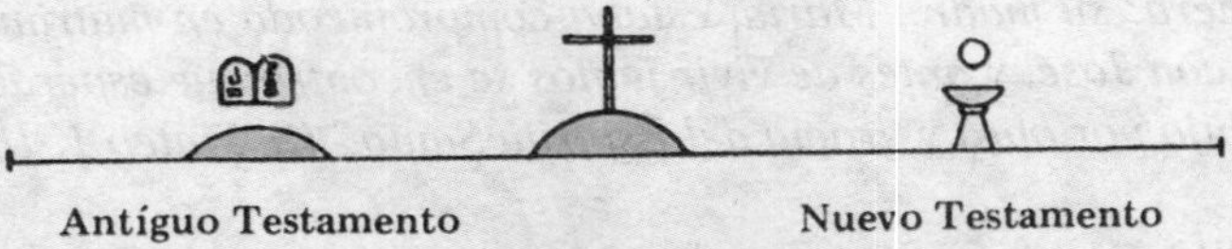

Antíguo Testamento

Nuevo Testamento

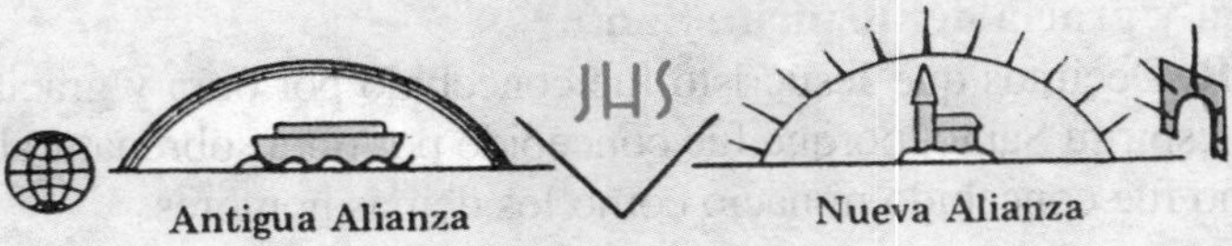

JHS

Antigua Alianza

Nueva Alianza

JESÚS - HOMBRE - SALVADOR

IHS Las tres primeras letras del nombre de Jesús, en griego.

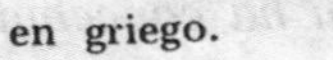

JHS

☧, ☧ = X P =

Las dos primeras letras del sobrenombre "Cristo" en griego.

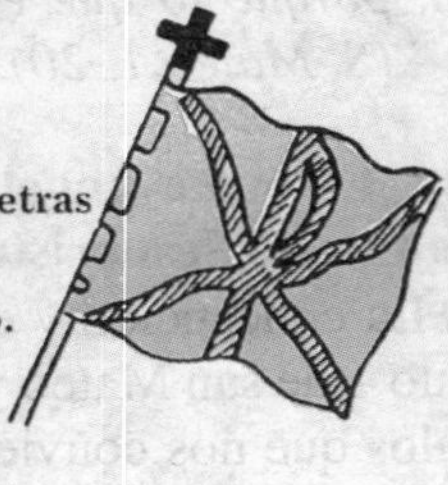

CRISTO: significa UNGIDO

Pidamos a quien nos enseña catecismo que nos lea estos capítulos del Evangelio, y hagamos en nuestro cuaderno de religión una historia en dibujos de lo que nos narran el capítulo 1 de san Mateo y los capítulos 1 y 2 de san Lucas. Preparemos una representación del saludo del ángel a la Virgen María: un niño hace de ángel, una niña de María, otro joven de san José, etc.

88) ¿Cómo se obró el misterio de la concepción de Jesucristo?

R. El misterio de la concepción de Jesucristo se obró de esta manera: En el vientre de la Virgen María el Espíritu Santo formó, de la sangre de esta señora, un cuerpo perfectísimo; creó un alma y la unió a aquel cuerpo y a esta alma se unió el Hijo Eterno de Dios y el que antes era solo Dios, quedó hecho Dios y hombre.

El ángel le dijo a la Virgen: *"El hijo que vas a tener será llamado Hijo del Dios Altísimo " (S. Lucas 1, 32). San Pablo dice: "Dios envió a su propio Hijo en cuerpo semejante al nuestro" (Rm 8, 3).*

89) ¿Por qué Jesucristo nació de manera sobrenatural?

R. Decimos que Jesucristo nació de manera sobrenatural porque salió del vientre de María Santísima, sin ningún perjuicio de su virginidad, a la manera que el rayo del sol pasa por un cristal sin romperlo ni mancharlo.

El evangelio de san Mateo dice que al nacer Jesús se cumplió lo que había anunciado el profeta Isaías (7, 14). "Una virgen concebirá y dará a luz un hijo, a quien pondrán por nombre Emmanuel que significa "Dios con nosotros" (Mt 1, 23).

JESUCRISTO: MESÍAS SALVADOR

(Del Catecismo de la Iglesia Católica, números 430 a 455)

Jesús quiere decir en hebreo "Dios salva". Cuando el ángel dijo que le deberían poner este nombre explicó diciendo: "Porque él salvará al pueblo de sus pecados" (Mt 1, 21). En Jesús, Dios resume toda la historia de la salvación en favor de los seres humanos (430).

Dios no se contentó con librar a su pueblo de la esclavitud de Egipto sino que quiere librarnos de otra esclavitud peor: la del pecado (431).

San Pedro dice: **"No hay otro nombre dado a los seres humanos, fuera del de Jesús por el que podamos ser salvados"** (Hch 4, 12).

El nombre de Jesús está en todas las oraciones de la liturgia de la Iglesia, las cuales terminan con esta frase: "Por Nuestro Señor Jesucristo". A los orientales les agrada repetir "Jesucristo Hijo de Dios, ten piedad de mí, pecador" (435).

La palabra **Cristo** que en hebreo se dice Mesías, quiere decir Ungido. Tres eran las personas que se ungían en la antigüedad para que quedaran consagradas a misiones muy especiales: los sacerdotes, los reyes, los profetas. Y Cristo es al mismo tiempo Sacerdote, Rey y Profeta (436).

Cuando el ángel anunció a los pastores el nacimiento de Jesús les dijo: **"Os ha nacido en la ciudad de David un salvador que es el Ungido, el Cristo, el Señor"** (Lc 2, 11) (437).

San Pedro dice: "Dios ungió a Jesucristo con Espíritu Santo y con poder" (Hch 10, 38) (438).

Jesús no empleó mucho el título "Ungido" o "Mesías" o "Cristo", porque las gentes de su tiempo lo podían entender en un sentido político, como de jefe, dominador y gobernante civil (439). Aceptó cuando san Pedro le dijo: **"Tú eres el Cristo, el Ungido de Dios"** (Mt 16, 16), y lo felicitó por haber dicho esto, pero enseguida les contó a los Apóstoles que tendría que padecer y morir por salvarnos (440).

JESÚS, HIJO DE DIOS

Cuando san Pedro le dijo a Jesús: **"Tú eres el Hijo de Dios vivo"** (Mt16,16). Cristo le respondió: **"Esto que has dicho no te lo ha iluminado nadie de carne y hueso, sino mi Padre que está en los cielos"** (442). Y san Pablo al convertirse empezó a predicar que Cristo es el Hijo de Dios (Hch 9, 20).

Jesús, ante el Sanedrín, al oír la pregunta: "¿Tú eres el hijo de Dios?" respondió: "Vosotros lo decís, sí lo soy" (Lc 22, 70).

Jesús siempre decía "mi Padre celestial", y no "nuestro Padre (excepto cuando manda rezar diciendo "Padre nuestro", porque en este caso los que van a hablar son los discípulos), y al resucitar dice "mi Padre y vuestro Padre" (Jn 20, 17) para señalar que el modo de ser hijo que Él tiene, es distinto al nuestro (443).

En dos momentos solemnes en la vida de Jesús, el Padre Dios lo llama su **"Hijo amado"**, en el Bautismo y en la Transfiguración (Mt 3, 17; 17, 5). San Juan dice: **"Tanto amó Dios al mundo que le dio a su único Hijo"** (Jn 3, 16) y al morir el Redentor, el centurión que estaba junto a la Cruz exclamó: **"Verdaderamente éste era Hijo de Dios" (Mc 15, 39). San Pablo afirma: "Cristo Jesús fue constituido Hijo de Dios, con poder"** (Rm 1, 4).

Para ser cristiano es necesario creer que Jesucristo es Hijo de Dios (455).

JESUCRISTO, EL SEÑOR

En el Antiguo Testamento el nombre más frecuente para llamar a Dios es decirle **el Señor.** En el Nuevo Testamento se llama también "Señor" al Padre Dios, pero sobre todo se le da este nombre a Jesucristo, especialmente en el evangelio de san Lucas (446). San Pablo lo llama **"El Señor de la gloria"** (1Co 2, 8).

En el evangelio hay personas que se dirigen a Jesús llamándole "Señor". Santo Tomás al ver a Jesús resucitado le dijo: **"Señor mío y Dios mío".** Y san Juan al verlo resucitado en la orilla del mar de Galilea le dijo a Pedro: **"Es el Señor"** (Jn 21, 7) (448).

Desde los primeros siglos del cristianismo el saludo en la oración ha sido **"El Señor esté con vosotros"**, y el final de los oraciones: **"Por Jesucristo Nuestro Señor";** siempre se ha estimado la oración con la cual termina la S. Biblia, al final del apocalipsis: **"Ven, Señor Jesús"** (Ap 22, 20) (451).

90) ¿Quién es nuestra Señora la Virgen María?

R. Nuestra Señora la Virgen María es la Madre de Jesucristo y Madre nuestra; llena de gracia y de virtudes; concebida sin mancha de pecado original, que fue llevada al cielo en cuerpo y alma; allá ruega cada día por nosotros.

El arcángel Gabriel le dijo a María en nombre de Dios: *"Llena eres de gracia. El Señor está contigo y tú eres la más bendecida de entre todas las mujeres" (S. Lucas 1, 28).*

91) ¿Permaneció siempre virgen la Madre de Jesucristo?

R. Sí, la Madre de Jesucristo permaneció siempre virgen.

La palabra virgen significa una mujer totalmente pura, que no ha realizado ningún acto sexual, ni ninguna falta de impureza. En el mundo hay muchas mujeres vírgenes; pero como Nuestra Señora es muchísimo más santa que todas las demás, por eso la llamamos "Santísima Virgen" con lo cual queremos significar que ella es la más pura y la más santa de todas las mujeres que han existido.

92). ¿Por qué la Santísima Virgen es Madre Dios?

R. La Santísima Virgen es Madre de Dios porque es Madre de Jesucristo que es verdadero Dios.

San Pablo dice: *"Envió Dios a su Hijo nacido de mujer (Ga 4, 4) y el Evangelio exclama "Dichoso el vientre que te llevó y los pechos que te alimentaron" (S. Lucas 11, 27). El*

UNA MADRE EN EL CIELO

Amante, compasiva y poderosa para quien todos los hombres somos niños débiles y necesitados.

Ella es espejo en quien se miran las madres buenas de la tierra.

título más grande e importante de todos los que tiene la Virgen María es ser Madre de Dios. No porque Ella haya creado a Dios —porque Dios no tuvo principio— sino porque Ella es Madre de Uno que es Dios: Jesucristo.

93). ¿Qué significa Inmaculada Concepción?

Inmaculada Concepción significa que María fue concebida sin pecado original.

La palabra Inmaculada significa "sin mancha". María por los méritos de Jesucristo fue librada, preservada desde el primer instante de su concepción, de la mancha del pecado original. Si no, no sería "llena de gracia". El papa Pío Nono declaró que es verdad de fe que María fue concebida sin pecado original. Eso es lo que se llama el Dogma de la Inmaculada. La fiesta de la Inmaculada Concepción es el 8 de diciembre.

94) ¿Qué es la Asunción de la Virgen?

R. La Asunción de la Virgen es el milagro que Dios hizo de llevarla al cielo en cuerpo y alma.

Asunción significa: "Llevar hacia lo alto". El papa Pío XII declaró que la doctrina que enseña que la Virgen María fue llevada al cielo en cuerpo y alma es dogma de fe y que por lo tanto a todo católico lo obliga creer que así fue. La fiesta de la Asunción es el 15 de agosto.

95) ¿Qué deberes tenemos para con la Virgen María?

R. Para con la Virgen María tenemos los siguientes deberes: amarla como hijos cariñosos, imitar sus virtudes especialmente su amor a Jesucristo y su caridad para con el prójimo y su pureza; invocarla varias veces cada día y honrarla más que a los ángeles y a los santos.

La Iglesia llama "El Sermón de María" a la frase que Ella dijo a los empleados en Caná: "Haced lo que Jesús os diga". Esto mismo nos dice a cada uno cada día. "Haced lo que Jesús os dice en el Evangelio y obtendréis maravillas y os salvaréis".

96) ¿Qué dijo el Concilio Vaticano II acerca de la Santísima Virgen?

R. El Concilio Vaticano II, o sea la reunión de todos los obispos del mundo, junto con el Papa, en 1965 dijo: "Honren todos devotísimamente a la Virgen María porque ella es la hija preferida de Dios Padre, la Madre de Dios Hijo Redentor y el Sagrario del Espíritu Santo".

El Concilio Vaticano II le dio a la Virgen María 33 títulos y dijo: "Tengan cuidado todos para huir de los dos excesos: el de los que la hacen casi igual a Dios y el de los que les da miedo honrarla creyendo que si la honran disminuyen el culto debido a Dios. Ella es la creatura que está más elevada junto a Dios y la Auxiliadora que está más cercana a nosotros" (LG 8).

"Todo sucede para bien de los que aman a Dios"

(Romanos 8, 28).

LA VIRGEN MARÍA

(Según el Catecismo de la Iglesia Católica)

Desde toda la eternidad Dios escogió para ser madre de su hijo a una joven israelita, de Nazaret de Galilea, a "una virgen comprometida en matrimonio con un hombre llamado José, descendiente de David; el nombre de la virgen era María" (Lc 1, 26).

El Padre de las misericordias quiso que el consentimiento de la que estaba predestinada a ser la Madre, precediera a la encarnación, para que así como una mujer (Eva) contribuyó a que nos llegara la muerte, así también una mujer (María) contribuyera a que nos llegara la vida (Concilio Vaticano II) (488).

En el Antiguo Testamento hubo unas mujeres que son como símbolos o preparación de la Virgen María. Por ejemplo **Eva, la Madre de todos los vivientes,** a la cual le fue prometido que un día el hijo de una mujer pisaría la cabeza a la serpiente infernal (Gn 3, 15). **Sara, la que era estéril,** y de edad muy avanzada, y contra todo lo que humanamente se podía esperar resultó madre del nuevo pueblo de Dios, el pueblo de Israel. Y también Ana, la madre de Samuel, Rut, Judit y Ester (489).

El ángel Gabriel al saludar a María la llama **"llena de gracia",** lo cual significa que su vida era totalmente del agrado de Dios (490).

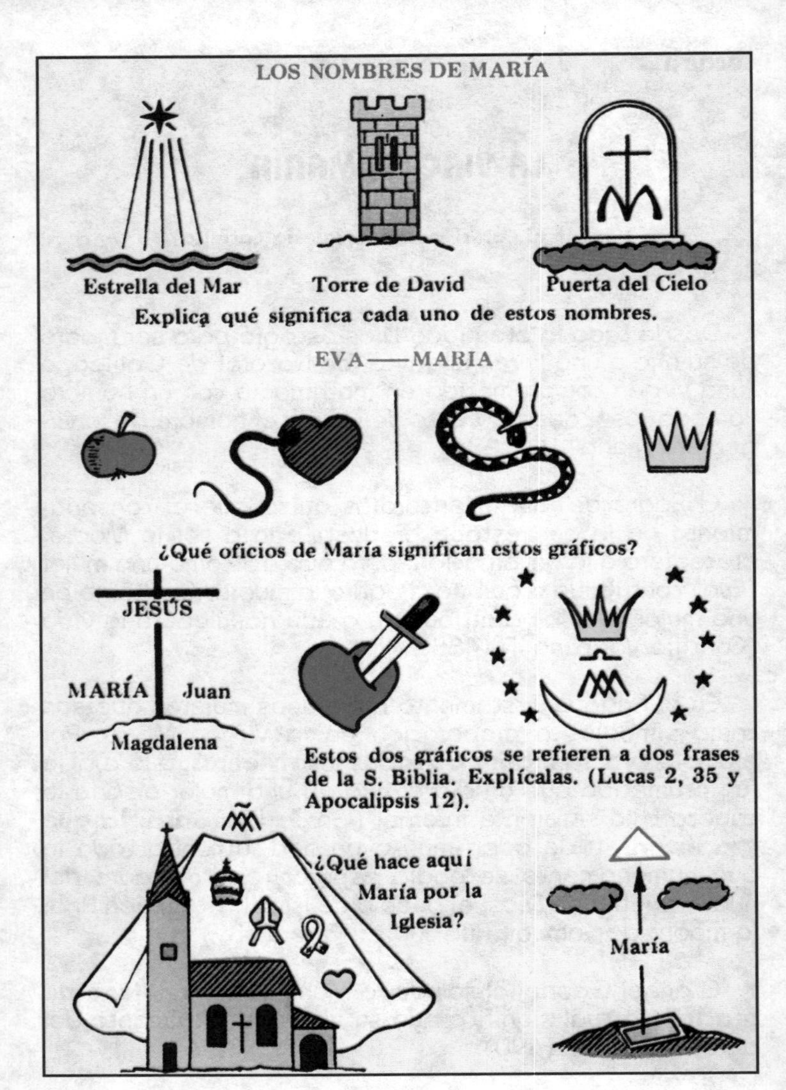
LOS NOMBRES DE MARÍA
Estrella del Mar
Torre de David
Puerta del Cielo
Explica qué significa cada uno de estos nombres.
EVA——MARIA
¿Qué oficios de María significan estos gráficos?
JESÚS
MARÍA
Juan
Magdalena
Estos dos gráficos se refieren a dos frases de la S. Biblia. Explícalas. (Lucas 2, 35 y Apocalipsis 12).
¿Qué hace aquí María por la Iglesia?
María

Decíanse los pastores unos a otros: "Vayamos, pues a Belén". Y, llegados allí, encontraron a María y a José junto con el niño acomodado en el pesebre.

Luego de haberlo visto, dieron a conocer lo que el ángel les había dicho acerca de este niño. Maravillándose todos los que les oyeron, los pastores regresaron después glorificando y alabando a Dios por todo lo que habían oído y visto.

Inmaculada: A lo largo de los siglos la Iglesia ha creído que la Santísima Virgen fue preservada de toda mancha y también del pecado original, por singular gracia y privilegio de Dios omnipotente, en atención a los méritos de Jesucristo, salvador del género humano (491).

Santísima: Los Padres de la tradición oriental la llaman **"la toda santa"** (nosotros le decimos "la Santísima"), porque fue preservada de todo pecado y se conservó pura de todo pecado personal a lo largo de su vida (493).

San Ireneo (un santo del siglo II) afirma: "María por su obediencia a Dios (al decir al ángel "He aquí la esclava del Señor; hágase en mí según tu palabra") fue causa de la salvación de todo el género humano. El nudo de la desobediencia que ató Eva, lo desató María por su fe, por eso la podemos llamar "Madre de los vivientes". La muerte vino por Eva; la vida por María" (494).

LA MATERNIDAD DIVINA

Los evangelios acostumbran llamarla "la Madre de Jesús". Y santa Isabel le dijo: "la Madre de mi Señor" (Lc 1, 43). La Iglesia la llama Madre de Dios, porque es Madre de Jesús, el cual es Dios (495).

María Virgen: Los Evangelios presentan la concepción virginal de María como una obra divina que sobrepasa toda comprensión humana. "Lo concebido por ella viene del Espíritu Santo" dice el ángel a san José. La Iglesia ve en esto el cumplimiento de lo que había anunciado el profeta Isaías: "He aquí que una virgen concebirá y dará a luz un hijo" (Is 7, 14) (497).

María la "siempre virgen": La Iglesia católica ha proclamado que María fue siempre virgen. Y la liturgia la llama "la siempre virgen". (499).

Los hermanos de Jesús. Algunos quieren decir que María no fue virgen porque el evangelio habla de los "hermanos de Jesús". Pero esa palabra "hermanos" significa "parientes cercanos", como Santiago y José, a los cuales el evangelio llama "hermanos de Jesús" (Mt 13, 55) son hijos de una mujer que el evangelio llama "la otra María" (Mt 8, 1).

QUIEN AGRADECE UN BENEFICIO OBTENDRÁ MUCHOS BENEFICIOS

LA VIDA DE NUESTRO SEÑOR JESUCRISTO

97) ¿Cómo se llaman los libros donde está escrita la vida de Nuestro Señor Jesucristo?

R. Los libros donde está escrita la vida de Nuestro Señor Jesucristo se llaman los Santos Evangelios. Los Evangelios son cuatro: san Mateo, san Marcos, san Lucas y san Juan.

San Mateo era uno de los Doce que acompañaban a Jesús. Narra lo que vio y oyó. Es el que trae más completos los sermones de Jesús. Su sermón más famoso es el Sermón de la Montaña (capítulos 5, 6 y 7. Digamos al catequista que nos lea una página de él). San Marcos, era el secretario de san Pedro. Narra lo que oyó contar a este apóstol en sus sermones. Su Evangelio cuenta muchos milagros de Jesús. San Lucas era el secretario de san Pablo, y narra lo que oyó en los sermones de este gran apóstol. El Evangelio de san Lucas es el más agradable y fácil para la juventud. Trae 18 parábolas. San Juan era el discípulo amado de Jesús, narra los sermones más elevados de Jesucristo.

98) ¿Cuáles son los hechos principales de la infancia de Jesús?

R. Los hechos de la Infancia de Jesús son:

1º La circuncisión, o sea cuando a los 8 días de nacido le pusieron el nombre.

2º La Adoración de los Magos.

3º La presentación en el Templo cuando cumplió los 40 días.

4º La huida a Egipto.

5º La pérdida y hallazgo del Niño Dios en el Templo cuando tenía doce años.

BAUTISMO DE JESÚS

Pidamos al catequista que nos lea la adoración de los Magos y la huida a Egipto en el capítulo 1 de san Mateo y el nacimiento, la presentación y la pérdida del Niño en el templo en el capítulo 2 de san Lucas. Pintemos algunos de estos hechos en nuestros cuadernos de religión. Representemos uno de estos cuadros. Por ejemplo: unos niños hacen de reyes magos que visitan a Jesús... Un niño y una niña hacen de José y María que buscan y encuentran a Jesús en el Templo... ¿qué le dicen?, etc.

99). ¿Cómo resume el Evangelio la vida de Jesús desde los 12 a los 30 años?

R. El Evangelio resume la vida de Jesús desde los 12 hasta los 30 años con estas frases: "Jesús crecía en estatura, en sabiduría y en gracia delante de Dios y delante de los hombres, y obedecía a sus padres José y María (Lc 2, 52).

Dios quiso dejar un modelo perfecto para todos los hijos: su Hijo Jesucristo. ¡Mira tú quien obedece a quién! "El Creador de cielos y tierra obedece a un sencillo carpintero y a una humilde mujer campesina, para que aprendas tú también a respetar y obedecer a tus padres" (San Agustín).

100) ¿Cómo empezó Jesús su vida pública?

R. Jesús empezó su vida pública, es decir, su vida de predicación y milagros, haciéndose bautizar por san Juan Bautista en el río Jordán. Ese día apareció el Espíritu Santo en forma de paloma y el Padre dijo: "Éste es mi Hijo muy amado, escuchadlo".

Enseguida Jesús se fue al desierto y allá ayunó por 40 días y venció las tentaciones del demonio.

101) ¿Qué hizo Jesús durante su vida pública?

R. Durante su vida pública, Jesús dijo los sermones más bellos que se han escuchado, por ejemplo el Sermón de la Montaña. Narró 40 parábolas. Hizo muchísimos milagros. Fundó, con los Doce, la Iglesia Católica y padeció y murió por nosotros.

Hagamos un concurso para ver cuántos alumnos saben más milagros de Jesús.

Los milagros de Nuestro Señor están en el capítulo 8 de san Mateo, capítulos 1, 2 y 5 de S. Marcos, etc. Hacer un concurso con algún premio para los alumnos que sepan recitar más parábolas de Jesús. Esto gusta mucho a los jóvenes y les hace mucho bien. Las parábolas son bellísimas y se encuentran en el capítulo 13 de san Mateo y capítulo 15 de san Lucas, etc.

Lectura

LA VIDA DE JESÚS

(Del Catecismo de la Iglesia Católica, número 519 ss.)

Cristo no vivió su vida para sí mismo sino para nosotros; desde su encarnación, que fue por nuestra salvación, hasta su muerte, que fue por nuestros pecados (1Cor 15, 3) y todavía ahora es nuestro Abogado cerca del Padre (1Jn 2, 1). Toda la vida de Jesús es un modelo para nosotros (Rm 15, 5); con su comportamiento nos ha dado un ejemplo para imitar (Jn 13, 15). Con su oración nos invita a la oración, y con su pobreza nos anima a aceptar las privaciones (520).

Los preparativos. La venida del Hijo de Dios a la tierra es un acontecimiento tan inmenso que Dios quiso preparar-lo durante siglos por medio de los profetas (522). Nació en un establo, de una familia pobre, y fue visitado por pobres pastores.

JESÚS TENTADO POR EL DEMONIO

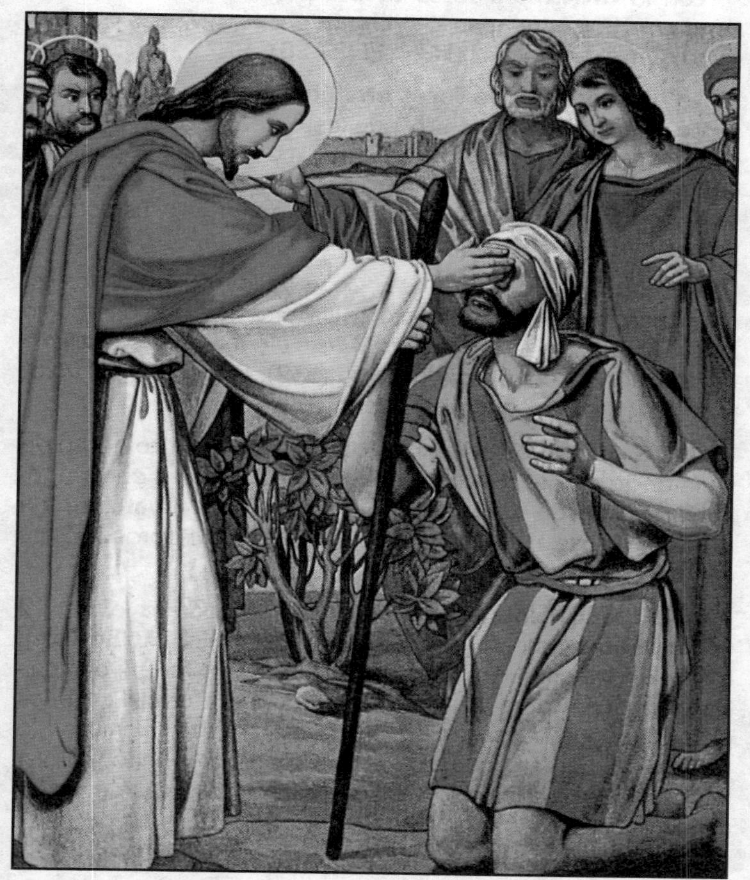

Por la tarde, a la puesta del sol, todos aquellos que tenían enfermos en sus casas lo llevan a Jesús, cuya fama era ya muy grande. Toda la ciudad se reunía ante el portal. Jesús imponía las manos a los enfermos y los curaba.

Con la **circuncisión** Jesús acepta pertenecer a la descendencia de Abraham, y en la **Epifanía** ante los Magos aparece como el Salvador del mundo (525-27-28)

La presentación de Jesús en el templo (Lc 2, 22) lo presenta como el primogénito que está consagrado al Señor (529). **La huida a Egipto** (Mt 2, 13) manifiesta la oposición del reino de las tinieblas contra el reino de la luz. Es el principio de la persecución que va a acompañar a Jesús durante toda su vida (530).

La vida oculta de Jesús es como la de la mayoría de los seres humanos, una vida sin aparente importancia, vida de trabajo manual (531); con la **obediencia a José y a María,** Jesús cumple a perfección el cuarto mandamiento (532). Sus años en Nazaret son una lección de **silencio,** dice Pablo VI (533).

Jesús hallado en el templo (Lc 2, 41) es el único hecho de su infancia en el cual se le oyen sus palabras en el evangelio: **"¿No sabían que debo dedicarme a los asuntos de mi Padre?".** José y María conservan sus palabras en su corazón, meditándolas (534).

EN EL BAUTISMO DE JESÚS (Mt 3, 13) aparece la voz del Padre declarándolo su "hijo muy amado" y el Espíritu Santo en forma de paloma. Es como la segunda "epifanía" o manifestación pública de Jesús. Cristo se deja contar allí entre los pecadores que hacen fila para hacerse bautizar. San Juan lo declara "el Cordero que quita el pecado del mundo". Al ser bautizado "se abrieron los cielos" (Mt 3, 16) porque el pecado de Adán los había cerrado (536).

LAS TENTACIONES DE JESÚS (Lc 4, 13) fueron ataques semejantes a los que recibieron Adán en el Paraíso y el pueblo de Israel en el desierto. Adán y el pueblo fueron derrotados por Satanás, pero Jesús en cambio derrotó al diablo, y se mostró como el que es totalmente obediente a la voluntad divina. Esta victoria de Jesús en el desierto contra el tentador es preparación a la gran victoria que obtendrá contra él en su Pasión y Muerte (539).

"No tenemos un Sumo Sacerdote que no nos pueda comprender, porque Jesús se hizo semejante en todo a nosotros, menos en el pecado" (Hb 4, 15).

JESÚS Y LOS POBRES: Declaró que fue enviado a anunciar la Buena Noticia a los pobres (Lc 4,18). Declaró dichosos a los pobres, "porque de ellos es el reino de los cielos" (Mt 5, 3) Jesús desde el pesebre hasta la Cruz comparte la vida de los pobres: conoce y experimenta el hambre, la sed, la privación de los bienes. Y hasta se identifica con los pobres anunciando que todo favor hecho a un pobre, lo recibe como hecho a Él mismo (Mt 25, 40) (544).

JESÚS Y LOS PECADORES: Él acostumbraba a decir: "Yo no he venido a llamar a justos sino a los pecadores" (Mc 2, 17); los invita a la conversión sin la cual no se puede entrar en el Reino de los cielos, pero les demuestra con palabras y con hechos la misericordia sin límites del Padre Celestial hacia ellos (Lc 15, 11) y la gran alegría que hay en el cielo por un solo pecador que se convierte (Lc 15, 7); la prueba suprema de su gran amor hacia los pecadores es el sacrificio de su vida en la Cruz para obtener el perdón de los pecados (545).

LAS PARÁBOLAS DEL EVANGELIO: Algo típico de las enseñanzas de Jesús son las parábolas. Por medio de ellas invita a todos al banquete del Reino Celestial (Mt 22) pero exige ciertas condiciones para poder entrar (Mt 13), recuerda que no basta con buenas palabras para salvarse, sino que son necesarias las buenas obras y una conducta buena (Mt 21). Insiste en que unos sí reciben sus mensajes como tierra buena que produce frutos, pero otros son como piedras y espinas que ahogan y matan el mensaje recibido (Mt 13, 18-23). Recuerda

PEDRO, CABEZA DE LA IGLESIA

ENTRADA TRIUNFAL EN JERUSALÉN

que a cada cual se le tomará cuenta en el buen empleo que hizo de los talentos recibidos (Mt 25, 14-30). Para entender el significado de las parábolas es necesario tener buena voluntad y deseo de entenderlas (Mt 13, 15) (546).

LOS MILAGROS DE JESÚS. Para demostrar que sí es un enviado del Padre Celestial, Jesús obró impresionantes signos o milagros. Ellos son la comprobación de que Cristo sí es el Mesías o Salvador anunciado por los profetas (Lc 7, 18) y son la señal de que el Padre Dios está a favor de Él (Jn 5, 36) e invitan a creer en Jesús (Jn 10, 38). Los milagros fortalecen la fe de los discípulos, pero son escándalo para sus enemigos que los atribuyen a Satanás (Mc 3, 22). El gran prodigio de Jesús es liberar a los seres humanos de la esclavitud más grave que es la del pecado (Jn 8, 34). Él anuncia que si trae el Reino de Dios es para derrotar al reino de Satanás (Mt 12, 26). Los exorcismos de Jesús que consiguieron liberar a varias personas del dominio de los demonios, son como un anuncio de que en la Cruz iba a obtener una gran victoria sobre el Príncipe de este mundo (Jn 12, 31); por eso la Iglesia canta en un himno: "Nuestro Salvador reina desde el madero de la Cruz" (547-48-49-50).

EL PODER DE LAS LLAVES: Jesús eligió a Apóstoles para que lo acompañen y ayuden en su obra de evangelización. Y entre ellos Simón Pedro ocupa el primer puesto. Él fue quien le dijo: "Tú eres el Hijo de Dios Vivo", y Jesús le respondió: "Tú eres Pedro, y sobre esta piedra edificaré mi Iglesia. Yo te daré las llaves del Reino de los Cielos. Lo que ates en la tierra quedará atado en el cielo, y lo que desates en la tierra quedará desatado en el cielo" (Mt 16, 19). Esto es lo que se llama "el poder de las llaves". El poder de atar y desatar significa la autoridad para perdonar los pecados, para pronunciar sentencias doctrinales y tomar decisiones disciplinarias en la Iglesia. Este poder lo tiene especialísimamente el sucesor de san Pedro, que es el Sumo Pontífice (551-52-53).

102) ¿Cuál es el cuarto artículo del Credo?

R. El cuarto artículo del Credo es: "Padeció bajo el poder de Poncio Pilato, fue crucificado, muerto y sepultado".

Poncio Pilato era gobernador de Judea. Él por miedo a los judíos, aunque sabía que Jesús era inocente, lo mandó crucificar. En los capítulos 18 y 19 del evangelio de san Juan está el interesantísimo relato de cómo Pilato no quería condenar a Jesús y por miedo a los judíos lo condenó. Leamos un poco. Es emocionante.

103) ¿Cuáles son los hechos principales de la Pasión de Jesucristo?

R. Los hechos principales de la Pasión de Jesucristo son:

1º Su agonía y sudor de sangre en el Huerto de los Olivos o Getsemaní.

2º Su flagelación y coronación de espinas.

3º La subida al monte Calvario con la Cruz a cuestas.

4º La crucifixión.

5º Su agonía y muerte en la Cruz.

Catequista: *No deje pasar este momento sin leer o hacer leer alguna página del penúltimo capítulo de cada evangelio: san Mateo, san Marcos, san Lucas o san Juan. Esto emociona a la juventud y entusiasma mucho por Jesucristo. Cada uno debe pintar en su cuaderno algunas imágenes de la Pasión de Jesús y hacer una redacción que diga: "Lo que yo hubiera visto en el Calvario si hubiera estado el Viernes Santo allá".*

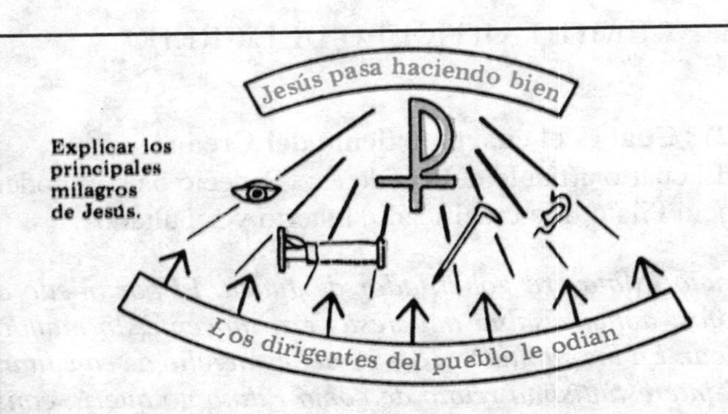

LOS INSTRUMENTOS DE LA PASIÓN DEL SEÑOR

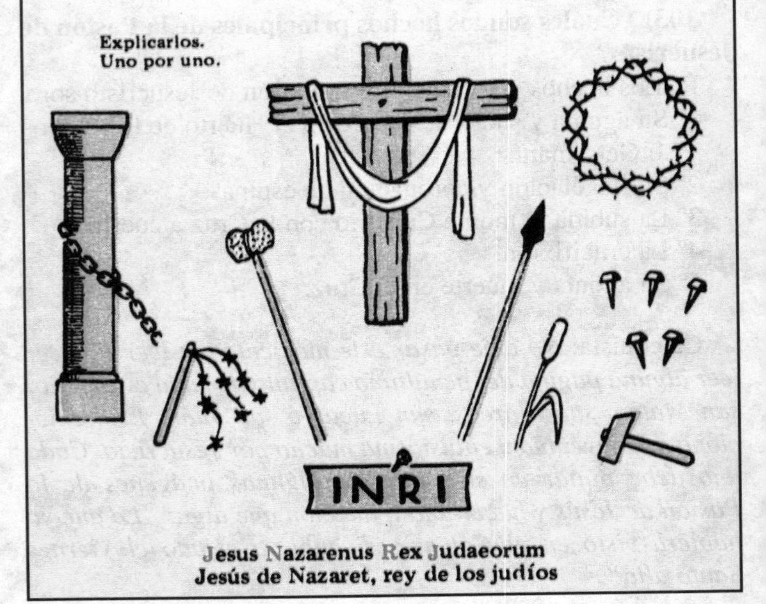

Jesus Nazarenus Rex Judaeorum
Jesús de Nazaret, rey de los judíos

AGONÍA DE CRISTO EN EL HUERTO

104. ¿ Para qué quiso Jesucristo padecer y morir?

R. Jesucristo quiso padecer y morir para reparar la ofensa hecha a Dios con nuestros pecados, y para merecernos el perdón junto con la gracia y el derecho al cielo.

El profeta Isaías dice de Jesús: "Lo contemplamos herido por Dios y humillado; Él fue traspasado a causa de nuestras rebeliones y triturado por causa de nuestros pecados. El castigo que nosotros nos merecíamos cayó sobre Él, y sus heridas nos curaron". (Is 53, 3-4).

LA PASIÓN Y MUERTE DE JESÚS

(Del Catecismo de la Iglesia Católica, númerto 595 ss.)

No todos los jefes judíos estuvieron de acuerdo en mandar matar a Jesús. Nicodemo y José de Arimatea eran en secreto sus discípulos (Jn 19, 38). San Juan dice que en vísperas de su Pasión un buen número de Judíos creyó en Él (Jn 12, 42). Por eso al día siguiente de Pentecostés "multitud de sacerdotes aceptaron la fe" (Hechos 6, 7) y también varios de la secta de los fariseos (Hechos 15, 5). Por eso el apóstol Santiago dijo: "Miles de judíos han aceptado nuestra fe (Hechos 21, 20) (595).

Caifás, Sumo Sacerdote, profetizó diciendo: "Es mejor que muera uno por el pueblo, y no que perezca toda la nación" (Jn 11, 49). **Lo mataron por ignorancia**. Dice san Pablo: "Si lo hubieran conocido, no habrían crucificado jamás al Señor de la gloria" (1Co 2, 8). Por eso no hay que culpar a todos los judíos de ese tiempo, ni a los judíos de ahora, de la muerte de Nuestro Señor (597).

Los pecadores fuimos los autores de la pasión de Cristo. Los culpables de este horrendo crimen somos los que continuamos recayendo en los pecados. Quienes siguen pecando "crucifican de nuevo al Hijo de Dios" (Hebreos 6, 6). San Francisco repetía: "Si sigues pecando, sigues crucificando a Jesucristo" (598).

Jesús fue crucificado para cumplir un plan de Dios. La muerte violenta del Redentor no fue fruto de una serie de circunstancias sino "el cumplimiento de un determinado plan hecho por Dios" (Hechos 2, 23). Esto no significa que los autores de su pasión no sean culpables o que no fueron libres de obrar de otra manera. Pero san Pedro dice: "Pilato y Herodes y los otros responsables han cumplido todo lo que Dios en su sabiduría había dispuesto que sucediera" (Hechos 4, 27). Dios permitió esos actos de la maldad de ellos, para realizar su plan de salvación (Hechos 3, 17-18) (600).

Murió por nuestros pecados. Así lo dice san Pablo (1Co 15, 3). Y Jesús hablando a los discípulos de Emaús les afirma: "Era necesario que Cristo padeciera" (Lc 24, 25). "A quien no cometió pecado, Dios lo hizo pecado por nosotros, para que llegáramos a la santidad" (2Co 5, 21). Dios no le perdonó la vida ni a su propio Hijo, sino que lo entregó por todos nosotros para que fuéramos reconciliados con Dios por medio de la muerte de Cristo" (Rm 8, 32) (601-02-03)

"En esto conocemos el amor, no en que nosotros hayamos amado a Dios, sino en que Él nos amó y nos

PADRE, PERDONALOS, PORQUE NO SABEN LO QUE HACEN.

De repente, una gran oscuridad cubrió la tierra; hacia las tres de la tarde exclamó Jesús con fuerte voz: "Dios mío, Dios mío ¿por qué me has abandonado?".

Algunos de los circunstantes decían: "Llama a Elías". Jesús entonces dijo: "¡Tengo sed!". Uno de los soldados empapó una esponja con vinagre y se la acercó a sus labios.

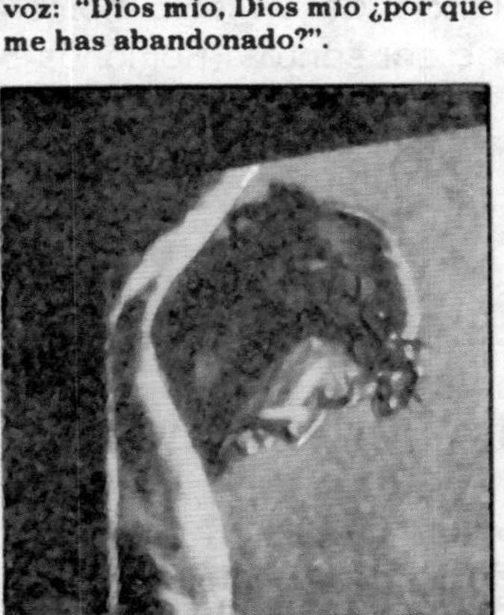

Después que Jesús hubo probado el vinagre, dijo: "Todo está consumado. ¡Padre, en tus manos encomiendo mi espíritu!", e inclinó la cabeza y expiró.

Cuando el centurión que se hallaba delante de Jesús oyó estas palabras del moribundo y lo vio morir, dijo: "Verdaderamente éste era Hijo de Dios".

envió a su Hijo para perdón de nuestros pecados" (1Jn 4, 10). "La prueba de que Dios nos ama es que Cristo, siendo nosotros todavía pecadores, murió por nosotros" (Rm 5, 8). No hay ni habrá jamás una persona humana por lo cual no haya muerto Cristo (605).

El Cordero que quita el pecado del mundo: Toda la vida de Cristo se expresa en esta frase suya: "El Hijo del hombre vino a servir y a dar su vida para la salvación de muchos" (Marcos 10, 45). Por eso san Juan dice que "Jesús nos amó hasta el extremo" (Jn 13, 1). Su muerte fue totalmente libre. Él decía: "Nadie me quita la vida; yo la doy voluntariamente" (Jn 10, 18). Como por la desobediencia de un solo hombre (Adán) todos nos volvimos pecadores, así por la obediencia de un solo hombre (Cristo) todos podemos llegar a ser santos (Romanos 5, 19) (608-9-10-11).

QUINTO ARTÍCULO DEL CREDO

105) ¿Cuál es el quinto artículo del Credo?

R. El quinto artículo del Credo es: "Descendió a los infiernos y al tercer día resucitó de entre los muertos".

"Cristo murió por nuestros pecados, fue sepultado y resucitó al tercer día, conforme lo habían anunciado las Escrituras" (1Co 15, 3-4).

106) ¿Qué significan las palabras "descendió a los infiernos"?

R. Las palabras "descendió a los infiernos", no significan que Jesús fue al infierno donde está satanás, sino que después de la muerte, el alma de Jesús fue donde estaban las almas de los santos que habían muerto antes que Él y que no habían podido entrar al cielo, porque antes de que Jesús muriera por nuestros pecados, nadie podía entrar al Paraíso.

Dice san Pedro: *"Jesús fue en espíritu a visitar a los espíritus encarcelados" (1Pe 3, 19).*

La S. Biblia llama "seno de Abraham" aquel sitio donde se reúnen los que se salvan (Lc 16, 22). Recostarse en el "seno de Abraham" significa estar muy cerca de él en el cielo, o sea salvarse.

107) ¿Cómo resucitó Jesucristo al tercer día?

R. Jesucristo resucitó al tercer día volviendo a juntar su cuerpo y alma gloriosos para nunca más morir.

"Sabemos que Jesucristo resucitado entre los muertos no muere ya otra vez; y que la muerte no tendrá ya dominio sobre Él" (Rm 6, 9).

108) ¿A quiénes se apareció Jesucristo después de resucitar?

R. Jesucristo después de resucitar se apareció por 40 días, a san Pedro, a la Magdalena y a las santas mujeres, a dos discípulos que iban a Emaús, a los 11 Apóstoles reunidos y a más de 500 personas.

San Pablo dice: *"Se apareció a Pedro, y a los Apóstoles, y a más de 500 personas, muchas de las cuales todavía viven, y después se me apareció a mí"* (1Co 15, 6-8).

Alerta, catequista: No deje pasar esta ocasión sin leer o hacer leer el último capítulo de cada evangelio. Allí encontrarán narrado muy hermosamente lo que sucedió cuando Jesús resucitó. Si no les puede hacer leer esto a los alumnos, nárreles los hechos, por ejemplo: cómo narra san Lucas las apariciones del resucitado, y como las narra san Juan. Este tema es inmensamente importante y no se puede dejar pasar sin darle mucho interés.

109) ¿Qué nos enseña la Resurrección de Jesucristo?

R. La Resurrección de Jesucristo nos enseña que Él es Dios, y que nosotros también resucitaremos.

Dice la S. Biblia: *"Si creemos que Jesús murió y resucitó, también debemos creer que Dios resucitará y llevará a la gloria con Jesús a los que tienen fe y amor hacia Él" (1Tes 4, 14). Trabajo en el cuaderno: Pintar un sepulcro abierto, o a Cristo resucitado y escribir con letra grande: "Si mi Jesús resucitó, yo también resucitaré".*

RESURRECCIÓN DE CRISTO

(Del Catecismo de la Iglesia Católica, números 638 ss.)

Dice san Pablo: "Les anunciamos una buena noticia: que lo promesa hecha a nuestros antiguos padres por Dios, la ha cumplido en nosotros sus hijos, al resucitar a

¡EL SEÑOR HA RESUCITADO!

MARCOS 16:1- 7; JUAN 20:2- 18; MATEO 28:11- 15; LUCAS 24:13- 32

Jesús" (Hch 13, 32-33). La resurrección de Jesús es la verdad culminante, lo más elevado de nuestra fe (638).

La resurrección de Cristo es un acontecimiento real que tuvo manifestaciones históricas comprobadas, como lo afirma el Nuevo Testamento. San Pablo en el año 56 escribe: "Yo recibí esta tradición: que Cristo murió por nuestros pecados y que resucitó según las Escrituras y se apareció a Pedro y a los Doce" (1Co 15, 3).

El sepulcro vacío ha constituido para todos un signo especial. Fue el primer paso para saber lo noticia de la resurrección. Cuando san Juan entró al sepulcro vacío "vio y creyó" (Jn 20, 8) porque constató que la ausencia del cuerpo de Jesús no había podido ser por causas humanas (640).

Las apariciones: María Magdalena y las santas mujeres fueron las primeras en encontrar al resucitado (Mateo 28, 9); después Jesús se mostró primero a Pedro y después al grupo de los Apóstoles (1Co 15, 5). San Pablo dice que Jesús se apareció a más de quinientas personas (1Co 15, 6).

El cuerpo de Jesús resucitado. Jesús comparte la comida con los Apóstoles, después de la resurrección (Lc 24, 30) y les presenta las señales de los clavos y de la lanzada (Jn 20, 20) y les dijo: "Miren mis manos y mis pies. Soy yo mismo. Pálpenme y verán que un espíritu no tiene carne y huesos como ven que yo tengo" (Lc 24, 39) (645).

Las nuevas cualidades. Pero este cuerpo auténtico y real de Jesús resucitado posee, sin embargo, las propiedades de un cuerpo glorioso: puede hacerse presente según su voluntad donde quiere y cuando quiere (Mt 28, 9) Jesús resucitado es soberanamente libre de aparecer como quiere: bajo las apariencias de un jardinero (Jn 20, 14) o de otra figura (Mc 16, 12) distinta de la que les era familiar a sus discípulos, para suscitar su fe (Jn 21, 4) (645).

Diferencia. Jesús resucitado se diferencia de otros muertos resucitados, —como Lázaro— en que éstos volverían a morir, y en cambio Él ya nunca más morirá. Ahora participa de la vida divina en el estado de gloria. Por eso san Pablo dice que Cristo es "hombre celestial" (1Co 15, 40) (646).

Cristo, al resucitar, dio la prueba definitiva de su autoridad divina (651).

La resurrección de Cristo es principio y fuente de nuestra resurrección futura (655).

SEXTO ARTÍCULO DEL CREDO

110) ¿Cuál es el sexto artículo del Credo?

R. El sexto artículo del Credo es: "Subió a los cielos, y está sentado a la derecha de Dios Padre Todopoderoso".

Dice san Marcos: *"El Señor Jesús después de haberse aparecido resucitado a sus discípulos, fue llevado a los cielos, y está sentado a la derecha de Dios" (Mc 16, 19).*

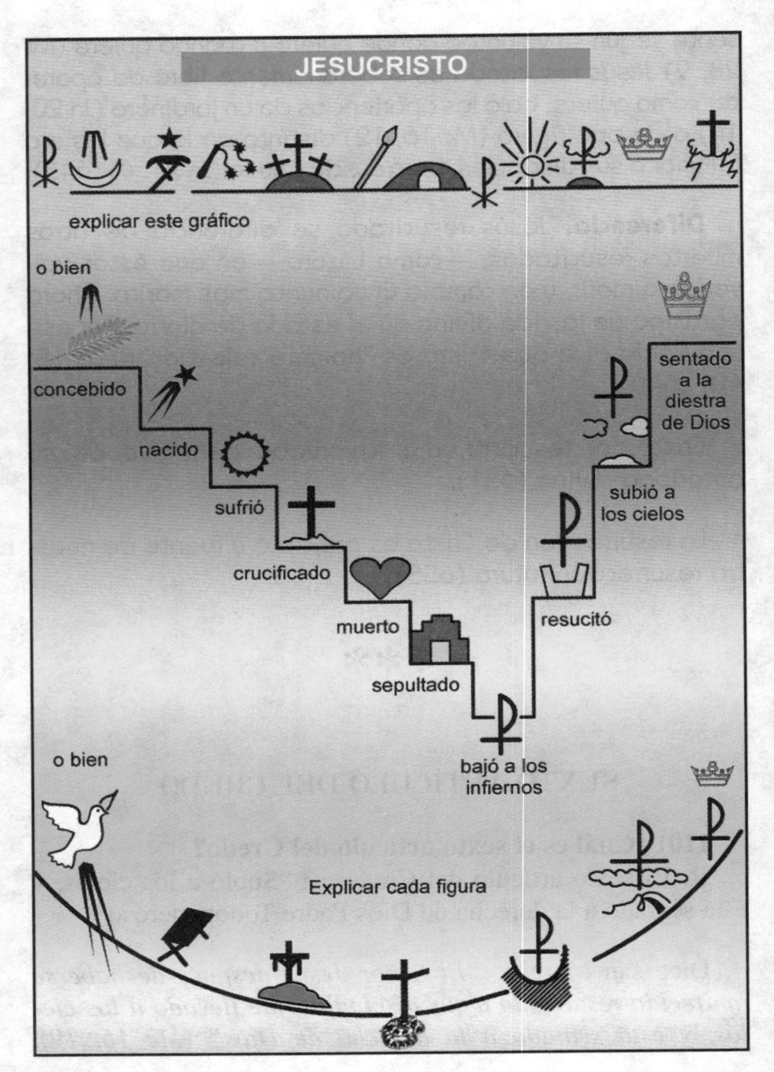
JESUCRISTO
explicar este gráfico
o bien
concebido
nacido
sufrió
crucificado
muerto
sepultado
bajó a los infiernos
resucitó
subió a los cielos
sentado a la diestra de Dios
o bien
Explicar cada figura

LA ASCENSIÓN

"Sentarse a la derecha", en la S. Biblia, significa ser el más importante después de Él. Jesús como Dios es igual al Padre, pero como hombre es el ser más importante después de Dios.

111) ¿Cómo subió Jesucristo a los cielos?

R. Jesucristo subió a los cielos, por su propio poder que es infinito.

Dice san Pablo: *"Jesús subió al cielo, y desde allá envía regalos a las personas humanas" (Efesios 4, 8). Esto es lo que se llama Ascensión.*

Tarea en el cuaderno: Pintar la Ascensión de Jesús y escribir debajo lo que cuenta san Lucas en los últimos cinco renglones de su evangelio.

112) ¿Qué significan las palabras: " Está sentado a la derecha de Dios"?

R. Las palabras "Está sentado a la derecha de Dios Padre", significan que Jesucristo, en cuanto Dios, tiene una gloria igual a la de su Padre, y en cuanto hombre, su gloria es superior a la de todas las demás creaturas.

Jesús dice en el Apocalipsis: "Yo fui vencedor, y me senté con mi Padre en el Trono del cielo" (Ap 3, 21). Y a los Apóstoles les dijo: "Todo poder se me ha dado en el cielo y en la tierra" (san Mateo 28,18).

En el cuaderno: Pintar a Jesús sentado a la derecha de Dios Padre y escribir debajo qué está haciendo Cristo por nosotros en el cielo.

113) ¿Para que subió Jesucristo a los cielos?

R. Jesucristo subió a los cielos para gozar de la gloria que había merecido en cuanto hombre, para enviar al Espíritu Santo, y para ser nuestro abogado delante del Padre.

Dijo Jesús: "Yo pediré al Padre y Él os enviará al Espíritu Consolador que estará con vosotros, y os recordará todo lo que yo he enseñado" (S. Juan 14, 26).

Dice san Juan: "Hijitos míos, si alguno peca, Abogado tenemos ante el Padre. Es Jesucristo, que se ofreció por nuestros pecados" (1Jn 2, 1).

***

Lectura

LA SUBIDA DE JESÚS AL CIELO

(Del Catecismo de la Iglesia Católica números 659 ss.)

Aun durante los 40 días en que Jesús resucitado se apareció a sus discípulos, su gloria queda todavía velada por su humanidad ordinaria, pero al subir hacia el cielo y quedar oculto entre la nube entra irreversiblemente en la gloria divina (659).

Jesús había dicho: **"Cuando yo sea levantado de la tierra, atraeré a todos hacia mí"** (Jn 12, 32). Primero fue levantado en la Cruz, y luego hacia el cielo en su Ascensión (662).

Sentarse a la derecha del Padre significa que empieza a reinar como Mesías o Salvador del mundo y que en Él se cumple lo que anunció el profeta Daniel: "Se le dio el poder, el honor y el reino, y todos los pueblos y naciones le obedecerán. Su reino es un reinado eterno que nunca acabará y que jamás será destruido" (Dan 7, 14) (664).

Jesús llega al Reino de su Padre, y a nosotros nos queda la esperanza de que siendo sus amigos y seguidores lo acompañaremos también allá eternamente (666).

SÉPTIMO ARTÍCULO DEL CREDO

114) ¿Cuál es el séptimo artículo del Credo?

R. El séptimo artículo del Credo es: "Desde allí ha de venir a juzgar a los vivos y a los muertos".

Dijo Jesús: "Cuando el Hijo del hombre venga en su gloria, acompañado de todos sus ángeles, se sentará en su trono de gloria y serán reunidas delante de Él las gentes de todas las naciones, y a los buenos les dirá: 'Venid benditos de mi Padre a gozar del reino que os está preparado', y a los malos dirá: 'Id malditos al fuego eterno preparado para el diablo y todos sus seguidores'" (san Mateo 25, 31-46).

115) ¿Cuándo vendrá Jesucristo a juzgar a los vivos y a los muertos?

R. Jesucristo vendrá a juzgar a los vivos y a los muertos al fin del mundo, en el Juicio Universal.

CRISTO, EN EL DÍA DEL JUICIO FINAL
(CUADRO DE MIGUEL ÁNGEL)

Dice san Pablo: *"Todos tendremos que presentarnos delante de Dios para que Él nos juzgue. Cada uno de nosotros tendrá que dar cuenta de sí mismo ante el tribunal de Cristo"* (Romanos 14, 10-12).

La fecha del día del Juicio Universal nadie la sabe. Nadie puede decir si será pronto o será mucho después. A Jesús le preguntaron los Apóstoles: "¿Cuándo será el Juicio?". Y Él les respondió: "La fecha nadie la sabe, ni siquiera los ángeles, sólo Dios" (san Marcos 13, 32). Así que cualquiera que nos diga que el día del Juicio va a llegar muy pronto, está pretendiendo saber más que los ángeles y se engaña.

116) ¿Para qué juzgará Jesucristo a todas las personas humanas al fin del mundo?

R. Jesucristo juzgará a todas las personas humanas al fin del mundo, para manifestar su justicia infinita, para glorificar a los buenos y confundir a los malos, y para confirmar la sentencia que dio en el juicio particular en la hora de la muerte de cada uno.

El libro de la Sabiduría dice: *"Entonces los malos dirán: ¡Mirad a los que obraron bien, cómo brillan y resplandecen! Nosotros nos reíamos de ellos y creíamos que su buena conducta era una tontería, y ahora ellos reciben la herencia del pueblo santo. ¿De qué nos sirvió nuestro orgullo? Todo ello pasó como sombra, en cambio los buenos vivirán eternamente en las manos del Señor y el Altísimo cuidará de ellos" (Sabiduría 5, 3-9.15).*

117) ¿A dónde irán las personas después del Juicio Universal?

R. Después del Juicio Universal los malos irán en cuerpo y alma al infierno, y los buenos irán en cuerpo y alma a la vida eterna del cielo.

Dijo Jesús: *"Va a llegar la hora en que todos los muertos oirán la voz del Hijo de Dios y saldrán de sus tumbas. Los que hicieron el bien resucitarán para tener vida eterna. Y los que hicieron el mal resucitarán para ser condenados" (san Juan 5, 28-29).*

Nadie sabe en qué consiste el infierno. La S. Biblia habla de "fuego que no se apaga"; no sabemos cómo será ese fuego. Acerca del cielo, la descripción más hermosa se halla en el capítulo 21 del Apocalipsis (Sr. Catequista, ¿quiere leerlo a los alumnos?). Allí se dice que en el cielo no habrá muerte, ni llanto, ni dolor; que los pisos serán de oro, y las puertas de esmeraldas; que Dios quitará toda lágrima de dolor de los que vayan al cielo, y que en cambio a los malos les tocará un lago de azufre hirviente.

EJEMPLO: LA PARÁBOLA DEL RICO EPULÓN. *Jesús contó el ejemplo del rico y del pobre para recordar lo que nos espera después del Juicio. Dijo así: "Había un hombre muy rico que se vestía con ropa muy fina y costeaba almuerzos muy lujosos. Y había también un pobre llamado Lázaro que estaba lleno de llagas y se sentaba en el suelo a la puerta de la casa del rico. Este pobre deseaba comer aunque fuera las sobras de la mesa del rico, y hasta los perros se le acercaban para lamerle las llagas. Y sucedió que murió el pobre y los ángeles lo llevaron a sentarse junto a Abraham en el paraíso. Murió también el rico y fue enterrado. Y mientras el rico sufría en el infierno, levantó los ojos y vio de lejos a Abraham, y a Lázaro junto a él. Entonces gritó: "Padre Abraham, ten lástima de mí. Manda a Lázaro que moje la punta de su dedo en agua y venga a refrescar mi lengua, porque estoy sufriendo mucho en este fuego". Pero Abraham le dijo: "Recuerda que tú tenías muchos goces en la vida, en cambio Lázaro sufría.*

Ahora él aquí está gozando, y tú en cambio estás sufriendo. Y entre nosotros y ustedes hay un abismo de manera que nadie puede pasar de aquí hacia allá, ni nadie puede pasar de allá hacia aquí".

El rico le dijo: *"Te suplico, padre Abraham, que mandes a Lázaro a casa de mi padre donde tengo cinco hermanos, para que les avise y así no vengan también ellos a este sitio de tormentos". Y Abraham le dijo: "Si no hacen caso a lo que les enseñan Moisés y los profetas (en la Sagrada Escritura) tampoco creerán aunque un muerto resucite" (S. Lucas 16, 19-31).*

***

OCTAVO ARTÍCULO DEL CREDO

118) ¿Cuál es el octavo artículo del Credo?

R. El octavo artículo del Credo es: "Creo en el Espíritu Santo".

La primera vez que el Espíritu Santo apareció visiblemente fue en el Bautismo de Jesús. Dice san Lucas: "Mientras lo bautizaban, se abrió el cielo, y bajó sobre Él el Espíritu Santo en forma de paloma" (S. Lucas 3, 22).

119) ¿Quén es el Espíritu Santo?

R. El Espíritu Santo es la tercera persona de la Santísima Trinidad, Dios verdadero como el Padre y el Hijo.

Jesús le dio al Espíritu Santo el nombre de "Abogado, Consolador, Defensor" que en el idioma de la S. Biblia se dice "Paráclito", y lo llamó también "Espíritu de verdad que estará siempre con vosotros" (S. Juan 14, 17).

Tarea: *Dibujar al Espíritu Santo y escribir debajo con letra grande: "Ven, oh Espíritu Santo". Pintar en forma de siete rayos, los siete dones que regala el Espíritu Santo a sus devotos.*

LA VENIDA DEL ESPÍRITU SANTO

120) ¿Dónde está el Espíritu Santo?

R. El Espíritu Santo está en todas partes, pero de manera especial está en la Iglesia y en el alma de las personas que viven en amistad con Dios.

Dijo san Pablo: *"No entristezcáis al Espíritu Santo. ¿No sabéis que sois templo de Dios y que el Espíritu Santo habita en vosotros? Si alguno profana el templo de Dios, Dios lo castigará" (1Corintios 6, 19).*

EL EJEMPLO DE LEONIDAS: *Era un gran creyente. Cuando su hijito inocente estaba dormido, al despedirse le daba un beso respetuoso en el pecho. Le preguntaron por qué lo hacía y respondió: "Es que Jesús dijo: 'Si alguno me ama, mi Padre le amará y vendremos a él y haremos en él nuestra morada'. Ese niño ama a Dios, por lo tanto el Padre y el Hijo y el Espíritu Santo habitan en él. Por eso lo trato con tanto respeto". Ese niño llegó a ser el más grande sabio de su siglo, y se llamaba Orígenes.*

Toda persona que ama a Dios y que vive sin pecado mortal, lleva consigo al Espíritu Santo, siempre. ¡Qué gran fortuna! ¡No la perdamos!

121) ¿Cuándo fue enviado el Espíritu Santo a la Iglesia?

R. El Espíritu Santo fue enviado a la Iglesia el día de pentecostés, cuando descendió sobre los Apóstoles en forma de lenguas de fuego.

Los Hechos de los Apóstoles lo narran de la siguiente manera: "Llegó el día de pentecostés, estaban todos reunidos en un mismo lugar. De repente vino del cielo un ruido como de viento impetuoso, que llenó toda la casa. Se le aparecieron unas lenguas como de fuego que se posaron sobre cada uno de ellos;

quedaron todos llenos del Espíritu Santo y se pusieron a hablar en diversas lenguas según el Espíritu Santo les concedía expresarse" (Hechos 2)

122) ¿Para qué fue enviado el Espíritu Santo a la Iglesia?

R. El Espíritu Santo fue enviado a la Iglesia para guiarla hasta el fin del mundo, para hacerla infalible con su asistencia, y para defenderla, hacerla fuerte y llenarla de santidad.

Jesús prometió: *"Yo rogaré al Padre, y Él os enviará al Consolador, al Abogado, el Defensor, el Espíritu de Verdad que estará siempre con vosotros. Él os guiará hasta la verdad completa" (S. Juan 14, 26).*

123) ¿Cuándo recibimos al Espíritu Santo?

R. Recibimos al Espíritu Santo por primera vez en el Bautismo; de un modo especial en el sacramento de la Confirmación, y siempre que recibimos un sacramento. También lo recibimos en lo que se llama "Bautismo del Espíritu Santo" que consiste en suplicar con gran fe, humildad, buenas lecturas y perseverante oración, que el Divino Espíritu venga a nuestra alma, hasta que al fin sentimos su divina presencia en nuestro espíritu.

San Juan Bautista decía: "Yo os bautizo con agua, pero después de mí viene el que os bautizará con el Espíritu Santo" (S. Marcos 1, 8)

124) ¿Qué obra el Espíritu Santo en nosotros?

R. El Espíritu Santo nos ayuda a vivir en gracia de Dios, vive en nosotros, nos ilumina, nos fortalece, nos consuela y nos regala sus siete dones y sus doce frutos.

San Pablo dijo: *"Los dones del Espíritu son: amor, alegría, paz, paciencia, amabilidad, bondad, fidelidad, humildad y dominio de sí mismo" (Gálatas 5, 20).*

125) ¿Qué son los frutos del Espíritu Santo?

R. Los frutos del Espíritu Santo son ciertos actos de virtud que acompañan a las personas que tienen verdadera devoción al Divino Espíritu y son doce: caridad, paz, generosidad, amabilidad, fe, dominio de sí mismo, alegría, paciencia, bondad, mansedumbre, humildad y castidad.

El apóstol san Pablo dice que estos frutos son los que regala el Espíritu Santo a las personas que se dejan guiar por Él (Gálatas 5, 22).

El Espíritu Santo es una persona muy activa en la vida del creyente. Por eso el que le reza con fe y confía en su poder y misericordia y trata de obedecer a sus inspiraciones, tendrá una vida muy superior en virtud a la de los demás.

LOS DONES DEL ESPÍRITU SANTO

126) ¿Cuáles son los dones del Espíritu Santo?

R. Los dones del Espíritu Santo son siete: sabiduría, entendimiento, consejo, ciencia, fortaleza, piedad y temor de Dios.

El profeta Isaías dice que los siete regalos que el Espíritu del Señor le dará a quien es fiel a Dios son: sabiduría, entendimiento, consejo, ciencia, fortaleza, piedad y temor de Dios (Isaías 11, 2).

127) ¿Qué es el don de sabiduría?

R. El don de sabiduría es un gusto especial que Dios nos da hacia todo lo espiritual, hacia todo lo que se refiere a Dios. Y un desprecio por todo lo que es pecaminoso o meramente materialista.

VEN, ESPÍRITU SANTO

Oh Espíritu Santo, Amor del Padre y del Hijo: Inspíranos siempre lo que debemos hacer y lo que debemos evitar, lo que debemos decir y lo que debemos pensar, para procurar tu gloria y el bien de las almas. Amén.

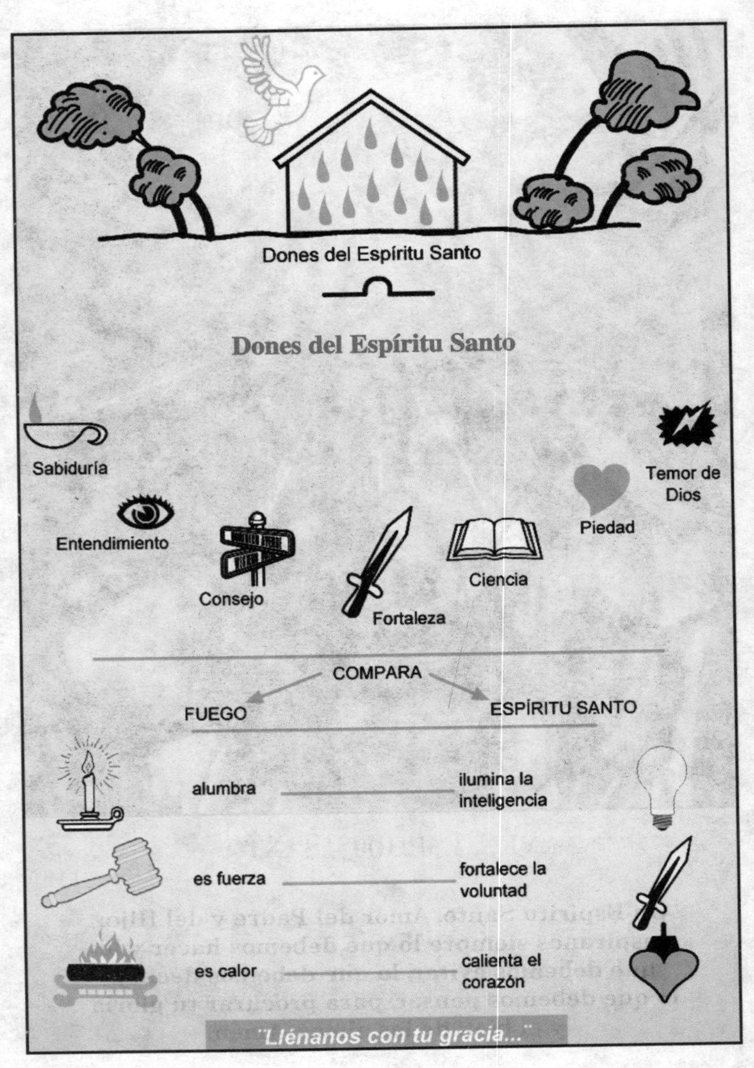
Dones del Espíritu Santo
Dones del Espíritu Santo
Sabiduría
Temor de Dios
Piedad
Entendimiento
Consejo
Fortaleza
Ciencia
COMPARA
FUEGO
ESPÍRITU SANTO
alumbra
ilumina la inteligencia
es fuerza
fortalece la voluntad
es calor
calienta el corazón
"Llénanos con tu gracia..."

Los Proverbios del rey Salomón dicen: "La sabiduría vale más que las joyas más preciosas, y no hay tesoro en el mundo que se le pueda comparar" (Prov 8, 11).

El don de sabiduría hace considerar como la mayor desgracia del mundo al pecado, y concede un gusto especialísimo por la lectura de la S. Biblia y la oración. La sabiduría se disgusta por todo lo que sea pecado. Quita la simpatía por lo prohibido por Dios y da una gran antipatía hacia todo lo que sea pecaminoso. Por este don de la sabiduría los santos preferían mil muertes antes que cometer un pecado.

128) ¿Qué es el don de entendimiento?

R. El don de entendimiento es una gracia que el Espíritu Santo nos da para que podamos comprender lo que Dios nos enseña por medio de su palabra en la S. Biblia, en la predicación o en los libros de religión.

Fue lo que les sucedió a los Apóstoles el día de Pentecostés. Apenas recibieron el Espíritu Santo, entendieron todo lo que Jesús les había enseñado, y lo siguieron recordando.

Podemos pasar mucho tiempo oyendo o leyendo una frase de la S. Biblia y no entenderla ni sacar provecho de ese mensaje. Pero viene el Espíritu Santo con su don de entendimiento y en un momento entendemos lo que antes nunca habíamos comprendido. Por eso al empezar a leer un libro religioso o al escuchar un sermón hay que encomendarse a Dios para que Él con el don de entendimiento nos haga comprender bien lo que quiere decir con los mensajes que leemos o escuchamos.

HIMNO AL ESPÍRITU SANTO

(El Santo Padre el Papa, lo reza cada día)

VEN, CREADOR ESPÍRITU,
de los tuyos la mente a visitar,
a encender en tu amor los corazones,
que de la nada te gustó crear.

Tú que eres gran Consolador,
y don altísimo de Dios.
Fuente viva, y amor, y fuego ardiente,
y espíritual unción.

Tú, tan generoso en dádivas,
tú, poder de la diestra paternal;
tú, promesa magnífica del Padre
que el torpe labio vienes a soltar.

Con tu luz ilumina los sentidos,
los afectos inflama con tu amor,
con tu fuerza invencible fortifica
la corpórea flaqueza y corrupción.

Lejos expulsa el pérfido enemigo,
danos pronto tu paz,
siendo tú nuestro guía,
toda culpa logremos evitar.

Dénos tu influjo conocer al Padre
dénos, también el Hijo conocer,
y en Ti, del Uno y Otro,
santo Espíritu para siempre creer.

A Dios Padre, alabanza, honor y gloria,
con el Hijo, que un día resucitó,
y a Ti, Abogado y Consuelo del Cristiano
por los siglos se rinda admiración. *Amén.*

129) ¿Qué es el don de consejo?

R. El don de consejo es un favor de Dios por medio del cual en el momento de escoger sabemos elegir lo que más conviene para gloria de Dios y para bien de nuestra alma y de los demás.

Las personas que reciben este don tienen la rara cualidad de encontrar soluciones rápidas para casos urgentes, y guiar a otros para que obren lo que les conviene más y eviten lo que no les conviene, porque Jesús dijo: "El Espíritu Santo os enseñará todo".

Los santos pedían mucho a Dios el don de consejo. Y por este don santa Teresita, san Juan Bosco, san Antonio Claret, san Ignacio, etc., cuando una persona les pedía que le ayudaran a solucionar un caso difícil, le sabían dar consejos tan maravillosos que los más graves problemas quedaban solucionados.

130) ¿Que es el don de ciencia?

R. El don de ciencia es una cualidad que Dios nos da para saber distinguir entre lo verdadero y lo falso, y valorar los bienes de la tierra solamente según lo que valen delante de Dios.

En este mundo donde hay tanta gente que enseña como verdadero lo que es falso, es muy importante obtener el don de ciencia para saber distinguir bien entre lo que es verdad y lo que es mentira, en asuntos de religión.

Muchos al recibir el don de ciencia se hacen sacerdotes o religiosos porque aprecian las riquezas sólo en lo que valen ante Dios: o sea, las cosas pasan y se acaban pero no satisfacen totalmente a la persona humana.

Por este don de ciencia san Francisco dio sus riquezas a los pobres y se dedicó a salvar almas, porque se dio cuenta de que de nada sirve a una persona ganar el mundo entero si pierde su alma. Que una cosa sola es necesaria: tener contento a Dios.

131) ¿Qué es el don de fortaleza?

R. El don de fortaleza es una fuerza especial que nos da el Espíritu Santo para obrar valerosamente lo que Dios quiere que nosotros hagamos, y para sufrir con paciencia las contrariedades de la vida.

Jesús prometió: *"Seréis revestidos de la fuerza de lo alto" (Lucas 24, 49).*

La gente no entiende a veces por qué los mártires tienen tanto valor, y por qué ciertas personas logran tener tantísima paciencia. Eso lo han logrado porque han recibido el don de fortaleza.

La vida es a ratos tan dura y las tentaciones son a veces tan violentas e inesperadas que si el Espíritu Santo no nos diera el don de fortaleza no seríamos capaces de resistir.

Quien no pide a Dios el don de fortaleza puede llegar a desanimarse o a desesperarse. Por eso los pobres, los enfermos, los que sufren tentaciones y los que tienen penas especiales hacen muy bien si le piden al Espíritu Santo el don de fortaleza. Jesús prometió: "Todo el que pide recibirá". Y san Pablo dice: "Dios a sus amigos no les da cobardía sino fortaleza" (2Tim 1, 7).

132) ¿Qué es el don de piedad?

R. Don de piedad es un afecto filial hacia Dios, que nos hace amarlo como al más bondadoso de los padres, y nos concede una cierta facilidad y cariño por todo lo que sea obedecer y honrar a Nuestro Señor.

Las personas que reciben el don de piedad sienten un gozo especial por todo lo que sea oración, lectura de la Sagrada Biblia, enseñar catecismo y pensar en Dios y en la vida de Jesucristo. A quien tiene el don de piedad, ningún sacrificio le parece demasiado grande con tal de obtener que otras personas amen más al buen Dios. Por este don san Francisco de Asís pasaba las noches emocionado diciendo: "Mi Dios y mi todo", y san Francisco Javier gastó su vida en las misiones tratando de que la gente amara y conociera a Dios.

133) ¿Qué es el don de temo r de Dios?

R. El don de temor de Dios es un temor cariñoso a ofender a Dios, por ser Él un Padre tan bondadoso y tan generoso con nosotros, y también porque sabemos que Dios no dejará un solo pecado sin castigo.

Jesús decía: *"No temáis a los que puedan matar el cuerpo. Temed al que puede arrojar alma y cuerpo al infierno" (S. Mateo 10, 28).*

El temor de Dios es un temor que nace del amor; es un temor a disgustar al ser que más amamos: al buen Dios. Es un horror a contrariar a nuestro Señor.

Por el don de temor de Dios, los santos estallaban en lágrimas cuando cometían alguna falta, y sentían el más espantoso asco a toda clase de pecados. ¿Qué tal que el hijo no tuviera temor a disgustar al papá? ¿Qué tal que el súbdito no tuviera temor de disgustar al Rey? ¿Qué tal que el ciudadano no tuviera temor de disgustar a las autoridades?

Jesús también tuvo este temor de Dios, pues el profeta dice: "El Siervo de Yahweh (el Redentor) tendrá entre sus cualidades el Temor de Dios" (Isaías 11). A lo único que Jesucristo le hubiera tenido verdadero pavor hubiera sido a disgustar al Padre Celestial.

EL ESPÍRITU SANTO

(Del Catecismo de la Iglesia Católica números 683 ss.)

San Pablo dice: "Nadie puede decir que Jesús es el Señor, si no es por influjo del Espíritu Santo" (1Co 12, 3) y añade: "Dios ha enviado a nuestros corazones el Espíritu de su Hijo que nos ayuda a llamar "Padre" a nuestro Creador" (Gal 4, 6). El Espíritu Santo es el que despierta en nosotros la fe, desde el día del Bautismo (683).

El primero y el último. El Espíritu Santo es **el primero** en despertar en nosotros la fe por medio del Bautismo y nos guía hacia la vida eterna que consiste en "que te conozcan a Ti, el único Dios verdadero, y a tu Enviado Jesucristo" (Jn 17, 3) y fue también **el último** en ser conocido por los creyentes. Primero fue el Padre en el Antiguo

Testamento; luego el Hijo, anunciado en las profecías y manifestado en nuestro mundo. Por último el Espíritu Santo (684).

Los nombres del Espíritu Santo. Jesús al anunciar la venida del Espíritu Santo lo llama "Paráclito", que significa **"Abogado"** (Jn 16, 26) y **Consolador.** Lo llama también "espíritu de verdad" (Jn 16, 13) (692).

Símbolos del Espíritu Santo. **El fuego** que calienta, ilumina y destruye malezas. **La nube,** que en el Antiguo Testamento era señal de la presencia de Dios (Éx 33, 9). **La paloma** que al final del diluvio fue soltada por Noé y anunció el fin de la destrucción. El Espíritu Santo bajó en forma de paloma en el Bautismo de Jesús (Mt 3, 16) (694-96-97-701).

El Espíritu Santo en el evangelio. San Lucas dice que Juan Bautista se llenó del Espíritu Santo (Lc 1, 80) (717). Fue el Espíritu Santo el que formó al Hijo de Dios en el vientre de la Virgen María (Lc 1, 35) y el que iluminó a la Madre del Redentor para entonar su himno llamado "Magníficat" (El Señor hizo en mí maravillas...) (Lc 1, 46-55) (722).

Jesús anuncia el Espíritu Santo. Jesús promete que Él rogará al Padre y será enviado el Espíritu de verdad que nos recordará todo lo que Cristo ha dicho y nos conducirá a la verdad completa (Jn 15). Y al aparecerse resucitado sopló sobre sus Apóstoles y les dijo: "Recibid el Espíritu Santo" (Jn 20, 22) (729).

La venida del Espíritu Santo a los Apóstoles sucedió el día de Pentecostés (731).

134) ¿Cuál es el noveno artículo del Credo?

R. El noveno artículo del Credo es: "Creo en la santa Iglesia católica y en la comunión de los santos".

Jesús dijo: *"Tú eres Pedro, y sobre esta piedra edificaré mi Iglesia, y los poderes del infierno no podrán contra ella" (S. Mateo 16, 18).*

135) ¿Qué es la Iglesia católica?

R. La Iglesia católica es la reunión de los cristianos que tienen como jefe universal al Sumo Pontífice, como jefe regional al obispo y como jefe local al párroco, y creen y aceptan las verdades que los Pontífices y Concilios han declarado como ciertas.

La palabra "Iglesia" significa reunión o asamblea para dar culto a Dios. La palabra "católica" significa "universal", o sea extendida por todo el mundo.

136) ¿Por qué la Iglesia católica es la verdadera Iglesia de Jesucristo?

R. La Iglesia católica es la verdadera Iglesia de Jesucristo porque es la única que tiene las cuatro cualidades que se necesitan para serlo: es una, santa, católica y apostólica.

Una: significa que todos los católicos tienen las mismas creencias (y no como los protestantes que cada secta cree cosas distintas).

Las notas de la verdadera Iglesia

UNA

En la doctrina en los sacramentos y en la cabeza suprema

SANTA

Santificada por Cristo

CATOLICA

Para todos los pueblos del mundo

APOSTOLICA

Se remonta a los Apóstoles

La Iglesia Apostólica:

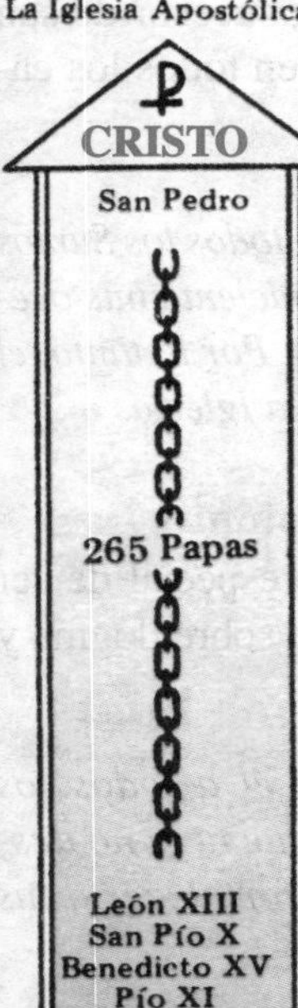

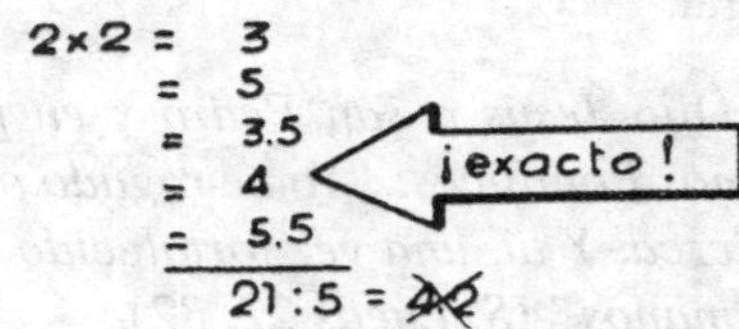

Ejemplo tomado de la Aritmética:
Sólo puede haber una Iglesia verdadera.
Todas las demás son más o menos falsas.

Santa: significa que brilla ante los demás por sus obras buenas, y ayuda mucho a sus fieles a llegar a la santidad.

Católica: significa que es universal, que está extendida por todo el universo.

Apostólica: significa que viene directamente de los Apóstoles. (El Sumo Pontífice viene directamente de san Pedro, y los obispos vienen de los otros Apóstoles).

137) ¿Quién es el Papa?

R. El Papa es el Sumo Pontífice de Roma, sucesor de san Pedro, Vicario de Jesucristo en la tierra, a quien todos los católicos estamos obligados a obedecer.

Jesús dijo a san Pedro, y en la persona de él a todos los Sumos Pontífices que lo iban a reemplazar después "Apacienta mis ovejas, apacienta mis corderos" (S. Juan 21, 15-16). Por lo tanto, el Papa tiene autoridad para gobernar a todos en la Iglesia.

138) ¿Qué privilegio tiene el Romano Pontífice?

R. El Romano Pontífice tiene el privilegio especial de ser infalible, o sea de no equivocarse cuando habla sobre dogma y moral.

Dijo Jesús a san Pedro y en persona de él a todos los Sumos Pontífices: "Yo he rogado por ti para que tu fe no desfallezca. Y tú, una vez fortalecido tienes que fortalecer a tus hermanos" (S. Lucas 22, 32).

139) ¿En qué consiste el privilegio de ser infalible?

R. El privilegio de ser infalible consiste en que el Romano

Pontífice, por una asistencia especial del Espíritu Santo, no puede equivocarse jamás cuando enseña a toda la Iglesia, y cuando define solemnemente alguna verdad de la doctrina cristiana.

Nuestro Señor dijo al primer pontífice, san Pedro: "Yo te doy las llaves del Reino de los cielos, y todo cuanto ates en la tierra quedará atado en el cielo, y cuanto desates en la tierra quedará desatado en el cielo" (S. Mateo 16, 19).

El Concilio Vaticano I definió en 1870 que es dogma de fe que el Papa cuando habla solemnemente para toda la Iglesia no puede equivocarse, es decir, que es infalible. (Nota: los pontífices del siglo pasado fueron: León XIII, san Pío X, Benedicto XV, Pío XI, Pío XII, Juan XXIII, Pablo VI, Juan Pablo I, Juan Pablo II).

140) ¿Quiénes son los obispos?

R. Los obispos son los sucesores legítimos de los Apóstoles, puestos por el Espíritu Santo para enseñar, gobernar y santificar a los fieles en las diócesis, bajo la autoridad del Sumo Pontífice.

La región gobernada por un obispo se llama "diócesis". Un grupo de diócesis forma un arzobispado. El obispo de una ciudad grande se llama arzobispo. El arzobispo de la capital de un país se llama Arzobispo Primado y casi siempre es cardenal. Cardenales, son los que eligen al Papa.

141) ¿Qué es un Concilio?

R. El Concilio es la reunión de los obispos del mundo para tratar cuestiones de la fe y la moral.

En la Iglesia ha habido 20 Concilios. El primero fue el que hubo en Jerusalén bajo la dirección de los Apóstoles para saber si a los que no eran judíos se les debían exigir las leyes especiales que cumplían los judíos. Allá se decretó que a los no judíos no había que exigirles ciertas leyes que obligaban al pueblo judío. La narración de este Concilio está en el capítulo 15 de los Hechos de los Apóstoles.

El último Concilio fue el Vaticano II, de 1962 a 1965.

142) ¿Qué es el sacerdote?

R. El sacerdote es el ministro sagrado, encargado de distribuir la Palabra de Dios, administrar los sacramentos, y ofrecer oraciones y sacrificios agradables al Señor, por la salvación de todo el pueblo.

La S. Biblia dice: *"Todo sacerdote es tomado de entre los hombres y está puesto en favor de los hombres, en lo que se refiere a Dios, para ofrecer dones y sacrificios por los pecados. Y puede sentir compasión hacia los ignorantes y extraviados porque él está también lleno de debilidades. A causa de estas miserias tiene que ofrecer sacrificios no sólo por los pecados de los demás, sino también por los suyos" (Hebreos 5, 1-3).*

143) ¿Quiénes forman la Iglesia católica?

R. La Iglesia católica la forman el Sumo Pontífice, los cardenales, arzobispos, obispos, sacerdotes, los religiosos y todos los demás fieles.

La Iglesia católica es el grupo religioso más grande y bien organizado del mundo; le siguen los mahometanos con unos 600 millones y los budistas con unos 300 millones.

En el mundo hay unos 6.000 millones de personas. Los católicos son el 20 por ciento de la gente del mundo, o sea la quinta parte de los habitantes de la tierra. En América del Sur son el 80 por ciento. En América del Norte el 40 por ciento. En Europa el 70 por ciento. En Europa y América son mayoría. Pero en Asia son poquísimos todavía. El oficio de los misioneros es obtener que Asia y África lleguen a conocer la verdadera religión de Jesucristo. Por eso cuando rezamos por los misioneros o ayudamos a las misiones, estamos haciendo una gran obra por la Iglesia de Dios.

144) ¿Además de la Iglesia católica, hay otras Iglesias?

R. Sí, además de la Iglesia católica existe la Iglesia ortodoxa de Constantinopla que se separó de la Iglesia católica cerca del año 1000, y la Iglesia protestante que se rebeló contra la Iglesia católica cerca del año 1520.

La Iglesia ortodoxa tiene alrededor de 200 millones de fieles y se parece mucho a la Iglesia Católica, pero no obedecen al Sumo Pontífice. Están en Grecia, Turquía y Egipto.

La Iglesia protestante la fundó un sacerdote rebelde, Martín Lutero, que se salió y se casó en 1520. Niegan 10 verdades muy importantes de la religión. Por ejemplo: no creen en la Misa ni en la Virgen María, no rezan por las almas, ni aceptan que se pueda rezar a los santos, y son contrarios al Papa, los obispos y los sacerdotes.

145) ¿Quiénes forman la Iglesia Protestante?

R. La Iglesia Protestante, llamada también evangélica, la forman más de 600 sectas que niegan verdades muy importantes de la religión católica, pero aceptan la Biblia y creen en Jesucristo. Las sectas protestantes más conocidas son los Testigos de Jehová, los Adventistas, Baptistas, Pentecostales, Mormones y Evangélicos.

***Cuidado:** no aceptemos que los Testigos de Jehová, o los Adventistas o Pentecostales vengan a querer cambiar nuestra religión. No les aceptemos charlas acerca de esto. Católicos fueron nuestros padres y abuelos, católicos fueron los grandes héroes de nuestra patria, y católicos tendremos que ser nosotros hasta la muerte.*

146) ¿Qué obligaciones tenemos para con los directivos de la Iglesia?

R. Para con los directivos de la Iglesia, o sea para con los obispos y sacerdotes, tenemos el deber de respetarlos, ayudarles y obedecerles, porque ellos representan a Nuestro Señor Jesucristo.

Jesús dijo: "En verdad os digo que quien reciba bien a los que yo envío, me recibe a mí mismo, y quien me recibe a mí, recibe a Aquel que me envió" (Juan 13, 20). "El que a vosotros escucha, a mí me escucha, y el que a vosotros desprecia, me desprecia a mí" (Lucas 10, 16). "Y el que os dé un vaso de agua porque sois discípulos míos, no se quedará sin recompensa" (Marcos 9, 41).

147) ¿Qué entendemos cuando decimos: "Creo en la Comunión de los Santos"?

R. Cuando decimos "Creo en la comunión de los Santos", entendemos que hay una comunicación de bienes entre todos los que han amado a Cristo: los que están en el cielo, los que están en la tierra y los que sufren en el purgatorio.

La palabra "Santo" significa uno que es amigo de Dios. La palabra "comunión" significa comunicarse los bienes unos a otros. Comunión de los santos significa que todos los amigos de Dios, los del cielo, los del purgatorio y los de la tierra, tienen una comunicación de bienes: se ayudan unos a otros.

148) ¿Cómo se hace la comunión entre los fieles de la tierra y los santos del cielo?

R. La comunión entre los fieles de la tierra y los santos del cielo se hace por las oraciones que los fieles dirigen a los santos, y por los auxilios que los santos alcanzan de Dios para los fieles.

Dice el Apocalipsis: *"Al cielo sube un perfume como de humo de incienso: son las oraciones de los que son amigos de Dios" (Ap 8, 4).*

149) ¿Cómo se hace la comunión con las almas del purgatorio?

R. La comunión con las almas del purgatorio se hace por las buenas obras, limosna y oraciones que ofrecemos a Dios para que les conceda el perdón de la pena temporal que ellas deben.

La S. Biblia dice: *"obra buena y piadosa es ofrecer sacrificios por los pecados de los que han muerto" (2Mac 12, 42.45).*

150) ¿Cómo se hace la comunicación entre los fieles de la tierra?

R. La comunicación entre los fieles de la tierra se hace por medio de las oraciones que unos ofrecen por otros, y porque todos participan de las oraciones y gracias de la Iglesia.

San Pablo dijo que los fieles de la Iglesia somos como los miembros del cuerpo humano: "Si un miembro sufre, todos los demás sufren. Si uno goza, todos los demás gozan" (1Co 12, 26).

151) ¿Todos los cristianos participan de la misma manera de los bienes espirituales de la Iglesia?

R. No. Los cristianos no participan todos de la misma manera de los bienes espírituales de la Iglesia sino que cada uno recibe más beneficios en cuanto mayor sea su amor a Dios y más grande sea su propia santidad.

Dice el Apóstol: *"Lo que cada uno cultive, eso cosechará. El que poco cultiva, poco cosechará. Quien cultiva corrupción cultiva condenación. Y quien cultiva obras buenas, cosecha vida eterna" (Gal 6, 7-8).*

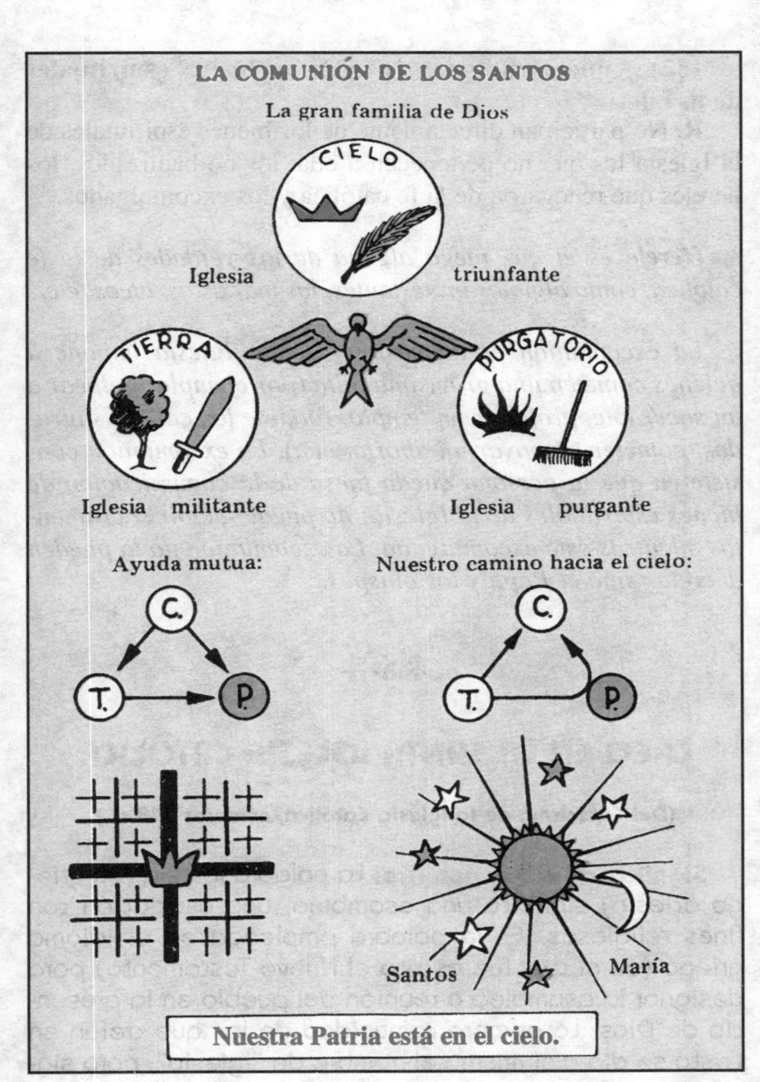
LA COMUNIÓN DE LOS SANTOS
La gran familia de Dios
CIELO
Iglesia
triunfante
TIERRA
PURGATORIO
Iglesia militante
Iglesia purgante
Ayuda mutua:
Nuestro camino hacia el cielo:
C.
T.
P.
C.
T.
P.
Santos
María
Nuestra Patria está en el cielo.

152) ¿Quiénes no participan de los bienes espirituales de la Iglesia?

R. No participan directamente de los bienes espirituales de la Iglesia los que no pertenecen a ella: los no bautizados, los herejes que renegaron de la fe católica y los excomulgados.

Hereje *es el que niega alguna de las verdades de la fe católica, como algunos protestantes, los marxistas, ateos, etc.*

La excomunión es un castigo que la Iglesia impone a quienes cometen una gravísima falta (por ejemplo: golpear a un sacerdote, profanar un templo, robarse los cálices sagrados, cometer o apoyar un aborto, etc.). La excomunión consiste en que la persona queda fuera de la comunicación de bienes espírituales de la Iglesia; no puede recibir sacramentos mientras esté excomulgada. La excomunión no la pueden decretar sino el Papa y los obispos.

***

CREO EN LA SANTA IGLESIA CATÓLICA

(Del Catecismo de la Iglesia Católica, números 748 ss.)

Significado de su nombre: La palabra Iglesia (en griego eclesia) significa una asamblea, una asociación con fines religiosos. Es la palabra empleada en el idioma griego (en el cual fue escrito el Nuevo Testamento) para designar la asamblea o reunión del pueblo en la presencia de Dios. La primera comunidad de los que creían en Cristo se dio a sí misma el nombre de "iglesia", para significar que sigue siendo el Pueblo de Dios que se reúne para aclamar al Señor y escuchar sus mensajes, como lo hacía el antiguo pueblo de Israel en el Sinaí. En inglés se le llama "church" y en alemán "kirche", dos palabras que provienen de la palabra griega "kiraké", que significa **"lo que pertenece al Señor"** (751).

SÍMBOLOS DE LA IGLESIA: Lo que se quiere significar con la palabra Iglesia es Pueblo de Dios. Se le compara con un **Cuerpo, cuya cabeza es Jesucristo.** También con **un rebaño, cuyo pastor es Jesús.** Y con una viña o campo de cultivo, cuyo labrador es Dios. O con **una construcción** cuya piedra fundamental es Cristo y el arquitecto el mismo Dios. Se le llama también **La "Jerusalén celestial"** y la **"esposa Inmaculada" del Cordero** que la amó y se sacrificó por ella para santificarla (Ef 5, 25ss.) (753-54-55-56-57).

Instituida por Jesucristo: El Señor Jesús comenzó su Iglesia (o asociación de los que creen en el Él y quieren cumplir sus mandatos) enseñando el evangelio o Buena Noticia y anunciando que ya llegaba el Reino de Dios. La Iglesia es el Reino de Cristo presente ya en esta tierra (763).

El principio del Reino de Dios fue "el pequeño rebaño" que seguía a Jesús (Lc 12, 32) que Él mismo llamó su familia (Mt 12, 49) y del cual Él es el Pastor (Jn 10,11) y al que le enseñó una oración propia, el Padrenuestro (Mt 6, 9ss.) (764). Al frente de los Doce, colocó a Pedro, para que no quedaran sin guía.

Jesús hizo de su Iglesia una sociedad con estructura de mando: los Doce, con Pedro a la cabeza (Mc 3, 14) (765).

El día de Pentecostés Él envió el Espíritu Santo para que santifique continuamente a la Iglesia, a la cual le ha encomendado ir por todas las naciones para hacer discípulos de Cristo a todas las gentes (Mt 28, 20) (767).

La Iglesia sólo llegará a su perfección en la gloria del cielo. Ella espera y desea reunirse con su Rey en la gloria. Pero esto no sucederá sin que haya pasado por grandes pruebas. Después, sí, todos los justos desde Abel hasta el último de los elegidos se reunirán con el Padre en la Iglesia o Asamblea universal en la gloria (769).

La Iglesia es un misterio; no se le puede comprender sino con los ojos de la fe (770). Ella es a la vez humana y divina. ¡Dedicada a alabar a Dios y a trabajar en la tierra! ¡Qué humildad y qué sublimidad! (771).

Su finalidad se ordena a conseguir la santidad de los que forman parte de ella. María nos precede a todos en esa santidad (773).

La Iglesia es **Sacramento universal de salvación.** Sacramento es un medio sensible por el cual Dios envía gracias y ayudas especiales. La Iglesia existe para llevar a los seres humanos a la eterna salvación. Para ello administra los Siete Sacramentos, siete medios de conseguir ayudas y gracias especiales de Dios (774).

Características del pueblo de Dios

La Iglesia es "el pueblo de Dios", y este pueblo tiene las siguientes especialidades: 1°. No pertenece a ninguna nación en especial. Es universal. 2°. Se llega a pertenecer a este pueblo no por nacimiento físico sino al "nacer del agua y del Espíritu Santo" en el Bautismo. 3°. Tiene por **Jefe** a Jesucristo. 4°. Sus fieles tienen la dignidad y libertad de los hijos de Dios, y en sus corazones habita el Espíritu Santo como en un templo. 5°. **Su ley** es el mandamiento del amor: "Amar a Dios con toda el alma, y al prójimo como a sí mismo, como Cristo nos amó" (Jn 13, 34). 6°. **Su misión** es ser sal de la tierra y luz del mundo (Mt 5, 13). 7°. **Su destino** es el Reino de Dios que comenzó en este mundo y tiene su cumplimiento feliz en la vida eterna (782).

LA IGLESIA ES UNA. Aunque compuesta por gentes de muy diversos países y razas y condiciones, y formada por muchas iglesias particulares, sin embargo la Iglesia es una porque tiene un solo Señor, profesa una sola fe, nace de un solo Bautismo y forma un solo cuerpo vivificado por el Espíritu Santo y orientado hacia una sola esperanza (866).

ES SANTA: Santísimo es su Autor: Dios. Cristo, su fundador, se sacrificó para santificarla. El Espíritu Santo la conduce hacia la santidad. Aunque la Iglesia está compuesta de pecadores, ella tiene propiedades para irlos santificando. Su santidad brilla en los santos. En María es ya enteramente santa (867).

ES CATÓLICA, o sea universal. Es enviada a todos los pueblos. Se dirige a todos los seres humanos. Abarca todos los tiempos (868).

ES APOSTÓLICA: sus fundamentos son "los 12 Apóstoles del Cordero" (Ap 21, 14). Cristo la sigue gobernando por medio del sucesor de Pedro (el Papa) y de los sucesores de los Apóstoles (los obispos) (869).

LAS AUTORIDADES QUE GOBIERNAN LA IGLESIA:

El PAPA. El Señor hizo de Simón Pedro, la piedra sobre la cual edificó su Iglesia. A San Pedro lo reemplaza hoy el Sumo Pontífice (880-881).

El Papa, obispo de Roma y sucesor de san Pedro, es el fundamento de la unidad de la Iglesia. Es el Vicario que hace las veces de Cristo y es pastor de todos los fieles (882). Es infalible cuando proclama solemnemente verdades de fe o de moral (891).

LOS OBISPOS. La reunión de los obispos del mundo se llama Concilio Ecuménico. El Concilio Ecuménico no tiene valor si el Papa no lo ha convocado o no lo ha aprobado. Cada obispo en su diócesis es el principio de la unidad. Con él colaboran los sacerdotes y diáconos. La reunión de los obispos de una nación se llama Conferencia Episcopal (883-887).

El principal oficio de los obispos es enseñar, propagar las enseñanzas del santo Evangelio. Otro oficio suyo muy importante es el ordenar sacerdotes a los que consideren bien preparados para ello. Tienen también por oficio gobernar su diócesis (o conjunto de parroquias que se la ha asignado) (888-894).

El modelo para todo obispo es Jesús Buen Pastor. Conociendo sus propias debilidades el obispo sabe tener comprensión con los ignorantes y extraviados (896).

LOS LAICOS. Se llaman laicos los fieles católicos que no son ni sacerdotes ni religiosos (897) .

Los laicos tienen como vocación buscar el Reino de Dios, ocupándose de labores materiales y temporales, pero obrando según el querer de Dios (898).

Los laicos deben dedicarse al apostolado. Es un deber que les viene desde el Bautismo y la Confirmación. Su acción es tan necesaria que sin ella el apostolado de los sacerdotes y obispos no consigue su plena realización (900)

Los laicos conseguirán maravillosos frutos del Espíritu Santo con sus oraciones, su apostolado, el buen manejo del hogar, el trabajo diario, ofrecido todo por Dios, y aceptando con paciencia las molestias de la vida, y llevando una conducta sana y ofreciendo todo a Dios junto con la Eucaristía, con lo cual su vida se convierte en un sacrificio espiritual muy agradable al Padre Dios (901).

La iniciativa de los laicos es particularmente necesaria cuando se trata de descubrir e idear los medios para que la doctrina cristiana impregne las realidades sociales, políticas y económicas (899).

Los laicos que sean capaces de ello pueden prestar la colaboración enseñando catecismo y ciencias sagradas, y en los medios de comunicación social (906).

LOS RELIGIOSOS

La vida consagrada o de religiosos consiste en cumplir los tres consejos evangélicos de pobreza, castidad y obediencia (915).

Desde los primeros siglos de !a Iglesia hubo personas que se dedicaron a cumplir los tres consejos evangélicos de pobreza, castidad y obediencia. Unos se retiraron a la soledad y otros formaron comunidades religiosas (918).

La vida religiosa es un don o regalo que la Iglesia recibe de Dios y se ofrece como un estado de vida estable para quienes quieren cumplir los consejos evangélicos (926).

Los institutos seculares son asociaciones de personas que siguen viviendo en el mundo, pero se dedican a buscar la perfección de la caridad y a procurar la santificación propia y la de los demás (928).

***

DÉCIMO ARTÍCULO DEL CREDO

153) ¿Cuál es el décimo artículo del Credo?
R. El décimo artículo del Credo es: "El perdón de los pecados".

Llevaron a Jesús un paralítico para que lo curara. Él le dijo: "Tus pecados te son perdonados". Pero los escribas murmuraban. Entonces Jesús les dijo: "Para que sepáis que el Hijo del hombre sí tiene poder para perdonar pecados, yo te lo mando "–dijo al paralítico–" levántate, toma tu camilla y vete a tu casa". Al instante el paralítico se levantó, tomó la camilla y se fue a su casa alabando a Dios. Y todos decían llenos de admiración: "Hoy hemos visto cosas admirables" (S. Lucas 5).

154) ¿Qué creemos cuando decimos: "Creo en el perdón de los pecados?
R. Cuando decimos "Creo en el perdón de los pecados" creemos que Jesucristo dejó a la Iglesia el poder de perdonar

los pecados, especialmente por medio de los sacramentos del Bautismo y de la Confesión.

En la primera aparición que Jesús hizo a sus Apóstoles, les dijo: "Recibid el Espíritu Santo. A quienes les perdonéis los pecados les quedan perdonados, y a quienes se los retuviéreis, les quedan retenidos" (S. Juan 20, 22-23). Este poder que Jesús le dio a sus Apóstoles ha pasado a los sucesores de ellos que son los obispos y sacerdotes.

Lectura

EL PERDÓN DE LOS PECADOS

(Del Catecismo de la Iglesia Catolica, números 976 ss.)

El Bautismo es el primer sacramento para el perdón de los pecados. En el momento de recibir el Bautismo se le perdonan a la persona todos los pecados (el pecado original y todos los demás que tenga) y no le queda hasta ese momento nada por borrar (978).

Pero la persona tiene todas las debilidades de la naturaleza, y los movimientos de la concupiscencia que llevan al mal, y no es lo suficientemente valiente y vigilante para evitar toda mancha de pecado. Por eso es necesario que la Iglesia tenga el poder de perdonar los pecados que se cometan después del Bautismo (979).

El poder de las llaves: Jesucristo envió a sus Apóstoles a "predicar en su nombre la conversión para el perdón de los pecados" (Lc 24, 47) y les dio lo que se llama el poder de las llaves cuando dijo a san Pedro: "Te doy las llaves del Reino de los cielos. Lo que desates en la tierra, quedará desatado en el cielo" (Mt 16, 19) (982).

No hay ninguna falta por grave que sea que la Iglesia no pueda perdonar. No hay nadie tan perverso y culpable que no pueda esperar con confianza su perdón siempre que su arrepentimiento y su deseo de volverse mejor sea sincero (982).

Cristo que murió por salvar a todos los seres humanos, quiere que en su Iglesia estén siempre abiertas las puertas del perdón a cualquiera que esté dispuesto a abandonar su pecado (982).

Los sacerdotes han recibido un poder que Dios no dio ni siquiera a los ángeles o a los arcángeles. Dios desata allá arriba todo lo que el sacerdote desata aquí abajo (san Juan Crisóstomo). Si en la Iglesia no hubiera perdón de los pecados, no tendríamos esperanza de conseguir la vida eterna. Demos gracias a Dios que le ha concedido a la Iglesia semejante don (san Agustín) (983).

**Yo he de morir, yo no se cuándo.
Yo he de morir, yo no se dónde.
Yo he de morir, yo no se cómo.
Pero lo que sí sé de cierto
es que si muero en pecado mortal
me condenaré para siempre.**

UNDÉCIMO ARTÍCULO DEL CREDO

155) ¿Cuál es el undécimo artículo del Credo?

R. El undécimo artículo del Credo es "La resurrección de los muertos".

Dice la S. Biblia: "El Dios que resucitó a Cristo Jesús de entre los muertos, resucitará también nuestros cuerpos después de la muerte" (Romanos 8).

156) ¿Qué creemos cuando decimos "Creo en la resurrección de los muertos"?

R. Cuando decimos: "Creo en la resurrección de los muertos" creemos que al fin del mundo resucitarán todos los seres humanos, para ser juzgados por Nuestro Señor Jesucristo.

Jesús decía: *"Cuando ayudes a los que no pueden recompensarte tendrás la dicha de que Dios te recompensará en el día de la resurrección (S. Lucas 14, 14). "Esta es la voluntad de mi Padre, que el que crea en el Hijo, yo lo resucitaré en el último día" (san Juan 6, 40). Y san Pablo añade: "¿Cómo resucitarán los muertos? Unos brillantes como el sol, otros como la luna, otros como las estrellas. En un instante, al son de la trompeta, los muertos resucitarán para nunca más morir" (1Corintios 15, 35ss).*

CREO EN LA RESURRECCIÓN DE LOS MUERTOS

(Del Catecismo de la Iglesia Católica, números 988 ss.)

Creemos firmemente y así lo esperamos, que del mismo modo que Cristo ha resucitado de entre los muertos y, vive para siempre, igualmente los justos después de su muerte vivirán para siempre con Cristo resucitado, y que Él los resucitará en el último día. Como la suya, nuestra resurrección será obra de la Santísima Trinidad (988).

Creer en la resurrección de los muertos ha sido desde el comienzo un elemento esencial para ser cristiano. "Si somos cristianos creemos en la resurrección", decía Tertuliano.

San Pablo afirma: "¿Cómo andan diciendo algunos que no hay resurrección de muertos? Si no hay resurrección de los muertos tampoco Cristo resucitó. Y si no resucitó Cristo, vana es nuestra fe... Pero Cristo sí resucitó de entre los muertos" (1Co 15, 12-20) (991).

La resurrección de los muertos fue revelada progresivamente por Dios a su pueblo. Ya en el libro de los Macabeos (escrito en el siglo I a.C.) estos jóvenes antes de morir exclaman **"El Rey del Mundo, a nosotros que morimos por su Ley, nos resucitará a una vida eterna** (2 Mac 7, 14) (992)

En los tiempos de Jesús, los fariseos esperaban la resurrección. A los saduceos que la negaban les dijo Jesús:

"Estáis en el error por no comprender los Escrituras ni el poder de Dios. Dios no es un Dios de muertos sino de vivos" (Mc 12, 24-27) (993).

Jesús decía: "Yo soy la resurrección y la vida" (Jn 11, 25). "El que come mi cuerpo y bebe mi sangre tiene vida eterna y yo lo resucitaré el último día" (Jn 6, 54). Nosotros resucitaremos como Cristo, con Él y por Él (994-5).

La creencia en la resurrección ha encontrado siempre mucha oposición. San Agustín decía: "En ninguna otra afirmación la doctrina cristiana encuentra más oposición que en la de la resurrección de los muertos" (996).

¿Qué es resucitar? Es volverse a unir el alma con el cuerpo glorificado. Dios con su gran poder dará definitivamente a nuestro cuerpo la vida incorruptible (997).

¿Quiénes resucitarán? Todos los seres humanos que han muerto. Dijo Jesús: "Los que han hecho el bien resucitarán para la vida; y los que han hecho el mal para la condenación" (Jn 5, 29) (998).

¿Cómo? Este cuerpo será transformado en cuerpo de gloria, en cuerpo espiritual así como un grano que se siembra muere y se transforma en planta, así este cuerpo corruptible se revestirá de incorruptibilidad y este cuerpo mortal se reviste de inmortalidad" (1Corintios 15).

¿Cuándo? San Pablo dice: "A la señal dada por la voz de un arcángel y por la trompeta de Dios el Señor bajará del cielo y los que murieron en Cristo resucitarán en primer lugar (1 Tes 4 16). Dios que resucitó a Jesucristo, nos resucitará también a nosotros (1Cor 6, 13).

157) ¿Cuál es el duodécimo artículo del Credo?
R. El duodécimo artículo del Credo es: "La vida eterna".

Dice el Evangelio: *"Tanto amó Dios al mundo que le envió su hijo Único, para que el que crea en Él no perezca, sino que tenga vida eterna" (S. Juan 3, 16).*

158) ¿Qué significan las palabras "vida eterna"?
R. Las palabras "vida eterna" significan que después de la vida presente habrá otra vida que no se acabará nunca.

Decía Jesús: *"En esto consiste la vida eterna, en que te conozcan a Ti, Padre Celestial y a tu enviado, Jesucristo" (S. Juan 17, 3). "Quien deje por mí casas, bienes o familiares, tendrá la vida eterna (Mateo 19, 29). "El que cree en el Hijo de Dios tendrá "vida eterna" (S. Juan 3, 36). "El Padre le ha dado poder al Hijo para que Él conceda vida eterna a los que los siguen" (S. Juan 17, 2). Y san Pablo afirma: "Los que se libran de los pecados y hacen obras de santidad, tendrán como fin la vida eterna (Romanos 6, 22).*

159) ¿Cuáles son las postrimerías del hombre?
R. Las postrimerías del hombre (o sea, lo que le espera al final de su vida) son Muerte, Juicio, Infierno y Gloria.

El Libro Sagrado dice: *"Está establecido que las personas mueran una sola vez, y que enseguida venga el Juicio" (Hebreos 9, 27). "Y los muertos resucitarán, unos para la vida eterna en el cielo, y otros para la condenación eterna en el*

LA PELÍCULA DE UNA VIDA

Grave Tragedia

murió sin saber la noticia que lo iba a salvar

No leyó la S. BIBLIA porque era ... o estaba ...

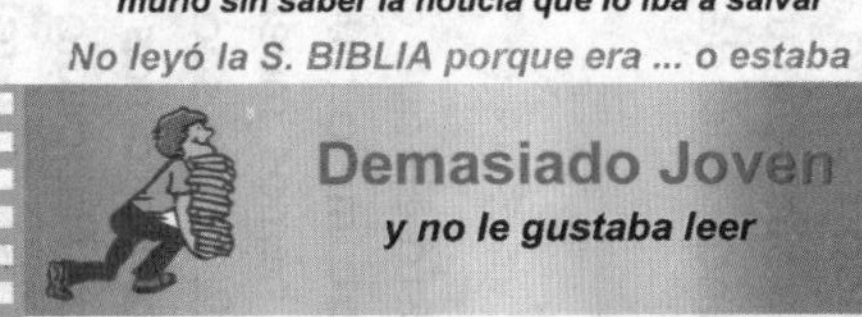

Demasiado Joven

y no le gustaba leer

no leía porque era

Demasiado tranquilo

estaba

Demasiado confiado

y no leía la Biblia

por estar

Demasiado feliz

no leía el Libro Santo

por que se creía

Demasiado ocupado

no leía la Biblia

por vivir

Demasiado receloso

no leía nada

se creía ya

Demasiado viejo

para leer la Biblia

ETERNIDAD

Ya es

Demasiado tarde

para leerla

EPITAFIO:

Aquí yace un católico que murió sin leer
el Libro que lo iba a Salvar.
LA SAGRADA BIBLIA

infierno" (Daniel 12, 2). Los sufrimientos de esta tierra no son comparables con la gloria que nos espera (Romanos 8).

160) ¿Qué es la muerte?
R. La muerte es la separación del alma y del cuerpo.

"Muy importante es a los ojos de Dios la muerte de los que lo aman" (Salmo 115, 15).

CREO EN LA VIDA ETERNA

(Del Catecismo de la Iglesia Católica, números 1020 ss.)

La muerte. El saber que vamos a morir cuando menos lo pensemos, da urgencia a nuestra vida terrena y sirve para hacernos pensar que no contamos sino con un tiempo limitado para hacer las obras buenas que debemos hacer (1007).

La muerte: ¿un ascenso?

La novedad de la muerte cristiana está en que es "una ganancia", como lo dijo san Pablo: "Para mí la muerte es una ganancia" (Flp 1, 21) porque "si hemos muerto con Cristo, también viviremos con Él (2 Tim 2, 11) o sea que si morimos en amistad con Cristo la muerte física nos lleva a un estado mejor. Por eso san Ignacio de Antioquía decía: "Para mí es mejor morir en amistad con Cristo que reinar de un extremo a otro de la tierra", y san Pablo exclamaba: "Deseo partir y estar con Cristo" (Flp 1, 23) y santa Teresa: "Yo quiero ver a Dios, y para verlo es necesario morir". En el prefacio de la misa de difuntos la Iglesia dice: "La vida de los que en Ti creemos, Señor, no termina, se transforma, y al deshacerse nuestra morada terrenal adquirimos una mansión eterna en el cielo" (1010-11-12).

La muerte es el fin de la peregrinación del ser humano por la tierra. La Santa Biblia afirma: "Está determinado que el ser humano muera una sola vez" (Hb 9, 27). No hay reencarnación (1013).

La Iglesia nos recomienda que vivamos preparados para la muerte y nos enseña a repetir: "De la muerte repentina e imprevista, líbranos, Señor". Y en el Avemaría le pedimos a la Madre de Dios: "Ruega por nosotros ahora y en la hora de nuestra muerte". También se nos aconseja encomendarnos a san José, patrono de la Buena Muerte. El libro "Imitación de Cristo" recomienda: "Pórtate de tal manera como si ya muy pronto hubieras de morir. Si hoy no estás preparado para morir, ¿cómo lo vas a estar mañana?". Y san Francisco de Asís, en su famoso himno a Dios por sus creaturas, compuso y hacía cantar esta estrofa:

"Alabado seas Señor, por la hermana la muerte corporal
de la cual ningún ser viviente se logra librar.
Pobrecitos de aquellos que mueren en pecado mortal.
Dichosos los que viven haciendo tu santa voluntad.
Pues la muerte segunda no les hará ningún mal" (1014).

EL JUICIO

El Nuevo Testamento habla especialmente del Juicio en cuanto al encuentro final con Cristo en su segunda venida, y asegura repetidamente que cada uno recibirá premio o castigo después de su muerte, según hayan sido sus obras y su fe. La parábola de Lázaro y el rico Epulón (Lc 16, 19-31) habla del destino final que espera al alma después de la muerte, el cual puede ser diferente para unos y para otros (1021).

Cada persona, después de morir, recibe en su alma lo que ha merecido con sus obras, ya hayan sido buenas, ya hayan sido malas. Si tuvo una vida santa irá enseguida al cielo. Hay quienes tendrán que pasar antes por una purificación en el purgatorio antes de ir a la bienaventuranza del Cielo. Y otros irán a la condenación del infierno (1022). "Al final de nuestra vida seremos examinados acerca del amor que hayamos tenido (hacia Dios y hacia el prójimo) (San Juan de la Cruz).

EL PURGATORIO

(Del Catecismo de la Iglesia Católica, números 1030 ss.)

Los que mueren en gracia y amistad de Dios pero no están perfectamente purificados, aunque están seguros de su eterna salvación, sufren después de la muerte una purificación, a fin de obtener la santidad necesaria para entrar en la alegría del cielo (1030).

La Iglesia ha formulado la doctrina del purgatorio en los concilios de Florencia y de Trento. La Sagrada Escritura habla de un "fuego purificador" (1Co 3, 13 y 1Pe 1, 7) (1031).

Jesús dijo que ciertos pecados contra el Espíritu Santo no serán perdonados ni en esta vida ni en la otra (Mt 12, 31). En esta frase podemos entender que ciertas faltas pueden ser perdonadas en la otra vida (San Gregorio Magno) (1031).

La Sagrada Escritura dice que Judas Macabeo mandó hacer un sacrificio expiatorio en favor de los muertos para que quedaran libres de sus pecados (2Mac 12, 43-44). Desde los primeros tiempos la Iglesia ha ofrecido oraciones en favor de los difuntos especialmente la Santa Misa, para que una vez purificados, lleguen a la visión beatífica de Dios. La Iglesia recomienda las limosnas, las indulgencias y las obras de penitencia en favor de los difuntos (1032).

San Juan Crisóstomo decía: "Si los hijos de Job fueron purificados por el sacrificio que su padre ofreció por ellos (Job 1, 5) ¿por qué vamos a dudar de que nuestras ofrendas por los muertos les llevan un cierto consuelo? No dejemos pues de socorrer con nuestras plegarias a los que han partido para la eternidad" (1032).

EL INFIERNO

Jesús habla con frecuencia del infierno (gehena) y del fuego que nunca se apaga (Mt 5, 22.29; Mc 9, 43-48) y dice que un día enviará a sus ángeles y recogerán a todos los que se dedican a hacer el mal y los echarán al horno ardiente (Mt 13, 41-42) y que a los que no quisieron hacer obras de caridad les dirá: **"Vayan malditos al fuego eterno"** (Mt 25, 41) (1034).

La pena principal del infierno consiste en la separación eterna de Dios en quien únicamente puede encontrar su felicidad la creatuta humana (1035).

La noticia de que hay un infierno es **un llamamiento a la responsabilidad.** Es una invitación a la conversión. Jesús recomienda: "Entren por la puerta estrecha; porque ancha es la puerta y amplio el camino que lleva a la perdición y son muchos los que se van por allí. ¿Qué estrecha es la puerta y qué angosto es el camino que lleva a la vida eterna, y qué pocos los que se van por aquí" (Mt 7, 13-14) (1036).

Dios no predestina a nadie para irse al infierno. Para condenarse es necesario vivir en pecado mortal y querer seguir en él. San Pedro decía: "Dios quiere que nadie perezca y que todos lleguen a la conversión" (2Pe 3, 9). En la santa Misa decimos: "Señor, líbranos de la condenación eterna" (1037).

EL JUICIO FINAL. Jesús dijo que en el Juicio Final separará a los buenos de los malos como un pastor separa a las ovejas de la cabras (Mt 25, 32). En el Juicio Final se conocerá lo que cada uno hizo de bueno o de malo o dejó de hacer. Solamente Dios sabe cuándo va a ser ese Juicio. En ese día comprenderemos cómo Dios todo lo permitió para nuestro bien. El recuerdo del Juicio final que nos espera es una llamada a la conversión, ahora cuando todavía es "tiempo favorable, tiempo de salvación" (2 Co 6, 2) (1038-1041).

161) ¿Qué otras verdades debemos creer además de las que enseña el Credo?

R. Además de las verdades que enseña el Credo debemos creer todas las verdades que enseña la Sagrada Escritura, y la Tradición de la Iglesia.

San Pablo dice: *"Cuanto fue escrito en el pasado se escribió para enseñanza nuestra para que con el consuelo que proporcionan las Sagradas Escrituras, mantengamos la esperanza"* (Romanos 15, 4).

162) ¿Qué dice san Pablo acerca de la Santa Biblia?

R. San Pablo dice acerca de la Sagrada Escritura lo siguiente:

"Toda la Sagrada Escritura es inspirada por Dios, y útil para enseñar, para convencer, para corregir; para educar en la santidad, y para llenar a la persona de muchas obras buenas. Las Sagradas Escrituras pueden darte la sabiduría que lleva a la salvación por la fe en Cristo Jesús" (2Tim 3, 14-17).

163) ¿Qué ventajas obtiene quien lee cada semana alguna página de la S. Biblia?

R. Quien lee con fe cada semana alguna página de la S. Biblia, obtiene tres ventajas: 1a. Se entusiasma mucho por Dios y por la religión. 2a. Aumenta su caridad para con el prójimo. 3a. Adquiere odio y antipatía por todo lo que sea ofensa a Dios.

La S. Biblia se compone de 73 libros: 46 en el Antiguo Testamento y 27 en el Nuevo. La Biblia de los protestantes no tiene sino 66 libros. Ellos le quitan 7 libros: Pero la Biblia de los protestantes sí se puede leer y no tiene nada de malo.

164) ¿De qué se compone el Nuevo Testamento?

R. El Nuevo Testamento se compone de los cuatro Evangelios, los Hechos de los Apóstoles, las Cartas de san Pablo y de otros Apóstoles, y el Apocalipsis.

Los cuatro Evangelios son los libros más bellos, provechosos y agradables que existen en el mundo. El primero lo compuso san Mateo, el segundo san Marcos, el tercero san Lucas y el cuarto san Juan. Los Hechos de los Apóstoles es la historia de lo que sucedió a san Pedro, a san Juan y a san Pablo en los primeros tiempos de la Iglesia. Las cartas de san Pablo son 14; el Apocalipsis es el "Libro del Fin del Mundo", donde se cuenta lo que sucederá al final de los tiempos. En el Nuevo Testamento hay también 2 cartas de san Pedro, tres de san Juan, una de san Judas y una de Santiago.

165) ¿Qué es la Tradición?

R. La Tradición son las doctrinas que no están expresamente enseñadas en la Sagrada Escritura pero que las han enseñado los Sumos Pontífices, los Concilios y los grandes santos.

No todo lo que Jesús enseñó está en la S. Biblia. San Juan dice que si se escribiera todo lo que Jesús dijo e hizo, no cabría en ningún libro del mundo (S. Juan 21, 25). Verdades de la Tradición son, por ejemplo, la Inmaculada Concepción, la Asunción de María, etc.

> *La Santa Biblia*
>
> *Si la lees: te haces sabio*
>
> *Si la crees: te haces salvo*
>
> *Si la practicas: te haces santo*

SAN JUAN BOSCO (1816-1888) EL MÁS SIMPÁTICO EDUCADOR MODERNO decía: "YO NO CONOZCO OTRA LABOR MÁS ÚTIL QUE ENSEÑAR CATECISMO, porque enseñar religión es formar buenos ciudadanos y excelentes cristianos. Enseñar catecismo es la labor más digna que una persona puede desempeñar".

Lectura

LA SAGRADA BIBLIA

(Del Catecismo de la Iglesia, números 103 ss.)

Casi todo lo que aquí se va a decir acerca de la S. Biblia está tomado del Concilio Vaticano II.

"La Iglesia ha venerado siempre las Sagradas Escrituras como venera el Cuerpo de Cristo (103). En la Sagrada Escritura la Iglesia encuentra sin cesar alimento y fuerza. Ella no es solamente una palabra humana sino la Palabra de Dios. En los libros Sagrados, el Padre que está en los cielos, sale amorosamente al encuentro de sus hijos para conversar con ellos". Esto lo dijo el Concilio Vaticano II (104) y continúa diciendo:

El gran valor de la S. Biblia

Dios es el autor de la Sagrada Escritura. Las verdades que están en ella fueron escritas por inspiración del Espíritu Santo (105).

La Santa Madre Iglesia reconoce que todos los libros del Antiguo y del Nuevo Testamento, con todas sus partes, son sagrados y tienen a Dios como autor (105).

Los que escribieron los libros sagrados pusieron por escrito todo y sólo lo que Dios quería (106). Lo que allí afirman los autores inspirados lo afirma el Espíritu Santo.

Por eso los libros sagrados enseñan sin error la verdad que Dios hizo consignar en dichos libros para salvación nuestra (107).

Los acontecimientos narrados en la Sagrada Escritura pueden conducirnos a obrar santamente, pues "fueron escritos para nuestra instrucción" (1Co 10, 11).

San Agustín decía: "Yo no creería en los evangelios si no fuera porque la santa Iglesia me dice que ellos son santos y sagrados" (119).

El Antiguo Testamento

Todos los libros del Antiguo Testamento (que son 46) son divinamente inspirados y conservan un valor permanente (121) contienen enseñanzas sublimes acerca de Dios y una sabiduría salvadora, y encierran tesoros de oración (122).

Los cristianos veneran el Antiguo Testamento como verdadera Palabra de Dios. La Iglesia rechaza vigorosamente la idea de prescindir del Antiguo Testamento con la excusa de que el Nuevo lo ha superado (123).

Lo mejor de todo: el Nuevo Testamento

Pero la fuerza mayor de la Palabra de Dios se encuentra en el Nuevo Testamento; su objeto principal y central es Jesucristo: su vida, sus enseñanzas, su pasión, muerte. resurrección y glorificación, y la venida del Espíritu Santo (124).

Los evangelios son el corazón de la Sagrada Escritura. No hay ninguna doctrina que sea mejor y más preciosa que los evangelios. Por eso santa Teresita decía: "Lo que ocupa mi mente durante mis meditaciones es el santo Evangelio" (125-27).

La Iglesia recomienda insistentemente a los fieles la lectura frecuente de las Sagradas Escrituras para que "adquieran la ciencia suprema de Jesucristo" (Flp 3, 8) pues desconocer la Escritura es desconocer a Jesucristo (San Jerónimo) (133).

DICHOSOS LOS QUE ESCUCHAN LA PALABRA DE DIOS Y LA PONEN EN PRÁCTICA

(Jesucristo, Lc 11, 28)

SEGUNDA PARTE
LA ORACIÓN

166) ¿Qué es la oración?

R. La oración es elevar el alma a Dios para adorarlo, amarlo, darle gracias, suplicarle perdón y pedirle sus beneficios.

Jesús recomendaba: *"Orad para no caer en tentación, porque el espíritu está pronto pero la carne es débil" (san Mateo 26, 41). "Todo lo que pidiéreis orando, creed que lo vais a conseguir y se os concederá" (san Marcos 11, 24). Es necesario orar siempre y no cansarse nunca de orar" (S. Lucas 18,1).*

167) ¿Por qué es necesaria la oración?

R. Es necesaria la oración porque Jesucristo nos dijo que sin la ayuda de Dios no podremos nada, y nos recomendó orar para que honremos a Dios y alcancemos de Él toda clase de beneficios espirituales y corporales.

Dijo Jesús: *"Sin mí nada podéis hacer" (Jn 15, 5). Hay ciertos espíritus que no se logran alejar sino con la oración" (san Marcos 9, 29).*

168) ¿Cuándo debemos orar?

R. Debemos orar con mucha frecuencia, especialmente por la mañana y por la noche; al principiar las acciones más importantes, en el trabajo, en los peligros, en los viajes, en las tentaciones, en las enfermedades y en la hora de la muerte.

Dijo Jesús: *"Hasta ahora no habéis pedido nada en mi nombre. Pedid para que vuestro gozo sea completo. En verdad os digo que todo lo que pidáis al Padre en mi nombre os lo concederá" (S. Juan 16, 23-24).*

169) ¿Por quiénes debemos orar?

R. Debemos orar por nosotros mismos y por todas las personas de la humanidad. Por los vivos y por los difuntos; principalmente por los familiares y por nuestros bienhechores; por la conversión de los pecadores, y porque haya muchos y santos sacerdotes. Por las autoridades civiles y también por los que nos han hecho sufrir.

San Pablo escribió: *"Recomiendo que se hagan oraciones por todas las personas, y especialmente por las autoridades para que podamos vivir una vida tranquila, con toda piedad y dignidad (1 Timoteo 2, 2). Y Jesús mandó: "Orad por los que os persiguen y os tratan mal, y bendecid a los que os maldicen" (S. Lucas 6, 27-28).*

170) ¿Qué debemos pedir en la oración?

R. En la oración debemos pedir ante todo los bienes espirituales, y podemos pedir también los bienes materiales. Pero lo que más debemos pedir es la gloria de Dios, la salvación de las almas, y los medios para conseguir la eterna salvación.

Dice el S. Evangelio: *"Pedid y se os dará. Todo el que pide recibe. ¿Qué padre hay que si su hijo le pide pan le da una piedra? Si vosotros siendo malos sabéis dar cosas buenas a vuestros hijos, ¿cuánto más el Padre del cielo dará el Espíritu Santo a los que se lo pidan? (S. Lucas 11, 9-13).*

171) ¿De cuántas maneras es la oración?

R. La oración es de dos maneras: mental y vocal.

Jesús recomendaba: *"Cuando oréis no seáis como los hipócritas que gustan de orar de pie en las esquinas de las plazas para ser vistos por los demás. En verdad os digo que ya recibieron su recompensa. Tú, cuando ores, entra en tu cuarto, y cerrada la puerta ora a tu Padre que oye en lo secreto, y tu Padre que ve en lo escondido te recompensará" (san Mateo 6, 5-6).*

172) ¿En qué consiste la oración mental?

R. La oración mental consiste en reflexionar en alguna verdad de la religión, o en una enseñanza de la S. Biblia o de otro buen libro religioso, para tomar resoluciones prácticas que nos ayuden a amar a Dios o al prójimo, y a llegar a la santidad.

El Salmo 1 dice: *"Dichoso quien encuentra sus delicias en la Ley del Señor y en ella medita noche y día. Será como árbol plantado junto a las fuentes de agua: sus ramas serán frondosas y siempre dará buen fruto". De María dice el Evangelio que guardaba las verdades que escuchaba y las meditaba en su corazón (S. Lucas 2, 53).*

173) ¿Qué es la oración vocal?

R. Oración vocal es la que se hace con palabras exteriores, por ejemplo la que hacemos cuando rezamos el Padrenuestro.

El Señor decía: *"Cuando oréis no uséis muchas palabras, como los que no tienen la verdadera religión, que se imaginan que por su palabrería van a ser escuchados. No seáis como ellos, pues vuestro Padre celestial sabe lo que necesitáis, antes de que se lo digáis" (S. Mateo 6, 7-8).*

174) ¿Cómo debemos orar?

R. Debemos orar con atención, humildad, confianza y perseverancia y en nombre de Jesucristo.

"¿Está alguno afligido? Ore al Señor. ¿Hay alguno enfermo? Llamen al presbítero para que ore por él y la oración le hará un gran bien. La oración de los amigos de Dios tiene mucha eficacia; orad unos por otros (Santiago 5, 13ss).

175) ¿Qué favores podemos conseguir con la oración?

R. Con la oración podemos conseguir y aumentar la gracia o amistad con Dios. Orando podemos obtener el perdón de muchos pecados, y las gracias que necesitamos para obrar el bien y evitar el mal. Con la oración se obtienen también ayudas materiales, si convienen para nuestra salvación.

San Agustín dice: *"A veces no obtenemos lo que pedimos en la oración porque oramos mal, o sea sin atención o sin fe. U oramos siendo malos, o sea sin querer mejorar nuestra conducta. O pedimos cosas que nos hacen mal, por ejemplo bienes materiales que podrían hacer más mal que bien a nuestra eterna salvación. Pero toda oración es escuchada, y si Dios no nos da lo que pedimos, nos dará algo que sea mucho mejor"*

LA ORACIÓN

(Del Catecismo de la Iglesia Católica, números 2700 ss)

Que nuestra oración sea respondida y aceptada no depende de la multitud de palabras sino del fervor y devoción de nuestra alma (S. Juan Crisóstomo) (2700).

LA MEDITACIÓN se hace generalmente valiéndose de algún libro, como la S. Biblia (especialmente los evangelios), de escritos de autores espirituales, u observando la creación, que es "el libro" donde podemos admirar el poder de Dios (2705).

Al meditar se compara lo que se lee con la propia vida. El cristiano que no medita se parece a uno de los tres primeros terrenos de la parábola del sembrador, que no sirven para producir buenos frutos (Mc 4, 4) (2706-7).

Santa Teresa decía: "Orar es hablar en amistad con Aquel que sabemos que nos ama" (2709).

El lograr orar bien, el meditar y la contemplación, es un don, un regalo de Dios, que hay que agradecerle con humildad (2713). Este regalo merece una respuesta decidida de nuestra parte (2725).

El combate de la oración. Los santos dicen que orar es un combate. ¿Contra quién? Contra el tentador que hace todo lo posible para que no recemos. Él sabe que se vive como se ora y se ora como se vive. Si oramos mejor, seremos mejores (2725).

Objeciones contra la oración. Unos dicen que solamente vale lo que produce ganancias materiales y que por eso no rezan. La oración produce muchas ganancias espirituales y también materiales. A otros los domina "el activismo" y creen que sólo es importante el vivir dedicados a actividades externas, y por eso no oran. Algunos afirman que la oración es "un escapismo", un tratar de huir de los responsabilidades de la vida. No es así (2727).

Los fracasos en la oración (que sólo son aparentes) producen cansancio y desaliento, y como no se consigue, enseguida lo que se pide, decimos "¿para qué orar"? (2728).

DIFICULTADES PARA ORAR. La principal dificultad para lograr orar bien es **la distracción**. Se presentan mil trabajos que parecen más urgentes que orar. Distraerse mientras se ora es caer en la trampa que anula la oración. Es necesario concentrarse; hay que definir a quién queremos servir, si al Señor Dios o a la distracción (2729).

Otra dificultad es **"la sequedad"**, la falta de fervor y devoción al orar. Es una prueba de Dios que llega a todos los que oran (2731). No dejar por eso de orar.

La peor tentación contra la oración es la falta de fe. Jesús decía: "La causa de que no hayáis logrado lo que queriáis es vuestra falta de fe" (2732).

San Alfonso afirmaba "quien ora se salva, quien no ora se condena" (2744.).

EL PADRENUESTRO

176) ¿Cuál de las oraciones es la mejor?

R. La mejor de las oraciones es el Padrenuestro porque la enseñó Jesucristo, y porque contiene las siete peticiones más importantes que existen.

El evangelio narra que los Apóstoles dijeron a Jesús: "Maestro, enséñanos a orar" y Él les respondió: "Cuando oréis, decid así: "Padre nuestro que estás en el cielo, santificado sea tu nombre..." (S. Mateo 6).

177) ¿Para qué enseñó Jesucristo el Padrenuestro?

R. Jesucristo enseñó el Padrenuestro, para indicarnos cómo debemos rezar y qué debemos pedir en la oración, como hijos que somos de Dios.

Jesús repetía: *"No andéis preocupados, pequeño rebaño, porque vuestro Padre Celestial cuida de vosotros y os dará el Reino. Mirad las flores del campo: no hilan y el Padre Celestial cuida de ellas. Mirad las aves que vuelan por el aire, no cosechan, y el Padre Celestial cuida de ellas. Vosotros valéis mucho más que las flores y las aves" (S. Lucas 12).*

178) ¿Con quién hablamos cuando rezamos el Padrenuestro?

R. Cuando rezamos el Padrenuestro hablamos con Dios, nuestro Padre Celestial.

Jesús hizo esta maravillosa promesa: "Donde quiera que dos o más se ponen de acuerdo para pedir algo, lo conseguirán de mi Padre. Porque donde dos o tres se reúnan en mi nombre, allí estoy yo en medio de ellos" (S. Mateo 18, 18-20).

179) ¿Dónde está Dios?

R. Dios está en todo lugar, especialmente en el cielo, en la tierra y en el Santísimo Sacramento del Altar.

Dice el Salmista: "Los ojos de Dios están fijos en los que en Él esperan y Él abre la mano y les da lo que necesitan. Dios está muy cercano de todos los que lo invocan" (Salmo 145, 15-16).

180) ¿Por qué decimos "Padre nuestro que estás en los cielos"?

R. Decimos "Padrenuestro que estás en el cielo" para honrar a Dios como Padre Misericordioso y para pedirle con la confianza de hijos que saben lo bondadoso que es su Padre.

El bellísimo Salmo 102, describe así cómo es Nuestro Padre Dios: "Él te hace muchos beneficios, perdona tus culpas y cura tus dolencias. Te corona de amor y de ternura. Dios es clemente y compasivo, tardo a la ira y rico en piedad. No guarda rencor ni nos castiga como merecen nuestros pecados. Así como el cielo está mucho más alto que la tierra, así la misericordia y bondad del Señor para con los que lo aman. Tan lejos como está el occidente del oriente, así aleja Dios de nosotros nuestros pecados. La ternura que siente un padre bueno por sus hijos, la siente Dios por nosotros. Él sabe de qué barro somos hechos. El amor de Dios durará para siempre para los que lo aman. Bendice a tu Dios, alma mía".

181) ¿Qué pedimos en la primera petición del Padrenuestro?

R. En la primera petición del Padrenuestro, "santificado sea tu nombre", pedimos que Dios sea conocido, honrado y obedecido en todo el mundo.

Cuando Moisés preguntó a Dios: "¿Cuál es tu nombre?", Dios respondió: "Mi nombre es Yahveh, que significa: "Soy el que soy; hice a todos y a mí nadie me hizo, yo gobierno a todos y soy dueño de todo" (Éxodo 3, 14).

Los Testigos de Jehová dicen que lo que Dios dijo fue: "Yo soy Jehová", pero los sabios que han estudiado la S. Biblia, afirman que lo que dijo fue: "Yo soy Yahveh".

182) ¿Qué pedimos en la segunda petición del Padrenuestro?

R. En la segunda petición del Padrenuestro, "venga tu reino", pedimos que Dios sea reconocido y obedecido como Rey y Jefe Supremo por todas las personas del mundo, que reine en nuestras almas por medio de la gracia, y que un día nos lleve a su Reino en los cielos.

Cuando iba a morir Josué, el gran jefe militar que guió a los israelitas en la conquista de la Tierra Prometida, reunió a todo el pueblo y les dijo: "Yo, y toda mi familia serviremos siempre al verdadero Dios, Yavheh". Cada una de nuestras familias debe decir lo mismo que el pueblo respondió a Josué: "Que jamás nos suceda a nosotros dejar de obedecer al verdadero Dios. Nosotros obedeceremos siempre a Nuestro Señor, porque Él es nuestro Dios" (Josué 24, 15).

183) ¿Qué pedimos en la tercera petición del Padrenuestro?

R. En la tercera petición del Padrenuestro, "hágase tu voluntad en la tierra como en el cielo", pedimos la gracia de cumplir la voluntad de Dios aquí en la tierra de manera tan perfecta, como la cumplen los ángeles y los santos en el cielo.

Jesús dijo que al cielo no entrará sino quien en la tierra cumpla la voluntad de Dios. Y que aunque algunos hayan hecho milagros y hayan profetizado, si no hicieron lo que Dios mandaba, les dirá: "Apartaos de mí, los que os habéis dedicado a hacer lo malo" y añade: "No todo el que me diga 'Señor, Señor' entrará en el reino de los cielos, sino el que cumpla la voluntad de mi Padre Celestial" (S. Mateo 7, 21).

184) ¿Qué pedimos en la cuarta petición del Padrenuestro?

R. En la cuarta petición del Padrenuestro, "danos hoy nuestro pan de cada día", pedimos a Dios que nos dé buenas cosechas, dinero suficiente para conseguir el alimento del cuerpo, y que nos conceda las gracias y ayudas necesarias para el alma.

Jesucristo recomendaba: *"No vivan preocupados diciendo: '¿qué vamos a comer?'. Por todo eso se angustian los que no tienen religión, pero el Padre Celestial sabe qué es lo que hace falta a cada uno. Busquen primero el Reino de Dios y su santidad, y todas las demás cosas les vendrán por añadidura" (S. Mateo 6, 31-32).*

185) ¿Qué pedimos en la quinta petición del Padrenuestro?

R. En la quinta petición del Padrenuestro, "perdona nuestras ofensas como también nosotros perdonamos a los que nos ofenden", pedimos que Dios nos perdone nuestros pecados así como nosotros queremos perdonar a los que nos han ofendido o nos han hecho males.

Nuestro Señor nos manda: *"Cuando os pongáis a orar, perdonad, si tenéis algo contra alguno, para que también vuestro Padre que está en los cielos os perdone vuestras ofensas" (S. Marcos 11, 25). "Porque si no perdonáis a los demás, tampoco vuestro Padre perdonará vuestras ofensas" (S. Mateo 6, 15).*

EJEMPLO: LA PARÁBOLA DEL HOMBRE QUE NO QUISO PERDONAR: *Dijo Jesús: "El reino de los cielos es semejante a un rey que quiso arreglar cuentas con sus empleados. Le presentaron uno que le debía 10.000 monedas de oro. Como no podía pagar, ordenó el rey que fuera vendido como esclavo junto con toda su familia. El empleado, arrodillándose a sus pies, le decía: "Ten piedad de mí, que te lo pagaré todo". Movido a compasión el rey le perdonó toda la deuda y lo dejó libre. Al salir de allí aquel empleado se encontró con uno de sus compañeros que le debía 100 monedas, y agarrándolo por el cuello lo ahogaba diciéndole: "Págame lo que me debes". El compañero, arrodillándose ante él, le rogaba: "Ten compasión de mí que te pagaré todo". Pero él no quiso, sino que lo mandó echar a la cárcel. Entristecidos sus compañeros fueron y le contaron al rey lo que éste había hecho. Indignado el rey lo mandó llamar y le dijo: "Empleado malvado, yo te perdoné toda aquella inmensa deuda porque así me lo suplicaste, ¿no debías tú también haber perdonado a tu compañero su pequeña deuda, así como yo tuve compasión de ti?" Y, encolerizado, mandó que lo tuvieran en la prisión hasta que pagara toda su deuda. Esto mismo hará Dios con vosotros si cada uno no perdona de corazón a su hermano"* (S. Mateo 18, 23-35).

186) ¿Qué pedimos en la sexta petición del Padrenuestro?

R. En la sexta petición del Padrenuestro "no nos dejes caer en tentación", pedimos a Dios que no nos deje consentir en las tentaciones con las que los enemigos del alma nos incitan al pecado.

Enseña san Pablo: *"Dios, al permitir que nos vengan tentaciones, nos dará también modo de resistirlas con éxito" (1Corintios 10, 13). Pero para eso hay que cumplir el con-*

sejo de Jesús: "Orad, para que no caigáis en tentación" (S. Lucas 22, 46).

187) ¿Qué pedimos en la séptima petición del Padrenuestro?

R. En la séptima petición del Padrenuestro, "líbranos del mal", pedimos que Dios nos libre de todos los males, de los peligros materiales y espirituales, y de las trampas del enemigo del alma.

La S. Biblia dice: *"Cuando Moisés le rogó a Dios por su pueblo, Dios renunció a lanzar los males que les iba a mandar" (Éxodo 32, 14). "Cuando vio Dios que la gente de Nínive se convirtió de su mala conducta, se arrepintió Dios del mal que había determinado que les viniera, y no permitió que les sucediera"* (Jonás 3, 10).

EL PADRENUESTRO

(Del Catecismo de la Iglesia Católica, números 2761 ss)

"El Padrenuestro **es el resumen de todo el evangelio.** Cada cual puede dirigir al cielo sus oraciones según lo que esté necesitando, pero conviene comenzar siempre por esta oración del Señor", dijo Tertuliano (2761)

San Agustín afirma: "podemos recorrer todas las oraciones que hay en las Sagrada Escritura, y no encontraremos algo que no esté incluido en el Padrenuestro" (2762)

El Padrenuestro es la oración más perfecta. En esta oración no sólo pedimos todo lo que podemos desear, sino en el orden en que conviene desearlo (santo Tomás) (2763).

El Padrenuestro es llamado "la oración del Señor" (dominical, se dice en latín) porque la enseñó el Señor Jesús. En ella el Hijo Único de Dios nos da las palabras que el Padre le dio a Él para comunicárnoslas. Jesús es el Maestro y Modelo de nuestra oración (2765).

Jesús no nos dejó un fórmula para repetirla mecánicamente, sino para decirla con todo el corazón como hablando con nuestro Padre Dios (2765).

Los primeros cristianos rezaban el Padrenuestro tres veces al día, según lo dice un antiquísimo documento del siglo II llamado *Didajé* (2767).

El Padrenuestro lo enseñó Jesús en respuesta a la petición de los discípulos que le dijeron "enséñanos a orar" (Lc 11, 1) (2773).

PADRE: Cuando llamamos "Padre" a Dios debemos recordar que tenemos que comportarnos como hijos de Dios (san Cipriano) (2784).

NUESTRO: El recitar el Padrenuestro debe llevarnos a salir de nuestro individualismo, pues allí todo se dice en plural, para todos. Llevemos en nuestra oración a Dios, a todos los que están necesitando de su ayuda (2792).

QUE ESTÁS EN EL CIELO para recordar que somos ciudadanos del cielo y que hacia allá nos dirigimos (2796).

LAS SIETE PETICIONES. En el Padrenuestro las tres primeras peticiones son para Dios y las otras cuatro para nosotros (2804-5).

1. SANTIFICADO SEA TU NOMBRE: que reconozcamos que Él es santo, y que lo tratemos de una manera santa (2807).

2. VENGA A NOSOTROS TU REINO: O sea su reinado. Es como repetirle aquello que dice el Apocalipsis: "Ven, Señor Jesús, a reinar sobre nosotros". Recordemos que "el Reino de Dios es justicia, paz y gozo en el Espíritu Santo" (Rom 14,17).

3. HÁGASE TU VOLUNTAD: San Pablo dice: "La voluntad de Dios es que todos los seres humanos se salven y lleguen al conocimiento pleno de la verdad" (1Tim 2, 4). En Cristo se cumplió perfectamente la voluntad de Dios. Ahora falta que se cumpla en nosotros. No somos capaces por nuestra propia cuenta de cumplirla, pero unidos a Jesús y con el poder de su Espíritu Santo sí lo podemos conseguir. Con la oración lograremos saber en cada ocasión cuál es la voluntad de Dios (Ef 5, 17); Jesús anunció que al cielo entrarán no los que hayan dicho "Señor, Señor", sino los que hayan hecho la voluntad del Padre Celestial (Mt 7, 21) (2822-24-25-26).

4. DANOS HOY NUESTRO PAN DE CADA DÍA: Con esta petición glorificamos al Padre Celestial reconociendo que "Él es quien que da alimento a todos los vivientes" (Salmo 104, 27) (2828).

Nuestro Pan: el Padre Dios, que nos ha dado la vida no puede dejar de darnos el alimento necesario. Con esta petición quiere Jesús quitarnos la inquietud por el comer, pues el Padre que alimenta las aves también nos dará a nosotros lo que necesitemos (Mt 6, 25) (2830).

Mucha gente padece de hambre y escasez. Por ellos rezamos en nuestra oración (2831).

Los santos aconsejan: "Rezar como si todo dependiera de Dios, y trabajar y esforzarse como si todo dependiera de nosotros" (2834)

DE CADA DÍA: el mejor pan cotidiano es la Eucaristía (2837).

5. PERDONA NUESTRAS OFENSAS: porque por nuestra debilidad no dejamos de pecar, por eso necesitamos siempre ser perdonados (2839)

COMO TAMBIÉN NOSOTROS PERDONAMOS: lo temible es que el perdón de Dios no nos llega si nosotros nos negamos a perdonar a los que nos han ofendido (2840).

6. NO NOS DEJES CAER EN TENTACIÓN: porque nuestros pecados son el fruto de haber aceptado la tentación. Le pedimos a Dios: no nos dejes ser derrotados, no nos dejes sucumbir ante la tentación, no nos dejes irnos por el camino que lleva hacia el pecado (2846). La victoria contra la tentación no es posible sino mediante la oración (2849).

7. Y LÍBRANOS DEL MAL del maligno. De todos los males pasados, presentes y futuros.

EL AVEMARÍA, LA SALVE Y OTRAS ORACIONES

188) ¿Con qué oraciones honramos a Nuestra Señora?

R. Las oraciones principales con las que honramos a nuestra Señora son el Avemaría y la Salve.

La santísima Virgen al componer su bello himno llamado "El Magnificat" anunció: "Dichosa me dirán todas las generaciones" (san Lucas 1, 48). Esto lo cumpliremos cada vez que recitamos el Avemaría o la Salve.

189) ¿De qué se compone el Avemaría?

R. El Avemaría se compone de las palabras que el Ángel Gabriel dijo a María el día de la Anunciación, de unas palabras que le dijo santa Isabel y de una oración compuesta por la Iglesia.

Las palabras que le dijo el Arcángel san Gabriel son: *"Dios te salve, María, llena eres de gracia, el Señor es contigo". Las palabras de santa Isabel fueron: "Bendita tú eres entre todas las mujeres, y bendito es el fruto de tu vientre". La oración que añadió la Iglesia es: "Santa María, Madre de Dios, ruega por nosotros, los pecadores, ahora y en la hora de nuestra muerte. Amén".*

190) Decir la Salve:

R. Dios te salve Reina y Madre de misericordia, vida dulzura y esperanza nuestra. Dios te salve; a ti clamamos los desterrados hijos de Eva. A ti suspiramos gimiendo y llorando en este valle de lágrimas. Ea pues, Señora, abogada nuestra. Vuelve a nosotros esos tus ojos misericordiosos y después de este destierro muéstranos a Jesús, fruto bendito de tu vientre. Oh clemente, oh piadosa, oh dulce Virgen María. Ruega por nosotros santa Madre de Dios, para que seamos dignos de alcanzar las promesas de Jesucristo. Amén.

191) Después del Padrenuestro y el Avemaría ¿Cuáles son las oraciones más importantes que existen?

R. Después del Padrenuestro y el Avemaría las oraciones más importantes que existen son los Salmos, que son 150 himnos bellísimos compuestos por profetas y sabios del Antiguo Testamento.

***

LOS SALMOS

(Del Catecismo de la Iglesia Católica, números 2585 ss)

Los Salmos son la obra maestra de la oración en el Antiguo Testamento (2585).

Abarcan toda la creación; recuerdan los acontecimientos salvadores del pasado; hacen memoria de las promesas de Dios ya realizadas y esperan que el Mesías les dará cumplimiento perfecto. Los Salmos siguen siendo esenciales en la oración de la Iglesia (2586).

Los Salmos no cesan de enseñarnos a orar (2587). Son el espejo de las maravillas de Dios en favor de su pueblo en la historia. Son de tal manera útiles, que pueden orar con ellos las gentes de todo tiempo y condición (2588).

En los Salmos se presenta a la persona humana llena de tentaciones, de peligros y de enemigos, suplicando la ayuda de Dios. Pero lo más especial de estas oraciones es que son "alabanzas", felicitaciones a Dios por su gran bondad y su infinito poder y su inmensa misericordia (2589).

Los Salmos sirven para orar comunitariamente e individualmente. Conviene rezarlos refiriéndolos a Cristo y viendo en Él el cumplimiento de hechos importantes que los Salmos anuncian (2596-97).

Salmos son, por ejemplo "De gozo se llenó mi corazón" "Vayamos jubilosos" "Qué alegría cuando me dijeron" "Como brotes de olivo", "Eres mi Pastor, oh Señor", "El Señor es mi Pastor, nada me faltará".

La persona que empieza a rezar salmos le gustan tanto, que después, excepto el Padrenuestro y el Avemaría, ninguna otra oración le agrada tan enormemente como los Salmos de la S. Biblia.

***

192) ¿Por qué debemos honrar a los ángeles y a los santos?

R. Debemos honrar a los ángeles y a los santos porque ellos son grandes amigos de Dios.

El Apocalipsis dice que en el cielo hay 144.000 santos que siguen al Cordero de Dios y que van siempre junto a Cristo porque fueron puros y porque no mintieron con su lengua (Ap 14).

El número 144.000 en la Biblia significa una cantidad inmensamente grande, porque 144.000 es el resultado de multiplicar 12 por 12 y por mil (que son números sagrados para los israelitas) o sea una cantidad de santos inmensamente numerosa.

193) Si la Biblia dice que "uno solo es el Mediador, Jesucristo", ¿por qué nosotros pedimos favores a la Virgen María y a los santos?

R. La S. Biblia dice que "Uno solo es el Mediador, Jesucristo" en el sentido en que Él pagó por nuestros pecados. Pero nosotros rezamos a los santos porque ellos pueden rogar por nosotros a Jesucristo.

Mediador es el que se coloca entre el ofendido y el ofensor para obtener que el ofendido perdone al ofensor; y se coloca entre el acreedor y el deudor para obtener que el acreedor perdone las deudas al deudor.

Hay dos clases de mediadores: El mediador que paga lo que el deudor debe. En ese caso sólo hay un mediador, Jesucristo. Él, sólo Él, ha pagado a Dios las deudas que le debíamos por nuestros pecados. Por eso san Pablo dice: "Uno solo es el Mediador, Jesucristo" (1Timoteo 2, 5). Pero hay otra clase de Mediador: el que suplica al ofendido que perdone al ofensor, y ruega al Todopoderoso que envíe ayudas al necesitado; en esta segunda forma la Virgen y los santos pueden ser mediadores, rogando a Dios que perdone nuestras culpas y pidiendo a Cristo que nos conceda los favores que necesitamos.

194) ¿Porqué debemos venerar las imágenes?

R. Debemos venerar las imágenes porque el honor que les brindamos no se lo damos a ellas mismas, sino a Cristo, a la Virgen y al santo allí representado y porque las imágenes nos ayudan a acordarnos de Jesucristo, de María Santísima y de los santos, y a tenerles devoción.

Así como cuando besamos el retrato de nuestra madre, no estamos besando ese papel sino que ese acto de cariño lo damos es a la persona ausente, así cuando veneramos una imagen no estamos dando culto a un yeso o imagen de madera o de cartón, sino a la persona allí representada que nos ayuda desde el cielo.

195) Si la Biblia dice "No te fabricarás imágenes ni les darás culto", ¿por qué los católicos veneran las imágenes?

R. Los católicos veneramos las imágenes porque la Biblia al decir: "No fabricarás imágenes ni les darás culto", quiere decir que no se pueden hacer imágenes para adorarlas como si fueran dioses, y nosotros no adoramos a las imágenes como si fueran dioses, sino que les damos honor como representaciones de los amigos y protectores que tenemos en el cielo.

Los protestantes dicen que nosotros los católicos desobedecemos a la S. Biblia porque ella nos dice: "No te fabricarás imágenes ni les darás culto" (Éxodo 20, 4) y nosotros tenemos imágenes y les rezamos. Pero, lo que la S. Biblia quiere prohibir es el creer que una imagen es un Dios y que ella nos puede conceder favores. En los tiempos en que fue escrita la S. Biblia, había en el mundo muchas imágenes llamadas "ídolos" a las cuales la gente las adoraba como dioses y se imaginaban que esos seres de piedra, yeso, madera o metal les podían hacer milagros. Eso se llama "idolatría" y es pecado. Es lo que prohíbe el Libro Santo al decir: "No te hagas imágenes ni les des culto". Así por ejemplo, los que llevan una "cruz magnética del gran poder" para tener suerte, etc.: Eso es pecado de idolatría. Es creer que un objeto de metal nos puede hacer milagros. Es darle a un ser material los poderes que tiene Dios. Pero los católicos tenemos imágenes no para adorarlas ni creer que ellas nos pueden hacer milagros, sino porque esas imágenes nos recuerdan a los grandes amigos que tenemos en el cielo: Jesucristo, la Virgen María y los santos. Y cuando les damos señales de veneración, (no de adoración; adorar es creer que esa imagen es Dios, venerar es demostrarle mucho respeto) veneramos en ellas no el material del cual están hechas, sino la persona que representan, así como cuando uno besa el retrato de la mamá, no besa simplemente ese pedazo de papel o de cartón sino a la madre que aquel retrato le representa.

COLOCAD VUESTRAS ANGUSTIAS EN LAS MANOS DE DIOS, PORQUE ÉL OS AMA Y SE PREOCUPA POR VOSOTROS

(San Pedro)

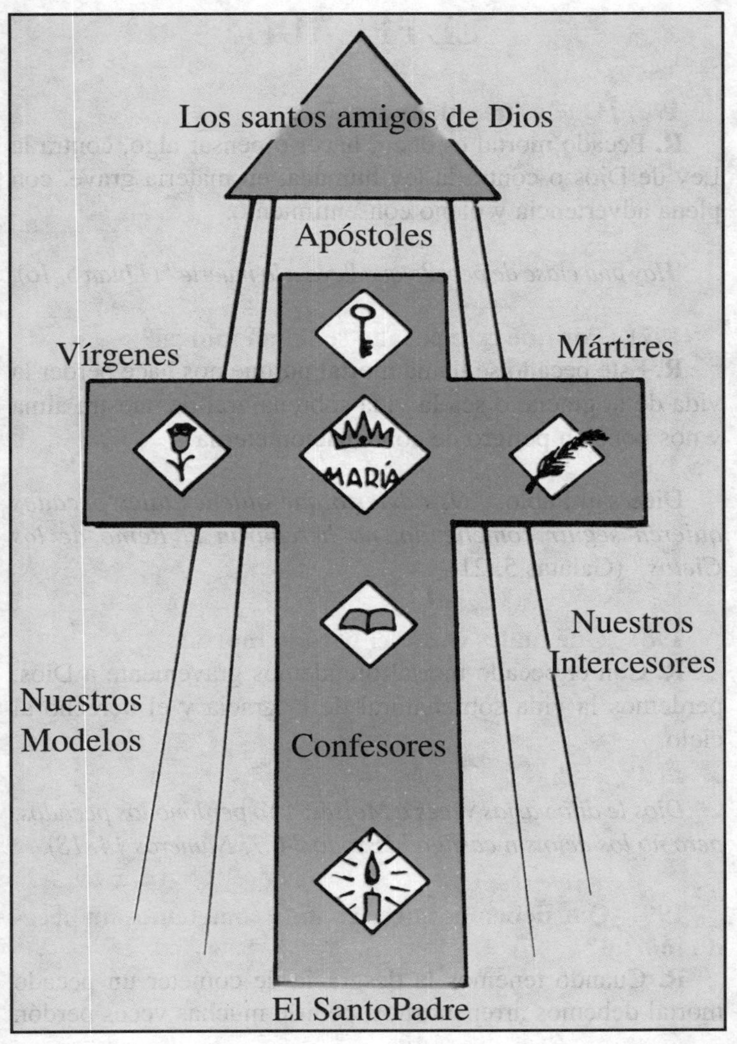
Los santos amigos de Dios
Apóstoles
Vírgenes
Mártires
MARÍA
Nuestros Intercesores
Nuestros Modelos
Confesores
El SantoPadre

EL PECADO

196) ¿Qué es pecado mortal?

R. Pecado mortal es decir, hacer o pensar algo, contra la Ley de Dios o contra la ley humana, en materia grave, con plena advertencia y pleno consentimiento.

"Hay una clase de pecado que lleva a la muerte" (1Juan 5, 16).

197) ¿Por qué este pecado se llama mortal?

R. Este pecado se llama mortal porque nos hace perder la vida de la gracia, o sea la vida sobrenatural de nuestra alma y nos pone en peligro de condenación eterna.

Dice san Pablo: *"Os advierto que quienes tales pecados quieren seguir cometiendo, no heredarán el Reino de los Cielos"* (Gálatas 5, 21).

198) ¿Qué males causa el pecado mortal?

R. Con el pecado mortal ofendemos gravemente a Dios, perdemos la vida sobrenatural de la gracia y el derecho al cielo.

Dios le dijo varias veces a Moisés: "Yo perdono los pecados, pero no los dejo sin castigo" (Éxodo 34, 7; Números 14, 18).

199) ¿Qué debemos hacer cuando cometemos un pecado mortal?

R. Cuando tenemos la desgracia de cometer un pecado mortal debemos arrepentirnos, pedirle muchas veces perdón a Dios, hacer propósito de no volver a ofenderlo, ofrecerle oraciones y buenas obras en satisfacción por nuestra culpa, y en la primera oportunidad que tengamos hacer una buena confesión.

EJEMPLO: *Cuando el rey David cometió el gravísimo pecado de hacer matar a un hombre para robarle su esposa, llegó el profeta Natán a decirle que Dios estaba disgustado por este pecado y que lo iba a castigar terriblemente. David se arrepintió y empezó a rezar pidiendo perdón a Dios. Hizo sacrificios, gastó buenas cantidades de dinero para el culto, se propuso no volver a cometer jamás un pecado grave, y Dios quedó tan contento que le perdonó completamente. Le castigó su pecado, pero le perdonó y siguió siendo amigo suyo. Por esto el rey David escribió emocionado: "Un corazón arrepentido, Dios nunca lo desprecia"* (Salmo 50, 19).

200) ¿Qué es pecado venial?

R. Pecado venial es hacer, decir o pensar algo contra la ley de Dios o la ley humana en materia leve, o también en materia grave pero sin grave advertencia o sin grave consentimiento.

"Si alguno ve que un hermano comete un pecado que no es de muerte, ruegue por él y el Señor le dará la vida espiritual. Porque hay pecados que no llevan a la muerte" (1Juan 5, 16).

201) ¿Qué males causa el pecado venial?

R. Con el pecado venial disgutamos a Dios, se afea nuestra alma, perdemos grados de gloria para el Paraíso eterno, nos disponemos al pecado mortal y merecemos castigos del Señor.

Decía Jesús: "*Quien es infiel en lo poco, también será infiel en lo mucho" (S. Lucas 16, 10). El peor defecto del pecado venial es que nos lleva poco a poco a cometer pecados graves. Por ejemplo, quien empieza robando cosas pequeñas puede llegar a ser un ladrón de cosas grandes. Quien ama las pequeñas peleas, puede llegar a ser un asesino. "Quien se expone al peligro, en él perece", dijo Salomón.*

202) ¿Qué remedios hay para no cometer pecados?

R. La Iglesia Católica ha experimentado 4 remedios muy efectivos para no cometer pecados:

1º. Orar, pedir mucho a Dios para que nos ayude.
2º. Evitar las ocasiones de pecado.
3º. Pensar que Dios nos oye, nos ve y lleva cuenta de todo lo que hacemos, y
4º. Recordar que todo pecado disminuye nuestra amistad con Dios y trae castigos.

***

EL PECADO

(Del Catecismo de la Iglesia Católica, números 1846 ss)

Acerca del pecado tenemos en el Evangelio una revelación de la misericordia de Dios para con los pecadores. Cuando el ángel anunció a san José el nacimiento del Salvador le dice: "Le pondrás por nombre Jesús, porque Él salvará al pueblo de sus pecados" (Mt 1, 21). Y Cristo Jesús al instituir la Eucaristía dice: "Éste es el cáliz de mi sangre que será derramada para el perdón de los pecados" (Mt 26, 28) (1846).

Definición de pecado. El pecado es faltar contra el amor de Dios o del prójimo a causa de un apego indebido a otros fines que atraen. San Agustín dice que pecado es una obra, una palabra o un deseo contrario a la ley de Dios (1849).

El pecado es una ofensa a Dios. Por eso el pecador puede decir con el salmo 50: "Contra Ti, contra Ti solo pequé Señor. Hice la maldad que aborreces". El pecado es ir contra el amor que Dios nos tiene, y nos aparta del amor de Dios. San Agustín afirma que pecar es "amarse a sí mismo hasta despreciar a Dios" (1850).

CLASES DE PECADOS. La S. Biblia trae ciertas listas de pecados de los cuales afirma que quienes se dedican a cometerlos no heredarán el Reino de Dios. Por ejemplo: Impureza (pecar con personas de otro sexo) homosexualidad, idolatría, hechicería, odio, rencor, envidia, borracheras, ira, peleas (Gálatas 5, 19) (1852).

Hay pecados espirituales y pecados carnales. Pecados de pensamiento, de palabra, de obra y de omisión (se llama omisión el no hacer que lo se debe hacer) (1853).

EL PECADO MORTAL: Para que un pecado sea mortal se necesitan tres condiciones: que haya materia grave, que haya pleno consentimiento y pleno conocimiento.

La materia grave es ir contra uno de los diez mandamientos.

El pecado mortal necesita un verdadero arrepentimiento y deseo de convertirse, además de ser perdonado por el sacramento de la confesión. Si no es borrado por el arrepentimiento y por el perdón de Dios, excluye del Reino de Cristo y produce la muerte eterna (1858-61).

PECADO VENIAL: Existe cuando la materia no es grave o cuando no hay pleno conocimiento o pleno consentimiento. El pecado venial es señal de que hay un afecto exagerado a los bienes creados. Impide el progreso del alma en la virtud y va llevando poco a poco a cometer el pecado mortal. Pero no priva de la amistad con Dios (1862-63).

Es casi imposible para el ser humano permanecer sin cometer pecados veniales. Pero no los consideremos poca cosa, porque si no son tan temibles por su peso, sí lo son por su cantidad. Muchas gotas forman un río. Muchos granos forman un gran montón (San Agustín) (1863).

Pecado lleva a más pecados. Cada pecado que se comete trae facilidad para cometer nuevos pecados, y se forma el vicio por la repetición de actos y llegan las malas costumbres, porque cada pecado tiende a reproducirse y repetirse (1865).

Los pecados capitales se llaman así porque son causa de otros muchos pecados. Son siete: orgullo, avaricia, envidia, ira, impureza, gula y pereza.

DICHOSOS LOS QUE EN TI CONFÍAN, SEÑOR

(Salmo 84, 13)

TERCERA PARTE

LOS MANDAMIENTOS

LOS MANDAMIENTOS

203) ¿Quién dio los diez mandamientos?

R. Los diez mandamientos los dio Nuestro Señor a Moisés en el monte Sinaí, pero los ha dejado también grabados en la conciencia de cada persona que nace.

El libro del Éxodo, que es el segundo libro de la Biblia, narra que Dios mandó a Moisés ir al monte Sinaí y allá le habló por 40 días, y que Nuestro Señor mismo escribió en dos tablas de piedra los diez mandamientos, y prometió premios a todos los que los cumplan, y castigos a los que no los quieran cumplir. Luego el pueblo de Israel hizo un pacto o testamento con Dios así: "El pueblo se compromete a cumplir los diez mandamientos, y Dios se compromete a ayudarlos en todo. Pero cuando la gente deje de cumplir los mandamientos, entonces ya Dios no está obligado a ayudarles". Este pacto hecho junto al monte Sinaí es lo que se llama "Antiguo Testamento", "Antigua Alianza".

Además toda persona tiene en su conciencia una voz que le dice que cumplir los mandamientos es algo muy bueno y que no cumplirlos es algo muy malo.

204) ¿Por qué dio Nuestro Señor los diez mandamientos?

R. Nuestro Señor dio los mandamientos porque siendo nuestro Creador puede mandarnos lo que le parezca bien, y porque los mandamientos nos ayudan a ser felices, y a que haya paz y orden en la tierra.

Dijo Dios: "Yo tendré misericordia por mil generaciones con los que me aman y cumplen mis mandamientos" (Deuteronomio 5, 10).

205) ¿A qué se refieren los diez mandamientos?

R. Los tres primeros mandamientos se refieren a los deberes que tenemos para con Dios y los otros siete a los deberes que tenemos para con el prójimo.

Dijo Jesús: *"Amar a Dios con todo el corazón y amar al prójimo como te amas a ti mismo. En esto está resumido todo lo que mandan la ley y los profetas" (S. Mateo 22, 39-40).*

LOS MANDAMIENTOS

(Del Catecismo de la Iglesia Católica, números 2052 ss)

La primera condición: Un joven que preguntó a Jesús: "¿Qué debo hacer para conseguir la vida eterna?". El Señor le respondió: **"Si quieres entrar en la vida eterna, cumple los mandamientos"** (Mt 19, 17) (2052).

Y Jesús añade: "En estos dos mandamientos: amar a Dios con todo el corazón y amar al prójimo como a sí mismo, está resumido todo lo que mandan la Ley y los profetas" (Mt 22, 39-40).

San Pablo afirma: "Los demás mandamientos: no matar, no robar, no ser impuro, no codiciar y todos los otros, se resumen en esta fórmula: "Amarás a tu prójimo como te amas a ti mismo" (Rom 13, 9) (2055).

Moisés prometió: "Si cumples los mandamientos tendrás bendiciones de Dios" (Dt 30, 16)

LA PROMULGACIÓN DE LOS MANDAMIENTOS

Dice Moisés: "Los mandamientos los promulgó o publicó solemnemente Dios en el monte Sinaí, entre rayos y truenos, y densa nube con voz potente y les escribió en dos tablas de piedra y me los entregó" (Deuteronomio 5, 22) y se depositaron en el Arca de la Alianza (Ex 25, 16) (2058).

Los diez mandamientos son un regalo de Dios (2059). Los anuncia en primera persona: "Yo soy el Señor"... y están dirigidos a un "tú" que designa al destinatario: "No matarás, no robarás....". Ese destinatario es cada uno de nosotros (2063).

La Iglesia ha concedido desde la antigüedad una gran importancia a los mandamientos (2064).

Desde san Agustín (año 400) los diez mandamientos tienen un sitio de primera importancia en la enseñanza del catecismo. Y desde el siglo XV se enseñan en la fórmula abreviada, para mayor facilidad al aprenderlos de memoria (no matar, no fornicar, no robar.... no mentir...) (2065).

Los tres primeros se refieren a nuestros deberes para con Dios, y los otros siete a los deberes para con el prójimo. En una tabla están los que se refieren a Dios y en otra los que se refieren al prójimo (San Agustín) (2067).

El apóstol Santiago enseña: "Quien desprecia un mandamiento y no quiere cumplirlo, ya no está cumpliendo la Ley" (St 2, 8-11) (2069).

Nadie puede dispensar de cumplir ni siquiera un mandamiento. Ellos obligan siempre y en todos partes. Dios los dejó grabados en la conciencia humana (2072).

EL PRIMER MANDAMIENTO

206) ¿Cuál es el primer mandamiento?

R. El primer mandamiento es amar a Dios sobre todas las cosas.

Le preguntó uno a Jesús: "¿Cuál es el primero de todos los mandamientos?". Jesús le respondió: "El primero es: Amarás al Señor, tu Dios, con todo tu corazón, con toda tu alma y con todas tus fuerzas" (S. Marcos 12, 30).

207) ¿Cómo se conoce que una persona ama a Dios?

R. Se conoce que una persona ama a Dios si se esfuerza por cumplir los mandamientos; si le ofrece a Dios lo que hace y lo que sufre; si reza varias veces al día y se esfuerza por no pecar y por hacer muchas obras buenas.

"Amar a Dios con todo el corazón, con toda la inteligencia y con todas las fuerzas, vale más que todos los holocaustos y sacrificios" (S. Marcos 12, 30).

208) ¿Qué es es amar a Dios sobre todas las cosas?

R. Amar a Dios sobre todas las cosas es quererlo más que a todas las creaturas y bienes de la tierra, de modo que estemos dispuestos a perderlo todo antes que ofenderlo.

"Ninguno puede servir a dos señores, porque si obedece a uno, desprecia al otro. No podéis servir a Dios y a las riquezas" (S. Mateo 6, 24).

209) ¿A qué más nos obliga el primer mandamiento?

R. El primer mandamiento nos obliga a tener fe en Dios; a confiar en su bondad y tener gran respeto por su presencia, pues siempre nos ve y nos oye.

"¿Sabes quiénes son los que agradan a Dios? Los que creen en Él y confían en su misericordia. Dichoso quien confía en Dios" (Salmo 84, 14).

"Los ojos de Dios están en todas partes observando a los buenos y a los malos" (Libro de la Sabiduría).

210) ¿Quiénes pecan contra el primer mandamiento?

R. Pecan contra el primer mandamiento los que niegan la existencia de Dios, los que niegan las verdades de la fe o viven como si Dios no existiera; los que ignoran culpablemente las verdades de la religión, los que desconfían de la misericordia de Dios y los que cometen sacrilegios.

Los que niegan la existencia de Dios se llaman ateos, como por ejemplo los marxistas. Los que niegan alguna ver-

dad de la fe, se llaman "herejes" (los evangélicos, Testigos de Jehová, Adventistas, etc.). Los que viven como si Dios no existiera se llaman "impíos" o materialistas.

Cometer sacrilegio es tratar sin respeto a un objeto sagrado o a un ministro de Dios, por ejemplo: irrespetar gravemente un templo, o la S. Hostia, o pegarle a un sacerdote.

211) ¿Quiénes más pecan contra el primer mandamiento?

R. Pecan también contra el primer mandamiento los que creen en agüeros, o brujerías, los que usan hechicerías o cosas supersticiosas, y los que entran a sociedades prohibidas por las Iglesia como el comunismo, la masonería, el espiritismo, los gnósticos o los rosacruces.

Agüero: *Es creer que un ser inferior puede producir un efecto superior, como creer que lo que dice el horóscopo se va a cumplir con toda seguridad, o que una mariposa negra trae mala suerte, o el número 13, etc. Eso es imaginarse que un animal o un número o un señor que hace un horóscopo le van a cambiar los planes a Dios. Lo que Él ordenó que suceda, sucederá, porque Él así lo mandó, y no porque lo dice el horóscopo o por una mariposa o un número 13, etc.*

Brujerías: *Es imaginarse que a uno le hacen maleficios o "le echaron sal". Todo es invento de gente estafadora para engañar a ingenuos y sacarles plata. Nadie tiene poder para hacerle maleficios o brujerías a nadie. Las cosas suceden porque Dios así permite que sucedan.*

Cosas supersticiosas: *La "cruz magnética del gran poder" es una superstición que ofende a Dios. Es creer que un metal* *puede hacer milagros, y los milagros no los hace sino Dios. Los "naipes" o "leer el cigarrillo" son "engañabobos" para robar plata. El católico jamás debe ir a consultar eso.*

La masonería: *Es una sociedad secreta que corrompió a la humanidad y acabó con la enseñanza de la religión en casi todos los países.*

El espiritismo: *Es algo contra la S. Biblia, porque Dios dijo en la Biblia que nadie debe invocar espíritus de muertos. Y los espiritistas se dedican a invocar espíritus de difuntos. Se inventan respuestas y engañan y roban y enloquecen a la gente.*

Los gnósticos y rosacruces: *Quitan la fe cristiana y enseñan muchos errores.*

Los gnósticos enseñan LA REENCARNACIÓN que es una gran mentira. Nadie se reencarna.

PRIMER MANDAMIENTO

(Del Catecismo de la Iglesia Católica, números 2084 ss)

El primer mandamiento abarca la fe, la esperanza y la caridad. Si tenemos amor a Dios, tendremos fe en que nunca falla en sus promesas; esperanza en que nos ayudará siempre; y el amor que le tenemos, ya es caridad.

¿Quién podrá no amarlo si piensa en su bondad hacia nosotros? (2086).

Los actos de fe, esperanza y caridad que ordena el primer mandamiento, se cumplen cuando hacemos plena oración (2098).

ADORAR: El primer mandamiento manda adorar a Dios. Adorar es reconocer a Dios como Creador y Dueño de todo lo que existe, como Amor infinito y misericordioso. Jesús dijo: "Adorarás al Señor tu Dios y sólo a Él darás culto" (Lc 4, 8)(2096).

ADORAR: Es reconocer con total respeto y sumisión la "nada de la creatura" que sólo existe porque Dios la ha creado y la conserva; es alabar y bendecir al Señor con humildad como lo hizo María en su Himno que dice "El Señor hizo en mí maravillas, gloria al Señor" (2097).

LA IDOLATRÍA: Consiste en divinizar lo que no es Dios. Hay idolatría en el momento en el que una persona honra y reverencia a una creatura como si fuera Dios. Puede ser al demonio (satanismo) o al dinero, o al poder, o al sexo (2113).

LA ADIVINACIÓN: Toda clase de adivinación debe rechazarse. Quien dice que llama a espíritus de muertos está engañando. Los horóscopos, la astrología, la lectura de la mano o del humo, la interpretación de sueños, van contra el respeto y creencia que solamente le debemos a Dios (2116).

LAS MAGIAS Y HECHICERÍAS: Aunque digan que son para devolver la salud, es necesario rechazarlas porque van contra el primer mandamiento. Creer en maleficios que dicen que van contra otros, es algo muy condenable. Llevar amuletos o talismanes (cuarzos, etc.) es reprensible (2117).

EL ESPIRITISMO: La Iglesia advierte a los católicos que deben cuidarse del espiritismo, no dejarse engañar por él. Decir que invocan espíritus es explotar la credulidad o facilidad de dejarse engañar que tiene la gente (2117).

EL SACRILEGIO: Consiste en tratar indignamente lo que es sagrado; es un pecado grave, sobre todo cuando va contra la Sagrada Eucaristía, pues en este sacramento está presente el Cuerpo de Cristo (2120).

EL AGNOSTICISMO: Equivale muchas veces a un ateísmo práctico, a un indiferentismo hacia Dios (2118). (Agnóstico es el que dice que de Dios nada se puede saber).

El ateísmo práctico limita a la persona sólo a lo que necesita en el espacio y en el tiempo, considera falsamente que el ser humano es el fin de sí mismo. Espera la liberación del ser humano sólo por medio de la economía, y considera inútil la religión, imaginando que si se piensa en una vida futura o en el cielo se puede descuidar el progreso en esta tierra (2124). El ateísmo es negar y rechazar a Dios; es uno de los problemas más graves de este tiempo (2133).

EL CULTO A LAS IMÁGENES: El honrar las imágenes sagradas no va contra el primer mandamiento que prohibe adorar ídolos, porque al venerar una imagen estamos venerando la persona que en ella está representada (Jesús, la Virgen, un santo, etc.) (2132).

EL SEGUNDO MANDAMIENTO

212)¿Qué nos prohíbe el segundo mandamiento?

R. El segundo mandamiento nos prohíbe jurar sin grave necesidad, o con mentira, o pronunciar el nombre de Dios sin respeto o reverencia.

Dijo Nuestro Señor: "No pronunciarás el nombre de Dios sin respeto o para decir falsedades, porque no quedará sin castigo quien pronuncie sin respeto o para decir falsedades el nombre de Dios" (Éxodo 20, 7).

213) ¿Qué es jurar?

R. Jurar es poner a Dios por testigo de que lo que decimos es verdadero y que lo que prometemos sí lo vamos a cumplir.

Jesucristo, para que nos acostumbremos a no jurar, nos dijo: "No juréis de ninguna manera. Acostumbraos a decir "Sí, Sí", "No, No". Lo que pasa de ahí viene del enemigo del alma" (Mateo 5, 37).

Cuando uno promete a Dios con juramento que hará alguna cosa, ese juramento se llama "voto". Y la S. Biblia dice: "Si haces un voto o juramento a Dios, tienes que cumplirlo (con tal de que sea de una cosa buena y que se debe hacer), porque si no lo cumples, Dios te lo cobrará, y te cargas con un pecado más" (Deuteronomio 23, 22).

Si lo que prometes a Dios no es con juramento, se llama una "promesa". El Libro Santo dice: "Debes cumplir tus promesas al Altísimo, y así Él te ayudará" (Salmo 49, 14-15); pero es mucho mejor no hacer promesas, que después de hacerlas, no cumplirlas.

214) ¿Qué es jurar en vano?

R. Jurar en vano es jurar sin grave necesidad, o jurar diciendo que es cierto lo que es mentira, o jurar hacer lo que no se debe hacer.

La gente, para que le crean lo que dice, acostumbra decir: "Para Dios", "Por Dios santísimo que sí es así", "Por Chuchito lindo", etc. Éste es un modo de pronunciar en vano el santo nombre de Dios, y nunca debería hacerse. El buen cristiano solamente pronuncia el nombre de Dios con gran respeto y veneración y para casos serios e importantes. Hay personas que en cualquier momento de mal genio exclaman "Ay Dios mío", o que por cualquier cosa que les parece rara o absurda dicen "Ay Dios". Eso nunca debería ser así. Para los santos el nombre de Dios les sabía a almíbar en sus labios y solamente lo pronunciaban para darle gracias, para bendecirlo, o pedirle perdón o suplicarle ayuda, pero nunca como una exclamación por cualquier bobería de la vida. Nosotros debemos estar alerta para corregir amablemente a las personas que se acostumbran a pronunciar el nombre de Dios por cualquier razón, o sin respeto o devoción.

Juramento vano fue el que hizo Herodes de darle a la hija de su mujer lo que pidiera aunque fuera malo. Ella le pidió la cabeza de Juan Bautista y Herodes mató a este santo para cumplir su juramento vano. Pero cuando uno jura hacer algo malo, ese juramento nunca lo obliga a cumplirlo.

EL SEGUNDO MANDAMIENTO

(Del Catecismo de la Iglesia Católica, números 2142 ss)

El segundo mandamiento regula el uso de nuestras palabras respecto a las cosas santas (2142).

"El nombre del Señor es santo", y por eso el ser humano no puede pronunciarlo sin el debido respeto. No lo empleará en sus palabras sino para bendecirlo, alabarlo y glorificarlo (2143). La predicación y la clase de catecismo deben estar llenas de respeto y de adoración hacia el nombre de Jesucristo (2146).

No cumplir una promesa hecha en nombre de Dios, es abusar del nombre de Nuestro Señor y hacerlo quedar como mentiroso (2147).

El juramento falso invoca a Dios como testigo de una mentira (2152).

Jesús decía: "No vivan jurando. Digan "sí, sí"; "no, no". Lo que pasa de ahí viene del maligno (Mt 5, 37) (2153). Estas palabras no se oponen al juramento cuando se hace por una causa grave y justa, como por ejemplo ante un tribunal (2154).

La santidad del Nombre de Dios exige no recurrir a él por motivos que no sean muy serios. Hay que negarse a jurar cuando se invita a hacerlo con fines contrarios a la dignidad de la persona o a la santidad de la Iglesia (2155).

EL TERCER MANDAMIENTO

215) ¿Qué nos manda el tercer mandamiento?

R. El tercer mandamiento, "Santificar las fiestas", nos manda oír misa entera todos los domingos y no trabajar en el día del Señor.

Cuando Dios dio los diez mandamientos en el monte Sinaí dijo: "Seis días trabajarás y harás tus obras, pero el séptimo día es para el Señor tu Dios. Ese día no harás trabajos, ni tú, ni tus familiares o empleados. Es un día sagrado" (Éxodo 20, 9).

216) ¿Cuándo se comete pecado al trabajar en domingo?

R. Se comete pecado al trabajar en domingo si se trabaja sin grave necesidad, y si ese trabajo sin grave necesidad dura más de dos horas, y si es trabajo material y agotador.

Así, no es pecado trabajar en domingo si en la empresa nos toca un turno de trabajo en ese día (con tal de que ese turno no sea todos los domingos, porque entonces no podemos aceptar ese empleo que nos obligaría a no cumplir nunca el tercer mandamiento). Cuando nos obliga trabajar un turno en domingo debemos exigir que se nos conceda un día de descanso en esa semana porque el cuerpo no es capaz de trabajar siete días seguidos sin enfermarse de los nervios. Dios, al hacer el cuerpo, le dio esta ley: "Hecho para trabajar seis días; si trabaja siete días se enferma de los nervios". Es una ley de Dios en la naturaleza y esa ley se cumple siempre. En el mundo hay miles de hombres y mujeres que viven siempre de mal genio, con

«SEIS DÍAS TRABAJANDO, PERO EL DÍA SÉPTIMO ES PARA EL SEÑOR»
DOMINGO
Descanso Dominical
Santificación del Domingo
COMO FUERE TU DOMINGO, ASÍ SERÁ EL DÍA DE TU MUERTE
EL DÍA DEL SEÑOR
descanso del trabajo
santificación
recreación
La Semana de la Creación
Día de reposo
1o.
2o.
3o.
4o.
5o.
6o.
7o. día

neurastenia, con mal de nervios, porque han cometido el error de hacer trabajar a su cuerpo los siete días de la semana, y el castigo fue que se les enfermó el sistema nervioso y ahora son infelices y hacen triste la vida de los demás. Muchísimas personas se han curado de su tristeza y de su mal genio solamente descansando y tratando de pasar feliz un día por semana. Cuando Dios puso aquella ley "seis días trabajarás y harás tus obras, pero el séptimo día descansarás porque es un día sagrado para tu Dios" (Ex 20, 9) no lo dijo porque Él necesite que nosotros le ofrezcamos ese día (porque Él no necesita nada de nosotros) sino porque sabía que si descansamos bien un día cada semana seremos felices, pero que si hacemos trabajar al cuerpo los siete días seguidos, viviremos siempre tristes y malgeniados.

TRABAJOS QUE SÍ SE PUEDEN HACER LOS DOMINGOS: cocinar los alimentos, barrer la casa, dar de comer a los animales, comprar mercado, lavar el carro, curar enfermos, etc. (pero cuidado no vayamos a gastar el día santo en dedicar largas horas a estos oficios. Sería cansarnos en este día de descanso y eso nos hace daño) Se pueden hacer trabajos intelectuales: leer, escribir, hacer tareas del colegio, tocar instrumentos musicales, jugar ajedrez, pintar, etc., pero que sea más que todo como distracción, sin cansarnos ni agotarnos, porque nos haría mucho mal. Tejer o bordar se puede por un ratico como distracción, pero que no sea por más de dos horas en domingo.

217) ¿Qué obras buenas aconseja la Iglesia para los días de fiesta?

R. La Iglesia católica aconseja para los días de fiesta las siguientes obras buenas: asistir a la santa Misa y ojalá comulgar; leer algunas páginas de un libro bueno; escuchar con atención la Palabra de Dios; visitar algún enfermo o persona necesitada; dar alguna limosna que cueste, y evitar todo aquello que pueda llevar al pecado.

EL EJEMPLO DEL ZAPATERO. San Adeodato era un zapatero que vivía siempre feliz y de buen genio. Otro zapatero le dijo: ¿Cuál es el secreto para que usted viva tan alegre?". Y san Adeodato le respondió: "Venga el domingo y le muestro la fórmula para ser feliz. Levántese un poco más tarde el domingo. Báñese bien y con tranquilidad. Póngase el mejor vestido que tenga. Tómese un desayuno mejor que el de los demás días y venga hacia las nueve de la mañana y le enseño la fórmula para ser feliz". Así lo hizo el otro. San Adeodato lo invitó a ir a misa y confesarse. Así lo hicieron. Rezaron, cantaron, oyeron la Palabra de Dios y comulgaron. Luego fueron a visitar a algunos amigos, tomaron un almuerzo mejor que en los demás días. Por la tarde salieron a dar un paseo y luego jugaron con sus amigos una partida de su juego preferido. Volvieron felices y contentos a su casa al anochecer.

Al día siguiente, el otro zapatero preguntó al santo: "Usted me dijo que me iba a enseñar la fórmula para ser feliz. ¿Cuál es?". "La fórmula para ser feliz y que Dios nos bendiga y nos conceda éxito en todo lo que hacemos, es pasar el domingo como lo pasamos nosotros ayer", respondió san Adeodato. "¿Cómo amaneció hoy?". "Muy contento" respondió el otro. "Pues bien —continuó el zapatero santo–, si le da a Dios el gusto de hacer de cada domingo un día santo, alegre y feliz, esa es la fórmula para ser feliz".

EL DÍA DEL SEÑOR

(Del Catecismo de la Iglesia Católica, números 2168 ss)

Dios al promulgar los diez mandamientos dijo: **"El día séptimo será día de descanso completo, consagrado al Señor"** (Éxodo 31,15) (2168).

La Sagrada Escritura dice que en seis días hizo el Señor la creación y **el séptimo** día descansó, como para enseñarnos que si Dios descansó el día séptimo, también el ser humano debe descansar un día cada siete días, y hacer que los demás descansen, sobre todo los pobres. Es un día para librarse de la servidumbre del trabajo y del culto al dinero (2172)

EL DOMINGO: El primer día de la semana resucitó Jesús (Mt 28, 1). Por eso la Iglesia ha pasado el día de descanso del sábado al domingo, porque para los cristianos el día de la resurrección ha llegado a ser el principal de todos los días. La palabra "domingo" significa "día del Señor" (dies domini) (2174).

San Ireneo escribía en el siglo II: "El primer día de la semana nos reunimos los seguidores de Cristo, porque en ese día resucitó Jesús nuestro Salvador" (2174).

Al celebrar el domingo el cristiano cumple la ley que tiene grabada en su conciencia y que ordena dar a Dios un culto exterior, visible, público, por su bondad para con todos nosotros (Santo Tomás) (2176).

LA MISA DEL DOMINGO: La participación en la Sagrada Eucaristía el domingo tiene una gran importancia (2177). El domingo y los demás días de fiesta de guardar, los fieles tienen obligación de participar en la Santa Misa. Los otros días de fiesta son: 1° de enero, 8 de diciembre y Navidad. Vale para la misa del domingo el asistir a la Misa el sábado por la tarde (2180). Pero si podemos ir a misa el propio domingo es muchísimo mejor porque es el día santo de Dios y sería una lástima que la pasáramos sin ningún acto de culto divino con el pretexto de que ya fuimos el sábado.

OBLIGACIÓN GRAVE: Los fieles están obligados a participar en la Eucaristía los domingos, a no ser que estén excusados por una razón seria (por ej. enfermedad o tener que cuidar niños y que no haya nadie más que le pueda reemplazar, etc.). Los que deliberadamente faltan a la Misa los domingos **cometen pecado grave** (2181).

PARALITURGIAS: Donde no hay sacerdote que celebre, se recomienda vivamente que los fieles asistan a la Liturgia de la palabra en el templo o en otro sitio apropiado para reuniones religiosas, o que permanezcan en oración durante algún tiempo conveniente, solos o en familia o en grupos de familias (2183).

VENTAJAS DEL DESCANSO: El descansar el día del Señor trae la ventaja de poder disfrutar del tiempo de descanso y de la alegría suficiente para cultivar la vida familiar, cultural y religiosa (2184).

Hay que abstenerse los domingos de trabajos o actividades que impidan el culto a Dios, o la alegría propia del día del Señor, las obras de misericordia, o el descanso necesario para el cuerpo o el espíritu. Las graves necesidades de la familia o una gran utilidad social pueden permitir trabajar a veces ese día, pero hay que tener cuidado para que esas excusas no lleven a la costumbre tan dañosa de no descansar, de no dedicar el tiempo debido a la familia, a la religión y a la salud (2185).

OBRAS PARA HACER EL DOMINGO

Los creyentes que disponen del día de descanso deben acordarse de los que pasan por graves necesidades a causa de la pobreza. La tradición de los católicos ha sido la de dedicar el domingo a obras buenas, a servicios humildes para con los enfermos, débiles y ancianos. Es muy bueno también dedicarle el domingo a la familia y a los cuidados que los otros días de la semana no se le han podido dedicar. El domingo es un tiempo muy propio para la reflexión, el silencio, aumentar la cultura y hacer meditación. Todo esto favorece el crecimiento de la vida interior y espiritual (2186).

PELIGROS PARA LOS DOMINGOS: Cada cual debe evitar exigir a otros lo que les impida santificar el día del Señor. Aunque haya que trabajar en deportes, restaurantes, servicios públicos, etc., cada persona tiene la responsabilidad de dedicar tiempo suficiente al descanso. Traten todos de evitar los excesos y violencias en los espectáculos y deportes multitudinarios. Los patronos y los gobiernos tienen la obligación de dejar a sus empleados el tiempo necesario para el descanso y el culto divino (2187).

Y con ellos regresó a Nazaret. Hasta la edad de treinta años, Jesús, nuestro Redentor, vivió y trabajó como el hijo del carpintero, aprendiendo el oficio de José y creciendo en sabiduría.

LOS MANDAMIENTOS EN FAVOR DEL PRÓJIMO

218) ¿Por qué es tan importante amar al prójimo?

R. Es muy importante amar al prójimo porque Jesucristo dijo: "El segundo mandamiento en importancia es amar al prójimo como uno se ama a sí mismo. Y en esto se conocerá que sois mis discípulos si os amáis unos a otros".

San Juan repetía: *"Si alguno dice que ama a Dios pero no ama a sus prójimos es un mentiroso; quien ama a Dios debe amar también a sus prójimos (1Juan 4, 20), y Jesús al despedirse en la última cena nos dijo a todos: "Un mandamiento nuevo os doy, que os améis unos a otros como Yo os he amado a vosotros" (S. Juan 15,12).*

219) ¿En qué se conoce el verdadero amor cristiano hacia el prójimo?

R. El verdadero amor cristiano hacia el prójimo se conoce en cinco cosas: en que perdona a los que lo han ofendido; en que reza por los que lo tratan mal; en que piensa que todo lo que hace a los demás lo recibe Jesucristo como hecho a Él mismo; en que se preocupa no sólo del bien material de los otros sino sobre todo de la salvación de sus almas; y en que está dispuesto a hacer sacrificios por los demás como Jesucristo, que se sacrificó totalmente a sí mismo con tal de salvarnos.

Hay unas frases de Jesús que nos aprovechan mucho recordar. Son: "Si perdonáis a los que os han ofendido, también el Padre Celestial os perdonará vuestros pecados; pero si no perdonáis a los demás sus ofensas, tampoco el Padre Celestial os perdonará vuestras culpas" (Mt 6, 14-15). "Rezad por los que os tratan mal, para que seáis buenos hijos del Padre Celestial que sabe tratar bien aun a los hijos ingratos" (Mt 5, 45). El día del Juicio Final el Hijo de Dios dirá a los que trataron bien e hicieron favores. "Todo el bien que habéis hecho a los demás, aun a los más humildes, a mí me lo habéis hecho" (Mt 25, 40).

NO	TODO LO QUE	PORQUE EL QUE	TODO LO QUE	MUCHAS VECES	LO QUE NO
Digas	Sabes	Dice	Sabe	Dice	Conviene
Hagas	Puedes	Hace	Puede	Hace	Debe
Creas	Oyes	Cree	Oye	Cree	Puede ser
Juzgues	Ves	Juzga	Ve	Juzga	Puede
Gastes	Tienes	Gasta	Tiene	Gasta	Es

EL CUARTO MANDAMIENTO

220) ¿Qué manda el cuarto mandamiento?

R. El cuarto mandamiento manda: "Honra a tu padre y a tu madre, y serás feliz"; san Pablo dice: "El mandamiento que va acompañado de una promesa es éste: Dios al mandar "Honra a tu padre y a tu madre", prometió: Si lo haces serás feliz" (Éxodo 20, 12; Efesios 6, 2).

221) ¿Por qué debemos honrar a nuestro padres?

R. Debemos honrar a nuestros padres porque ellos representan a Dios; ellos nos trajeron a la vida y se han sacrificado mucho por nosotros, y nos han hecho innumerables favores. Debemos honrarlos también porque Dios ha prometido grandes premios para quienes traten bien a sus padres.

Dijo Jesús: "Ay de aquel que dé escándalo o mal ejemplo a los niños: más le valiera que le colgaran una piedra grande al cuello y lo echaran al fondo del mar" (S. Marcos 9, 42).

Dice así la S. Biblia: "*Quien honre a su padre obtiene que se le perdonen muchos pecados; el que honra a la madre es como el que atesora. Los que honran a sus padres serán honrados por sus hijos, y cuando recen serán escuchados por Dios" (Eclesiástico 3, 3-5).*

222) ¿Cómo se conoce que una persona sí honra a sus padres?

R. Se conoce que una persona sí honra a sus padres en cinco cosas: 1° en que les obedece prontamente en todo lo bueno que ellos le mandan; 2° en que los ama y les demuestra frecuentemente su cariño; 3° en que les demuestra gran respeto y aprecio; 4° en que los ayuda con sus trabajos, y con su dinero cuando le es posible o lo necesitan; 5° en que si han muerto reza por ellos frecuentemente a Dios.

El Libro Santo dice: "*Quien es obediente obtendrá victorias". "Hijos: obedeced a vuestros padres porque esto es muy agradable al Señor (Col 3, 20). "A quien vive irrespetando a sus padres que los cuervos le saquen los ojos" (Proverbios 3) "No desprecies a tu padre porque se ha vuelto anciano y caprichoso. Porque Dios tendrá en cuenta los favores que haces a tu padre, y si lo tratas bien, Dios te ayudará a ti en el día de la tribulación" (Eclesiástico 3, 13-15).*

223) ¿Quiénes pecan contra el cuarto mandamiento?

R. Pecan contra el cuarto mandamiento los hijos que desobedecen gravemente a sus padres; los que los desprecian o no les demuestran amor; los que los insultan o los tratan con palabras irrespetuosas o los hacen sufrir; los que no los ayudan cuando están necesitados, y los dejan abandonados o se avergüenzan de ellos.

HASTA AQUÍ ARRASTRÉ YO A MI PADRE: Un hombre, lleno de cólera, agarró a su anciano padre de los pies y lo fue bajando arrastrándolo por las escaleras de un edificio. El viejito no lloraba. Pero al llegar al tercer piso se agarró de las barandas de la escalera y empezó a llorar y a gritar: "¡No más, hijo mío! Hasta aquí arrastré yo también a mi padre". Es la ley de la vida. El profeta dijo: "Como cada uno trate a los demás, así será tratado él". Hijo eres, padre serás, lo que hicieres te lo harán.

224) ¿A quiénes otros manda honrar el cuarto mandamiento?

R. El cuarto mandamiento manda honrar a los superiores en edad, dignidad y gobierno.

San Pedro enseña: "*Obedeced a las autoridades: a la autoridad principal de la nación y a las autoridades del sitio donde cada uno vive. Tal es la voluntad de Dios" (1Pedro 2, 13-14).*

225) ¿Quiénes son los superiores en edad, dignidad y gobierno?

R. Superiores en edad son los que tienen más años que nosotros. Superiores en gobierno son los que ocupan puestos de autoridad. Y superiores en dignidad son los que por su sabiduría, santidad o buena conducta merecen especial aprecio.

San Pablo dice: "*A los ancianos respétalos como si fueran tu propio padre" (1 Timoteo 5, 1). "Hay que respetar a los superiores porque no hay autoridad que no venga de Dios, y quien se opone a la autoridad, se opone a la disposición de Dios y esto le traerá castigos" (Romanos 13, 1).*

226) ¿A qué superiores hay que respetar más especialmente?

R. A los superiores que más especialmente debemos respetar es a los superiores eclesiásticos, o sea al Papa, a los obispos y sacerdotes, porque Jesucristo les dijo: "El que a vosotros oye, a mí me oye, y el que a vosotros os desprecia, a mí me desprecia".

227) ¿Cuáles son las obligaciones de los padres para con los hijos?

R. Las obligaciones de los padres para con los hijos son: criarlos, mantenerlos (hasta los 18 años), hacer que aprendan la religión, esmerarse porque se instruyan lo mejor posible en escuela o colegio; corregirlos, vigilar para que se porten bien y no tengan malas amistades ni malas lecturas y no adquieran malas costumbres; darles buen ejemplo, comprenderlos y ser siempre para ellos unos verdaderos amigos que les inspiren confianza.

Dijo el Apóstol: *"Si alguien no cuida de su familia es infiel a su fe, y es peor que uno que no tenga religión" (1 Timoteo 5, 8).*

228) ¿Qué es lo primero y principal que deben hacer los padres para educar bien a sus hijos?

R. Lo primero y principal que deben hacer los padres para educar bien a sus hijos, es hacer que aprendan muy bien la doctrina cristiana y que traten de vivir de acuerdo a las enseñanzas de la religión.

Cuando Moisés se iba a morir les dejó este recuerdo a los padres de familia: "Es necesario tener grabadas en el alma las enseñanzas de la religión, y enseñarlas a los hijos: Recordárselas cuando están en casa y cuando estén por fuera; recordárselas por la mañana y por la tarde" (Deuteronomio 6, 6-7).

Por eso el Papa Juan Pablo II insiste a los padres de familia y a los sacerdotes que le den mucha importancia a que los jóvenes asistan a la preparación para la Comunión, la Confirmación y que los mayores hagan el curso de preparación para el Matrimonio y el curso para padrinos de Bautismo. Esto hace un gran bien a todos.

229) ¿Cuáles son las obligaciones de los patronos para con los empleados?

R. Las principales obligaciones de los patronos para con los empleados son: pagarles el salario justo y las prestaciones sociales; tratarlos con respeto y cariño; darles oportunidad para poder practicar su religión católica; corregirlos cuando hablan indebidamente o se portan mal; darles buen ejemplo y proporcionarles diversiones sanas.

La S. Biblia recomienda: "Tratad con amabilidad a vuestros súbditos y no con amenazas" (Efesios 6, 9). "Cada obrero tiene derecho a su salario" (Lucas 3, 7ss). "¡Ay de los que aprovechan y estafan al obrero y al pobre!" (Amós 8, 6). "El salario no pagado clama venganza al cielo" (Santiago 5, 4).

230) ¿Cuáles son las obligaciones de los emplados respecto a sus jefes?

R. Las principales obligaciones de los empleados respecto a sus jefes son: obedecerles en todo lo bueno que ellos manden; respetarlos; cumplir los contratos hechos; hacer con esmero el trabajo que a cada uno le obliga hacer; hablar bien de ellos, evitando la murmuración; no causarles perjuicios.

La S. Biblia enseña: *"Que vuestra obediencia sea pronta y alegre, para que los superiores puedan cumplir agradablemente sus tareas, y no entre suspiros y lágrimas. Dios ama al que da con alegría" (Heb 13, 17).*

Los obreros tienen el derecho a formar sindicatos y en caso de que sus justas peticiones no sean aceptadas tienen derecho a la huelga. Pero siempre evitando la violencia y todo lo que vaya contra el respeto o contra la caridad hacia los demás.

Lectura

EL CUARTO MANDAMIENTO

(Del Catecismo de la Iglesia Católica, números 2197 ss)

El cuarto mandamiento encabeza la segunda Tabla de la Ley, la que está dedicada al amor del prójimo. Indica el orden que debemos seguir en la caridad. Dios quiere que después de Él, a los que más honremos sea a nuestros padres, a quienes debemos la vida y que nos han transmitido el conocimiento de Dios. Todos estamos obligados a honrar y respetar a estas personas a las cuales Dios ha investido de autoridad, para nuestro bien (2197).

El cuarto mandamiento se dirige expresamente a los hijos en sus relaciones con sus padres, pero trata también de los deberes que tenemos para con los demás familiares. Exige que se les dé honor, afecto y reconocimiento a los abuelos y a otros parientes. Se refiere también a los deberes que tienen los alumnos para con sus educadores, los empleados hacia sus patronos y los ciudadanos para con su patria y para con los que gobiernan (2199).

Este mandamiento recuerda además los deberes que tienen los papás, los gobernantes, los maestros y los jefes de empleados y todos los que ejercen alguna autoridad (2199).

Resultados. El cumplimiento del cuarto mandamiento trae frutos espirituales, bienes materiales, paz y prosperidad. Pero el no cumplir tal mandamiento trae grandes daños para las personas y las comunidades (2200).

LA FAMILIA: Cada miembro de la familia tiene una gran dignidad, que merece todo respeto (2203). Cada familia debe ser evangelizadora y misionera, y ojalá en cada hogar haya oración diaria y lectura de la Palabra de Dios (2205).

Es en la familia donde los niños deben empezar a aprender cada uno los valores morales, y a honrar a Dios y a emplear bien la libertad. Una buena vida de familia es una útil iniciación para la vida de sociedad (2207).

En cada familia se debe aprender a tener un gran respeto por los mayores y los menores, por los enfermos, y los disminuidos y los pobres. El Apóstol Santiago decía: **"La verdadera religión es esto: visitar a los huérfanos y a las viudas necesitadas, y mantenerse sin mancharse con las maldades del mundo"** (Santiago 1, 27) (2208).

Las familias tienen derecho al subsidio familiar y a las atenciones médicas y a la asistencia a los ancianos (2211).

BUEN TRATO CON TODOS: En los hermanos debemos ver a los hijos de nuestros propios padres. En los primos hay que ver a los descendientes de nuestros abuelos; en los ciudadanos ver a los hijos de nuestra patria; en los bautizados ver a los hijos de nuestra Madre Iglesia; en toda persona ver a un hijo o una hija de nuestro Padre Dios. El prójimo no es un "individuo" sin valor especial, sino "alguien" que por ser "próximo" a nosotros merece que le brindemos respeto y atención muy especial (2212).

DEBERES DE LOS HIJOS: Lo primero, la gratitud para con sus padres. La S. Biblia dice: "No olvides lo que tu madre ha sufrido por ti. "¿Cómo podrás pagar a tus padres lo que han hecho por ti?" (Ecl 7, 27) (2216).

ACEPTAR SUS CORRECCIONES. "El libro de los Proverbios repite varias veces: "El hijo que acepta ser corregido y que lo instruyan, triunfará. Pero el que no acepta la corrección ni la instrucción, fracasará" (Prov 13, 1).

OBEDIENCIA. Mientras el hijo viva en el domicilio de sus padres debe obedecer lo que éstos dispongan para su bien o el de su familia (2217).

Los niños deben obedecer las prescripciones razonables de sus educadores y de todos aquellos a quienes sus padres los han confiado. Pero si el niño está persuadido en conciencia de que una orden es moralmente mala, no debe seguirla (2217).

CUANDO LOS HIJOS CRECEN. Cuando se hacen mayores, los hijos deben seguir respetando a sus padres; pedir sus consejos, dar gusto a sus buenos deseos y aceptar sus correcciones. La obediencia a los padres termina cuando los hijos a su debida edad se independizan, pero el respeto y el cariño hacia ellos debe permanecer para siempre (2217).

EN LA VEJEZ: En los años de la vejez y en las enfermedades los padres deben ser ayudados por sus hijos. "Hijo: debes cuidar a tu padre en su vejez, y aunque su mente se le debilite no por eso debes despreciarlo. El que abandona a su padre recibirá males (Ecl 3, 12) (2218).

ENTRE HERMANOS. En las relaciones de amistad entre hermanos hay que cumplir aquello que recomienda san Pablo: "Sopórtense unos o otros con caridad, con humildad, con amabilidad y paciencia" (Efesios 4, 2).

CON LOS QUE NOS LLEVARON A LA FE. Cada creyente debe sentir especial gratitud hacia aquellas personas que le llevqron a la fe, al bautismo y a pertenecer a la Iglesia Católica: los abuelos, los papás, los sacerdotes, catequistas y amigos (2220).

BUEN EJEMPLO: Los padres de familia tienen una grave responsabilidad: dar buen ejemplo a sus hijos especialmente en cuanto al cumplimiento de sus deberes como cristianos (2223).

ENSEÑAR EL CATECISMO: La primera catequesis o enseñanza del catecismo al niño debe ser en su hogar. Los padres tienen la misión de llevar a sus hijos a ser buenos hijos de Dios (2226).

LAS AUTORIDADES. El cuarto mandamiento ordena honrar a los que han recibido de Dios una autoridad en la sociedad. Hay que mirar a las autoridades como representantes de Dios (Romanos 13, 1). Pero existe el derecho a ejercer una justa crítica de la que parece perjudicial para el bien de las personas (2238).

San Pablo nos recomienda ofrecer oraciones por todos los que ejercen la autoridad, "para que podamos vivir una vida llena de paz y de dignidad" (1 Tim 2, 2) (2240).

El ciudadano tiene obligación de conciencia de no aceptar lo que manden las autoridades civiles cuando ordenan algo que va contra la ley moral o las enseñanzas del Evangelio: Hay que "dar al César lo que es del César y a Dios lo que es de Dios" (Mt 22, 21) (2242).

QUINTO MANDAMIENTO DE LA LEY DE DIOS

231) ¿Qué prohíbe Dios en el quinto mandamiento?

R. En el quinto mandamiento Dios prohíbe hacer daño a la propia vida o a la de los demás, desear que a otros les vaya mal, y decir o hacer cosas que ofendan al prójimo.

En la S. Biblia Dios dice: *"Quien derrame sangre de un ser humano recibirá fuerte castigo y Yo mismo reclamaré esa sangre porque la persona humana ha sido creada a imagen y semejanza de Dios" (Génesis 9, 6). "No ofendas a nadie ni en mucho ni en poco" (Eclesiástico). Y cuando Caín mató a Abel el Señor le dijo: "La sangre de tu hermano clama venganza al cielo" (Génesis 4, 10).*

232) ¿Cuáles son los pecados principales contra el quinto mandamiento?

R. Los pecados principales contra el quinto mandamiento

son: el homicidio, el suicidio, el aborto, el duelo, las heridas, los golpes culpables, las peleas e insultos, el odio, la ira, los deseos de venganza, la embriaguez, las drogas alucinógenas, el fumar demasiado, el descuidar la salud, el maldecir a otros y el escándalo o mal ejemplo.

Homicidio: *Es quitarle la vida a otro. El homicida culpable tendrá el castigo que tuvo Caín: vivir angustiado por los remordimientos.*

Suicidio: *Es quitarse la vida a sí mismo. Es lo que hizo Judas. El error está en creer que con eso se le acaban las penas; y con eso lo que empieza es un castigo en la eternidad. La vida es de Dios y sólo Él puede quitarla. Nadie más.*

Aborto: *Es matar al niño antes de nacer. Quien comete aborto o ayuda a cometerlo queda "excomulgado", o sea fuera de la Iglesia Católica. La madre que aborta seguirá por toda la vida con la angustia y el remordimiento de haber matado un hijo que habría podido llegar a ser un gran personaje o un gran santo. El niño a las 10 semanas de estar en el vientre de la madre (se llama feto) ya se rasca la cabeza, se chupa los dedos, duerme a horas fijas, se alegra si oye cierta música agradable, respira y tiene palpitaciones en su corazón, etc. Por lo tanto es una persona. Matarlo con remedios o con aparatos para el aborto es asesinar una persona humana y esto trae castigo de Dios. El Señor dijo: "A quien cometa crímenes le haré beber hasta la última gota la copa de las amarguras" (Salmo 74). No es verdad que no seremos capaces de criar a ese hijo porque somos pobres. Si Dios da el hijo dará también con qué criarlo, si trabajamos y somos juiciosos. A Dios no le han robado la cartera ni gira cheques "chimbos" a quienes en Él confían.*

Duelo: Es desafiar a pelear con armas. El buen cristiano no acepta pelear con nadie.

La embriaguez: *Acaba mucho con la salud del cuerpo y quita el uso de la razón, mientras uno está borracho no tiene vida intelectual, y obra como una bestia. La embriaguez trae muchas desgracias a las familias. La S. Biblia dice: "Los borrachos no poseerán el reino de Dios" (Gálatas 5, 2ss).*

El fumar*: Hace mucho daño a la garganta y a los pulmones. Por cada cigarrillo que fumamos acortamos siete minutos nuestra vida.*

Las drogas: *Se llaman alucinógenos porque hacen a uno imaginar cosas que no existen, (alucinación es imaginarse lo que no es ni existe). Las drogas forman costumbre y esclavizan a quien las usa. Hacen tristes y agresivas a las personas, y degeneran espantosamente, llevando a cometer muchas maldades.*

233) ¿Qué es el escándalo?

R. Escándalo es hacer o decir algo malo que da ocasión a otros para caer en pecados.

Jesús dijo algo tremendo contra los que dan escándalo: "Ay del que escandalice a uno de estos pequeños que creen en mí: mejor fuera que le colgaran una gran piedra al cuello y lo echaran al fondo del mar" (Marcos 9, 42). "Si algo que te es tan apreciado como un ojo o una mano te hace dar escándalo, córtalo y échalo lejos, porque es mejor entrar tuerto o manco al cielo, que con los dos ojos y las dos manos irse al infierno" (S. Mateo 18, 8).

Dar escándalo: *Es usar un vocabulario grosero delante de personas inocentes. Echar chistes de doble sentido, enseñar a robar o a cometer pecados graves. Prestar o regalar libros malos o postales pornográficas, invitar a películas malas. Enseñar a otros, por medio de mal ejemplo, los vicios o malas costumbres. Demostrar en público que no se tiene fe, que se desprecia la religión, y hacer que otros desprecien también lo que enseña la fe.*

Lectura

EL QUINTO MANDAMIENTO

(Del Catecismo de la Iglesia Católica, números 2258 ss)

La vida humana es sagrada. Sólo Dios es Señor y Dueño de la vida. Nadie, por ninguna circunstancia, puede atribuirse el derecho de matar de manera directa al ser humano inocente (2258).

La sangre de Abel. La Sagrada Escritura al narrar el asesinato de Abel, dice que Dios le dijo al homicida Caín: "La sangre de tu hermano clama a mí desde el suelo. Maldito serás desde ahora" (Génesis 4, 10ss) (2259).

EL ABORTO: **Hay que cuidar la vida desde que empieza a existir.** El Concilio Vaticano II (reunión de todos los obispos del mundo) declaró: "Se ha de proteger la vida con el máximo cuidado, desde que empieza a existir en el momento de la concepción. El aborto y el infanticidio **son**

crímenes abominables" (2271). Los que colaboran con un aborto cometen una falta grave. Quien procura un aborto **incurre en excomunión** (no puede recibir sacramentos mientras no le quiten esa excomunión). La Iglesia al declarar que la persona que comete un aborto queda excomulgada, lo que hace es manifestar la gravedad del crimen cometido y el daño irreparable que se la hace a ese inocente a quien se le da muerte (2272).

Debe ser tratado como persona todo ser humano desde que empieza a existir en el vientre de la madre y protegerlo y proporcionarle el máximo respeto (2274).

LA LEGÍTIMA DEFENSA. La acción de defenderse puede tener dos efectos: uno, conservar la propia vida; el otro, la muerte del agresor. Solamente hay que buscar el primero aunque después llegue el segundo (2263). No es obligación dejar de defenderse cuando hay peligro de la muerte del ofensor, pues es mayor la obligación que se tiene de defender la propia vida que la del otro (Santo Tomás) (2264).

La legítima defensa puede ser no sólo un derecho sino una obligación grave para el que es responsable de la vida de otro o del bien común o de la sociedad (2265).

LA PENA DE MUERTE. La preservación del bien común de la sociedad exige colocar al agresor en estado de no poder causar perjuicio. Por eso la legítima autoridad puede aplicar penas proporcionadas a la gravedad del delito, sin exceptuar la pena de muerte. Y las autoridades pueden rechazar por medio de las armas a los agresores de la sociedad (2266).

LA GRAVEDAD DEL ASESINATO: El homicidio voluntario sin grave causa es un pecado que clama venganza al cielo. Y el infanticidio (matar a los niños), el parricidio, son crímenes gravísimos (2268).

EL SUICIDIO. Cada cual es responsable de su vida delante de Dios. Somos administradores y no propietarios de la vida que Dios nos ha confiado. No disponemos de ella (2280).

El suicidio es contrario al amor de Dios (2281).

Atenuantes. Si la persona que se suicida tiene trastornos psíquicos graves, angustias o temores graves de muchos sufrimientos o de torturas, queda disminuida su responsabilidad (2282).

No desesperar de su salvación. Dios puede facilitarle por caminos que Él sólo conoce, la ocasión de un arrepentimiento que los haya salvado. La Iglesia ora por las personas que se han quitado la vida (2283).

EL ESCÁNDALO: Es un comportamiento que induce a otros a hacer el mal. Es un pecado grave si hace que otros cometan una falta grave (2284).

Gravedad del escándalo: El escándalo adquiere mayor gravedad si quien la da tiene especial autoridad o el que lo recibe es muy débil. Es mucho más grave si los que lo dan están obligados a enseñar y a educar a otros. Jesús los llama "lobos disfrazados de corderos" (Mateo 7, 15) (2285) .

Exceso de velocidad: Cometen falta quienes por embriaguez o por amor exagerado a la velocidad ponen en peligro su propia vida o la de los demás en los viajes (2290).

LA DROGA. El uso de las drogas alucinógenas produce daños muy graves a la salud humana. Y los que las producen o distribuyen están contribuyendo y colaborando a esta práctica contraria a la moral (2291).

LOS SECUESTROS y el tomar rehenes hacen que impere el terror y ejercen intolerables presiones sobre las víctimas. Son moralmente ilegítimos. El terrorismo es contrario a la justicia y a la caridad. La tortura es contraria a la dignidad de la persona (2297). El odio y la cólera van contra el quinto mandamiento (2302-03).

EL SEXTO MANDAMIENTO DE LA LEY DE DIOS

234) ¿Qué prohíbe el sexto mandamiento?

R. El sexto mandamiento prohíbe hacer actos impuros, consentir malos pensamientos o malos deseos, mirar malas figuras y tener malas conversaciones.

Dice Jesús: *"Quien mira a una mujer con malos deseos, ya comete pecado en su corazón" (Mateo 5, 27) y san Pablo recomienda: "Huid de todo pecado de impureza" (1Co 6, 18). "Que la impureza o fornicación ni siquiera se nombre entre vosotros" (Efesios 5, 3). "Los impuros no heredarán el Reino de Dios" (Gálatas 5, 21). Las malas conversaciones corrompen las buenas costumbres" (1Co 15, 33).*

235) ¿Cuáles son los principales pecados contra el sexto mandamiento?

R. Los principales pecados contra el sexto mandamiento son: la fornicación, el adulterio, la masturbación, la homosexualidad, leer libros malos, mirar revistas y películas pornográficas, oír o decir con gusto chistes de doble sentido, y cantar o escuchar con gusto canciones inmorales.

Fornicación: Es cometer pecados de impureza; una persona soltera con otra persona también soltera.

Adulterio: *Es hacer actos de sexualidad una persona casada con otra persona que no sea su cónyuge. Este pecado es tan grave que la Biblia mandaba en la antigüedad matar a las personas que cometían pecado de adulterio (Levítico 20, 10).*

Masturbación: *Es manipular los órganos sexuales. No todas las veces es pecado grave pero tiene el gran peligro de que se va convirtiendo en costumbre, y cuando uno se acostumbra a hacerlo, ya será muy difícil quitarse esa mala costumbre. Los que se masturban viven casi siempre tristes y desanimados y pierden muchas energías que le iban a servir después para triunfar en la vida. Para evitar la masturbación, hay que hacer bastante ejercicio físico, leer libros buenos y agradables, y pedir a la Virgen María la virtud de la pureza.*

Homosexualidad: *Es cometer pecados de impureza con personas del mismo sexo. La S. Biblia dice: "Este pecado es* *un acto infame, una grave abominación y merece terrible castigo" (Levítico 20, 13).*

Leer libros o mirar revistas y películas pornográficas, *le hace un gran mal al alma porque llena el cerebro de malos pensamientos y malas imágenes y esto aumenta muchísimo las pasiones sensuales. Quien se dedica a leer o escuchar novelas se llena de melancolía y de vanas ilusiones, porque las novelas presentan la vida y las personas de una manera exagerada, insistiendo más en el mal que en el bien.*

En canciones debemos purificar nuestros gustos. Si sólo nos agradan las canciones arrabalescas con letras que más son "letrinas" que buenas letras, eso es señal de que no tenemos mucha cultura ni buen gusto. Debemos ir acostumbrándonos a la música clásica, estilizada, sin letra. Esta música trae paz y descanso, eleva el espíritu y lo hace más feliz.

En las ciudades hay muchos hombres corrompidos que con dulces, revistas y regalitos se ganan la amistad de los jovencitos de 11 a 14 años y después los corrompen y los hacen ofender gravemente a Dios con pecados de impureza. Esto deja una tristeza grande para toda la vida en esas almas que antes eran inocentes. Por eso los jovencitos deben tener gran cuidado y no trabar amistad con quienes tienen esas malas inclinaciones. Cuando se dan cuenta de que alguien es un corrompido, deben huir de él y no aceptarle jamás ni siquiera el saludo ni el más pequeño regalo. Y ojalá se atrevieran a denunciarlo ante los familiares o superiores. Así les evitarían un gran mal a otros jóvenes.

236) ¿Qué debemos hacer para practicar la virtud de la pureza?

R. Para practicar la virtud de la pureza debemos evitar las ocasiones peligrosas; asistir a la Santa Misa y confesarnos y comulgar con frecuencia; ser devotos de la Santísima Virgen; evitar toda lectura sensual y en cambio leer libros santos e interesantes; pensar en el juicio de Dios que nos espera; hacer de vez en cuando un sacrificio y pedir a Dios muchas veces la pureza con pequeñas pero fervorosas oraciones.

Jesús repetía: *"Ciertos demonios no se alejan sino con la oración y el sacrificio" (S. Marcos 9, 29). Y la S. Biblia enseña: "Quien se expone al peligro, en él perece" (Proverbios).*

San Juan Bosco obtuvo que millares de jóvenes se conservaran puros como ángeles con estos cuatro remedios: 1º Confesarse una vez por mes y comulgar cada semana; 2º Tener una gran devoción a Jesús Sacramentado y a la Santísima Virgen. Esta devoción se manifiesta con visitas al templo y diciendo durante el día pequeñas oraciones jaculatorias como "María Auxiliadora, rogad por nosotros", etc; 3º Acostumbrarse a hacer cada día algún pequeño sacrificio y a leer cada semana algunas páginas de un buen libro y evitando como lo más peligroso, las lecturas sensuales y pornográficas; 4º Huyendo como del más terrible enfermo contagioso de todo el que diga malas conversaciones o demuestre de alguna manera que es amigo de impurezas. Con ese, ni el saludo.

Si una fruta buena se echa en una vasija en la que hay otra fruta podrida, la fruta dañada corrompe la fruta buena.

Así, cuando un joven se hace amigo de alguien que es impuro en conversaciones o en actos, pronto se volverá también corrompido. Nada hay más peligroso y desastroso en el mundo que una mala amistad.

Lectura

EL SEXTO MANDAMIENTO

(Del Catecismo de la Iglesia Católica, números 2331 y ss)

La castidad exige aprender a dominarse a sí mismo. El ser humano logra su verdadera dignidad cuando se libra de la esclavitud de las pasiones (2339).

Larga lucha. Dominarse a sí mismo es una lucha que dura toda la vida. Nunca se conseguirá adquirir de una vez para siempre en esta tierra. Exige un esfuerzo repetido en todas las edades de la vida. Y este esfuerzo es necesario que sea más intenso en ciertas épocas en las que se está formando la personalidad, como son la adolescencia y la juventud (2342).

La pureza es un regalo. La castidad es una virtud, un fruto del trabajo espiritual, pero es también un regalo, un don o carisma de Dios, que el Espíritu Santo puede conceder. "Fruto del Espíritu es el dominio de sí mismo" (Gálatas 5, 22) (2345). Es un don que hay que pedir frecuentemente. Deben los novios reservar para el tiempo del matrimonio las manifestaciones de ternura propias del amor conyugal y ayudarse mutuamente a crecer en castidad (2350).

OFENSAS CONTRA LA CASTIDAD

La lujuria: Es un deseo o un goce desordenados del placer venéreo (2351).

La masturbación: Es la excitación voluntaria de los órganos genitales con el fin de obtener un placer. Es un acto gravemente desordenado. Disminuye la culpabilidad el tener inmadurez afectiva, o el haber contraído un hábito o mala costumbre, o encontrarse en el estado de angustia (2352) .

La fornicación: Es la unión carnal entre un hombre y una mujer fuera del matrimonio. Es gravemente contraria a la dignidad humana. Y si hay de por medio corrupción de menores es un escándalo grave (2353).

La pornografía: Consiste en dar a conocer actos sexuales, exhibiéndolos ante terceras personas de manera deliberada. Atenta y ataca gravemente la dignidad de quienes se dedican a ella. Es una falta grave. Las autoridades civiles deben prohibir la distribución de material pornográfico (2354) .

La prostitución: Va contra la dignidad de la persona. Las personas que practican la prostitución quedan reducidas al placer venéreo, pecan gravemente contra sí mismas, quebrantan la castidad y manchan su cuerpo que es templo del Espíritu Santo. "El cuerpo es templo del Espíritu Santo y sería una profanación darlo a una prostituta" (1 Corintios 6,15-19) (2355).

La violación: Es obligar por la fuerza a la intimidad carnal. Va contra la justicia y la caridad. Produce un daño grave que puede marcar a la víctima por toda la vida. Es siempre un acto intrínsecamente malo. Y mucho más grave es la violación si es por parte del papá (ese pecado se llama incesto) o por parte de un educador, con niños que le están confiados (2356).

La homosexualidad: Son las relaciones sexuales entre hombres con hombres o mujeres con mujeres. Algunas personas experimentan una atracción muy fuerte hacia quienes pertenecen a su propio sexo. El origen psicológico de esto es todavía en gran medida inexplicable. La Sagrada Escritura dice que la homosexualidad es una depravación o maldad grave (Génesis 19; Romanos 1, 24-27; 1 Corintios 6, 10; 1Timoteo 1,10) (2357).

La Tradición de la Iglesia Católica ha declarado que los actos homosexuales son intrínsecamente desordenados de por sí. Son contrarios a la ley natural. No pueden recibir aprobación en ningún caso (2358).

Ser comprensivos; Un número apreciable de hombres y mujeres presentan tendencias homosexuales instintivas. No eligieron ser homosexuales, y esta tendencia les resulta una prueba o sufrimiento. Deben ser tratados con respeto, compasión, delicadeza. Hay que evitar con ellos toda demostración de discriminación o separación injusta. Que unan al sacrificio de Jesús en la Cruz, las dificultades que encuentran a causa de su inclinación (2358).

También las personas homosexuales están llamadas a la castidad. Si practican virtudes que les acostumbren al dominio de sí mismos, y si encuentran una amistad desinteresada y el apoyo de la oración, y de la gracia que se obtiene con los sacramentos, pueden llegar a la perfección cristiana (2359).

Los actos con los cuales los esposos se unen íntima y castamente entre sí, son honestos y dignos. Los esposos no hacen nada malo procurando el placer y la satisfacción de los actos que llevan a la generación de una nueva creatura (2362).

La regulación de la natalidad: Por razones justificadas los esposos pueden espaciar los nacimientos de sus hijos. Pero que su deseo no nazca de su egoísmo (2368).

Modos permitidos: La Iglesia permite ciertos métodos de regulación de la natalidad como el método de reducir los actos sexuales a los períodos infecundos (método de la temperatura). Estos métodos respetan el cuerpo y aumentan el afecto entre ellos (2370).

Métodos prohibidos: Es intrínsecamente mala toda acción que en el acto conyugal se proponga hacer imposible la procreación (2370).

OFENSAS CONTRA LA DIGNIDAD DEL MATRIMONIO

El adulterio: Es la relación sexual de un hombre y de una mujer no casados entre sí, de los cuales uno de los dos está ya casado con otra persona. Cristo condenó hasta el adulterio de pensamiento diciendo: "El que mira a una mujer aceptando un mal deseo, ya con eso cometió adulterio en su corazón" (S. Mateo 5, 27). El sexto y el noveno mandamiento prohíben el adulterio (2380).

El divorcio: Entre católicos el matrimonio no puede ser disuelto por ningún poder humano, ni por ninguna causa, fuera de la muerte (2382). El divorcio trae males a la familia: el cónyuge se ve abandonado; los hijos quedan traumatizados por la separación de sus padres; el divorcio es como un contagio que se propaga como una plaga social (2385).

Si uno de los cónyuges es víctima inocente en el divorcio no comete falta al producirse el divorcio (2386).

La poligamia (tener varias mujeres) no está de acuerdo con la ley moral.

El incesto, o sea la relación carnal entre familiares (padres e hijos, hermanos y hermanas, tíos y sobrinos, etc.), tampoco está de acuerdo con la ley moral. San Pablo, hablando acerca de uno que había cometido un pecado de éstos, dijo: "Que sea entregado a Satanás para destrucción" (1 Corintios 5, 5).

La unión libre: Es vivir en pareja sin casarse. El vivir en concubinato es como una burla a la dignidad del matrimonio y no tener serio sentido de la fidelidad (2390).

El vivir "en prueba" sin casarse, no es lícito (2391).

EL SÉPTIMO MANDAMIENTO

237) ¿Qué prohíbe el séptimo mandamiento?

R. El séptimo mandamiento "no hurtar", prohíbe robar, o hacer daño a los bienes ajenos.

Dios dice en el Libro Santo: *"Los ladrones no heredarán el Reino de Dios" (1 Co 6, 9). "El que antes robaba que ya no robe más, si quiere tener contento al Señor" (Efesios 4, 28).*

238) ¿Quiénes pecan contra el séptimo mandamiento?

R. Pecan contra el séptimo mandamiento los que roban los bienes ajenos; los que hacen daño a lo que pertenece a otros; los que malgastan los bienes propios o derrochan o gastan su dinero en cosas inútiles; los que hacen trampas en los negocios; los que no pagan las deudas; los que no devuelven lo prestado y los que no pagan a los obreros el salario justo.

Ejemplo de Zaqueo: *Era un hombre que no había cumplido el séptimo mandamiento. Un día oyó que Jesús venía hacia la ciudad de Jericó, y Zaqueo, que era de pequeña estatura, se subió a un árbol para poder ver al Señor. Pero Jesús se detuvo debajo del árbol y le dijo: "Baja, Zaqueo que hoy quiero almorzar en tu casa". Zaqueo era muy rico y preparó un gran almuerzo para Jesús, para todos sus amigos y para muchas personas más. Y Jesús le habló muy amable pero muy seriamente acerca del grave deber que tienen de dar limosna los que han pecado contra el séptimo mandamiento; Zaqueo entusiasmado exclamó: "Señor, hoy mismo le regalo la mitad de mis bienes a los pobres, y a todo el que le haya quitado algo le devolveré cuatro veces más de lo que le he quitado". Jesús, muy satisfecho por esto, le respondió: "Hoy ha llegado la salvación a esta, tu casa. Éste también es hijo de Abraham. El Hijo del Hombre vino a salvar a los que se habían perdido" (Lucas 19). Lo que hizo Zaqueo es lo que deben hacer todos los que han quitado algo o han hecho daño a los bienes ajenos. ¿Qué fue lo que hizo Zaqueo?*

239) ¿Qué obligación tienen los que pecan contra el séptimo mandamiento?

R. Los que pecan contra el séptimo mandamiento tienen la obligación de restituir lo que han quitado o lo que han retenido; pagar las deudas; devolver lo prestado; dar limosnas a los pobres y reparar los daños que han causado.

Dice así la S. Biblia: *"No dejarás de pagar el salario debido al obrero, porque si lo dejaras de pagar él podría apelar a Dios, y tú te cargarías con un grave pecado" (Deuteronomio 24,15). "El salario que no queréis pagar al obrero, ese salario clama contra vosotros a Dios" (Santiago 5, 4).*

EJEMPLO DEL QUE NO QUERÍA DEVOLVER

Un hombre había robado mucho y estaba moribundo. El sacerdote le dijo: "Para que Dios le perdone lo robado, tiene que pagarlo con limosnas a los pobres". El moribundo le respondió: "No puedo Padre, porque si pago lo robado dando limosnas, mi familia se queda pobre". Y el sacerdote le preguntó: "¿Qué prefiere: que su familia se quede pobre y usted salvar su alma, o irse usted al infierno y que ellos queden ricos?". Y como el enfermo no se decidía, el padre le trajo un médico que le dijo al moribundo: "Usted sanará si su esposa o uno de sus hijos coloca un dedo aquí en la llama de una vela hasta que caigan cinco gotas de grasa derretida a este vaso de agua. Solamente deben mantener el dedo por cinco minutos en la llama". El enfermo se entusiasmó y llamó a su esposa y a todos los hijos y les pidió que, por favor colocaran un dedo en la llama de la vela por cinco minutos hasta que cayeran cinco gotas de grasa derretida, para quedar él curado. Pero ninguno fue capaz de mantener el dedo en la llama ni siquiera por medio minuto. Entonces le dijo el sacerdote: "Su esposa y sus hijos no son capaces de tener un dedo en la llama de una veladora ni siquiera por un minuto para salvarle a usted la vida y usted sí se va ir al fuego del infierno por toda la eternidad, por dejarles riquezas a ellos". El enfermo comprendió y llamando a un notario dejó para repartir a los pobres, todo lo que en su vida había robado. En él se cumplió lo que dijo el profeta: "Si piensas en lo que te espera para el final de tu vida, evitarás muchos males" (Eclesiástico 7).

El que no quiere devolver lo robado, aunque se confesara con el Sumo Pontífice o con el sacerdote más santo del mundo, si no quiere devolver no queda perdonado. Esto es algo grave del robar: que para ser perdonado hay que hacer lo posible por devolver lo que se ha quitado. Si no se puede devolver a quien se le quitó, hay que regalarlo a los pobres. Tobías dijo: "La limosna borra muchos pecados".

EL SÉPTIMO MANDAMIENTO

(Del Catecismo de la Iglesia Católica, números 2402 y ss.)

Tiene el ser humano derecho a la propiedad privada. Pero debe emplearlo no como un bien para sí mismo solamente, sino como un administrador de los bienes, en favor de los demás (2403-04).

Debemos practicar la solidaridad, siguiendo el ejemplo de la gran generosidad de Cristo, que "siendo rico se hizo pobre a fin de que nosotros nos enriqueciéramos con su pobreza" (2 Corintios 8, 9).

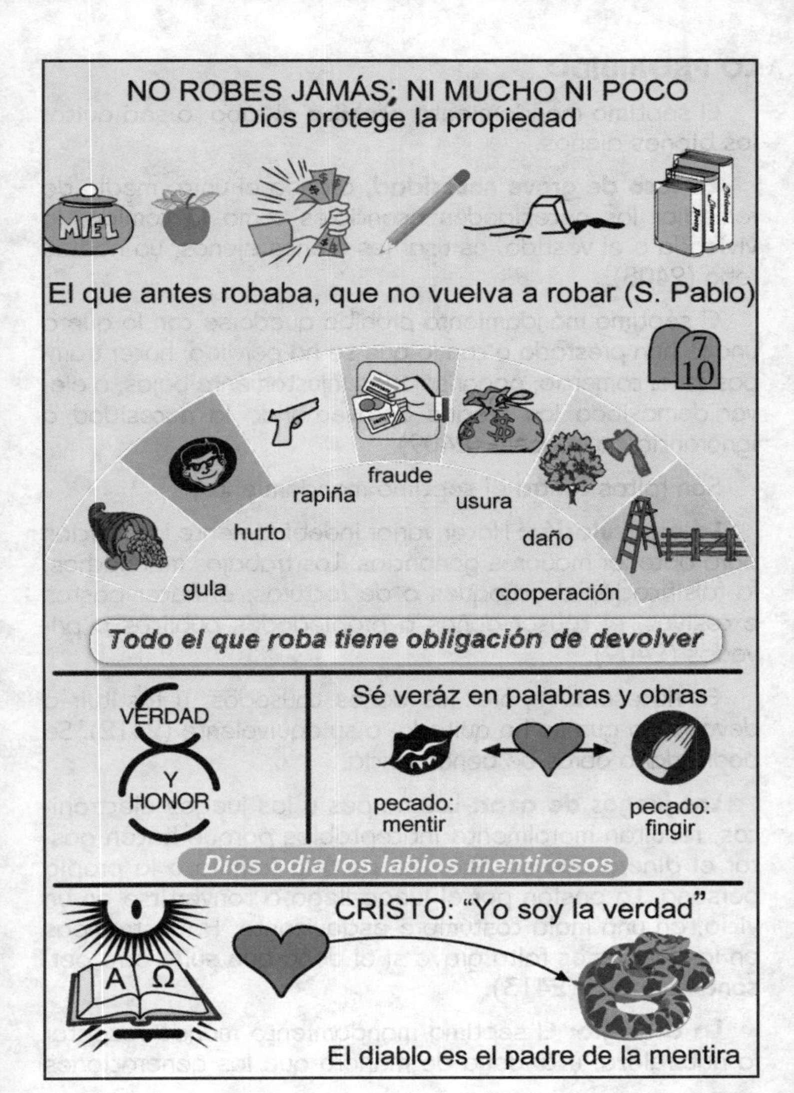
NO ROBES JAMÁS; NI MUCHO NI POCO
Dios protege la propiedad
MIEL
El que antes robaba, que no vuelva a robar (S. Pablo)
7
10
fraude
rapiña
usura
hurto
daño
gula
cooperación
Todo el que roba tiene obligación de devolver
VERDAD
Y
HONOR
Sé veráz en palabras y obras
pecado: mentir
pecado: fingir
Dios odia los labios mentirosos
CRISTO: "Yo soy la verdad"
A Ω
El diablo es el padre de la mentira

LO PROHIBIDO

El séptimo mandamiento **prohíbe** el robo, o sea quitar los bienes ajenos.

En caso de grave necesidad, cuando el único medio de remediar las necesidades esenciales como la comida, la vivienda o el vestido, es usar los bienes ajenos, ya no hay robo (2408).

El séptimo mandamiento prohíbe quedarse con lo que a uno le han prestado o con lo que se ha perdido; hacer trampas en el comercio; pagar salarios injustamente bajos, o elevar demasiado los precios aprovechando la necesidad o ignorancia de la gente (2409).

Son faltas contra el séptimo mandamiento:

La especulación: Hacer variar indebidamente los precios para obtener mayores ganancias. Los trabajos mal hechos, la falsificación de cheques o de facturas, el hacer gastos excesivos, el causar daños a propiedades públicas o privadas (2409).

Es necesario reparar los daños causados, y restituir o devolver lo que se ha quitado, o su equivalente (2412). Se podrá dar a obras de beneficencia.

Los juegos de azar: Los naipes y los juegos electrónicos, resultan moralmente inaceptables porque hacen gastar el dinero que se necesita para la familia o la propia persona. La pasión por el juego llega a convertirse en un vicio, en una mala costumbre esclavizante. Hacer trampas en los juegos es falta grave si el daño que sufre otra persona es grave (2413).

La ecología: El séptimo mandamiento manda respetar la naturaleza, y cuidarla de manera que las generaciones futuras puedan gozar de la integridad de la Creación. Hay que tener cuidado con los animales, apreciarlos, respetarlos. Recordar con qué cariño los trataba san Francisco de Asís. Es contrario a la dignidad humana hacer sufrir inútilmente a los animales. Hay que amarlos, pero cuidando de que el amor hacia ellos no disminuya ni afecte el amor que debemos tener hacia los seres humanos (2416-17-18).

La doctrina social de la Iglesia manda tratar al empleado u obrero como a un hermano (2414). Pagar el salario justo, pues el no pagarlo o dejarlo para más tarde de lo debido es una grave injusticia (2434). Reconocer que la huelga se puede hacer cuando no se aceptan otros medios para conseguir aquello a lo cual se tiene derecho (2435).

El amor a los pobres. Jesús decía: "Dale a quien te pide, y no le vuelvas la espalda a quien te pide algo prestado" (Mt 5, 42) (2443). Cuando se tiene amor desordenado a las riquezas, ya no se logra tener el amor debido a los pobres (2445). No participar a los pobres de los propios bienes es como robarles aquello a lo cual tiene derecho (2446). Es necesario que practiquemos las 14 obras de misericordia (2447).

EL OCTAVO MANDAMIENTO

240) ¿Qué prohíbe el octavo mandamiento?

R. El octavo mandamiento, "no levantar falso testimonio ni mentir", prohíbe decir mentiras e inventar cuentos contra otros.

El libro de los Salmos dice que para Dios es sumamente antipática la lengua que dice mentiras y recomienda pedir muchas veces al Señor que nos libre de llegar a ser mentirosos. Y anuncia: "Si quieres vivir en paz, aleja tu lengua de decir mentiras". Jesús decía que el diablo siempre miente y que Satanás es el padre de todos los mentirosos. Además quien miente se va desacreditando porque "la verdad había recorrido en un día el camino que la mentira había recorrido en un año" todo se sabe y la gente le pierde toda confianza a los mentirosos.

241) ¿Cuáles son los pecados principales contra el octavo mandamiento?

Los pecados principales contra el octavo mandamiento son: la mentira, el chisme, la calumnia, la murmuración, el falso testimonio, juzgar mal a los demás y contar los secretos que nos han confiado.

Mentira: *Decir lo que no es cierto.*

Chisme: *Es contar a otra persona lo malo que dicen de ella.*

Calumnia: *Es inventar contra otro lo que no ha hecho.*

Murmuración: *Es decir lo malo que otra persona ha hecho y quizás no se sabía.*

Falso testimonio: *Es declarar en contra de otro lo que no es verdad.*

Juzgar mal: *Es dedicarnos a opinar y pensar en contra de los demás.*

San Pablo decía: "¿Quién eres tú para juzgar a tu prójimo, si tú mismo haces eso que condenas en otro? ¿Quién te puso a ti de juez de los demás? Dejemos el juicio a Dios Nuestro Señor".

EL EJEMPLO DE SUSANA

Era una mujer muy santa, pero dos hombres malos declararon con falso testimonio ante el juez que ella había cometido un grave pecado. Y eso era mentira. Ya la llevaban a matar cuando apareció el profeta Daniel y llamando aparte por separado, a los dos que habían dado falso testimonio contra Susana les hizo un interrogatorio; ellos cayeron en contradicciones, y se descubrió la mentira. Entonces los dos calumniadores fueron muertos a pedradas por el pueblo enfurecido. Así permitió Dios que fueran castigados los que se atrevieron a levantar falsos testimonios contra una persona inocente (Libro de Daniel 13).

242) ¿Qué obligación tienen los que pecan contra el octavo mandamiento?

R. Los que pecan contra el octavo mandamiento tienen la obligación de hablar bien de aquellos contra los que han hablado mal, para así retribuir la honra y la buena fama que les han quitado. Y si con sus palabras le han causado algún daño deben ayudar a reparar esos daños que han causado.

Por ejemplo: si con las palabras se ha causado que una persona pierda el empleo o una amistad, hay que tratar de ayudarle a recuperar aquello que perdió. Si alguien fue a la cárcel por haber hablado en falso contra él, hay que hacer todo lo posible por ayudarle a salir de esta triste situación, etc.

EJEMPLO DE LA MUJER Y LA GALLINA

Había una mujer que se acusaba ante san Felipe Neri de que ella hablaba contra la buena fama de los demás. San Felipe le puso una penitencia: "Vaya a aquella loma donde bate mucho el viento y desplume una gallina y esparza las plumas por todos lados". Apenas ella volvió le dijo: "Ahora vaya y recoja las plumas y vuélvaselas a colocar a la gallina". La mujer se fue pero por más esfuerzos que hizo no logró encontrar ni la mitad de las plumas. El viento se las había llevado. Entonces el santo le dijo: "Así es cuando usted le quita la buena fama a otra persona, hablando contra ella. Esa buena fama ya nunca más se volverá a recuperar".

Dijo Jesús:
"DE TODA PALABARA DAÑOSA QUE DIGA UNA PERSONA, TENDRÁ QUE DAR CUENTA ANTE EL TRIBUNAL DE DIOS" (San Mateo 2, 12-36).

Ejemplo: **¿Dónde encontrar la buena fama?** *Dicen que un día se vinieron del cielo la salud, la ciencia y la buena fama. Al despedirse preguntaron: Si alguna se pierde ¿dónde la podremos encontrar? La salud dijo: Si me pierdo búsquenme en las clínicas, hospitales y consultorios médicos. La ciencia dijo: Si me pierdo, búsquenme en los libros, bibliotecas y universidades. Pero, la buena fama dijo con tristeza: "A mí, si me pierdo, no me busquen, por que la buena fama de una persona, cuando se pierde, ya es muy difícil que se vuelva a recuperar". Qué gran responsabilidad la de aquellos que con sus conversaciones les quitan a los demás lo que casi nunca se puede volver a recuperar: La buena fama. Por eso dijo Jesús: "De toda palabra dañosa tendréis que dar cuenta el día del Juicio. Por tus palabras te salvarás o por tus palabras recibirás condenación" (San Mateo 12, 36).*

OCTAVO MANDAMIENTO: NO DAR FALSO TESTIMONIO NI MENTIR

(Del Catecismo de la Iglesia Católica, números 2476 ss.)

Falso testimonio es una afirmación contraria a la verdad, que se hace públicamente ante un tribunal. Si se hace con juramento se llama perjurio. Estas falsas afirmaciones pueden llevar a condenar a un inocente y a dejar sin castigo a un culpable, o a aumentar las sanciones a un acusado (2476).

El respeto a **la buena fama** de las personas prohíbe toda afirmación que les pueda causar un daño injusto (2477).

La maledicencia consiste en manifestar y contar a otros los defectos y las faltas de otros, a personas que ignoran eso (2477).

La calumnia es decir palabras contrarias a la verdad, y que van contra la buena fama de otros, y que pueden ser causa de que los demás formen juicios falsos respecto a ellos (2477). La maledicencia y la calumnia deben evitarse porque destruyen la buena fama y el honor del prójimo (2479). Es necesario evitar **la adulación** que consiste en decir palabras que halagan a quien las oye, pero que apoyan sus malos actos o la maldad de su conducta (2480).

La vanagloria consiste en decir mentiras por orgullos para conseguir mayor estimación de los demás. **Ironía** es ridiculizar el comportamiento de otros exagerando sus defectos (2481).

Mentira es decir lo que no es verdad, con intención de engañar. **El demonio es el padre de la mentira** (san Juan 8, 44) (2482). La gravedad de la mentira depende de las intenciones de quien la dice y del daño que la mentira produce. Si el daño que produce es grave o la intención es mala, puede ser pecado mortal. Si no, es pecado venial (2484). Cuando por medio de la mentira se ha quitado la buena fama a otra persona, queda en la obligación de reparar la ofensa, declarando la verdad en favor de la persona perjudicada (2487). Nadie está obligado a revelar una verdad a quien no tiene derecho a conocerla (2489). **Los secretos profesionales,** por ejemplo, las verdades que saben los médicos, abogados, militares, etc., por razón de su profesión, o lo que saben por confidencias hechas bajo secreto, obligan a no contarlos, excepto el caso en que el no contarlos traería graves daños a terceros (2491).

La vida privada de las personas debe ser respetada y es condenable vivir publicando lo que pertenece a la vida privada de los demás (2492).

Respecto a los **medios de comunicación social:** cine, prensa, televisión, etc., es necesario tener moderación, resistir a sus influencias engañosas, y no ser pasivos, aceptando todo sin más ni más (2496).

EL NOVENO MANDAMIENTO

243) ¿Qué prohíbe Dios en el noveno mandamiento?

R. En el noveno mandamiento “no desear la mujer del prójimo”, Dios prohíbe los malos pensamientos y los malos deseos contra la castidad.

Este mandamiento lo dio Nuestro Señor para preservar el matrimonio. Y Jesucristo dijo: "Quien mira a una mujer casada con malos deseos, ya con eso cometió pecado de adulterio en su corazón". Con eso quería Jesús prevenirnos contra los malos pensamientos y malos deseos, porque éstos hacen muchísimo daño al alma y llevan a cometer pecados muy grandes.

Lectura

EL NOVENO MANDAMIENTO DE LA LEY DE DIOS

(Del Catecismo de la Iglesia Católica, números 2514 ss.)

San Juan dice que hay tres deseos exagerados: la concupiscencia de la carne, la concupiscencia de los ojos y la soberbia de la vida (1Jn 2, 14). El noveno mandamiento habla de la concupiscencia de la carne (2514).

Concupiscencia es un deseo muy fuerte (2515).

El corazón es la sede de los deseos. Jesús decía: "Del corazón salen las intenciones malas, los asesinatos, los adulterios, las fornicaciones" (Mt 15, 19) (2517).

El Divino Maestro dijo: "Dichosos los puros de corazón porque ellos verán a Dios" (Mt 5, 8) (2518).

Siempre hay que luchar contra la concupiscencia de la carne, contra los deseos desordenados. Con gracia de Dios se consigue dominarles (2520). El libro de la Sabiduría anuncia: "La vista despierta las pasiones de los imprudentes" (Sab 15, 5).

La equivocación de san Agustín. Este santo dejó escrito: "Yo creía equivocadamente que la continencia, o sea la capacidad de dominar mis pasiones, dependía de mis propias fuerzas, las cuales resultaron nada suficientes. Hasta que al fin tuve que convencerme de que nadie es capaz de ser continente y de dominar sus pasiones, si Dios no le concede ese favor" (2520).

EL PUDOR. Para tener pureza es necesario tener pudor, el cual consiste en no mostrar lo que debe permanecer oculto. El pudor preserva la intimidad de la persona. El pudor pone orden en las miradas y en los gestos de acuerdo a la dignidad de las personas (2521).

El pudor lleva a elegir los vestidos más convenientes y a mantener silencio cuando existe el riesgo de alguna curiosidad malsana (2522).

El pudor rechaza las exhibiciones del cuerpo humano, el exhibicionismo de ciertas publicaciones y el dejarse llevar por modas inconvenientes (2523).

A los niños hay que educarlos en el pudor (2524). Es necesario evitar los espectáculos que favorecen el exhibicionismo sin pudor (2525). Y tener cuidado para no dejarse llevar por la **permisividad de las costumbres** que con pretexto de una falsa libertad lleva a excesos inmorales (2526).

EL DÉCIMO MANDAMIENTO

244) ¿Qué prohíbe Dios en el décimo mandamiento?

R. Dios en el décimo mandamiento: "no codiciar los bienes ajenos", prohíbe tener deseos exagerados de ser rico y tener envidia de los bienes ajenos.

San Pablo dice: *"Los que viven llenos de deseos de enriquecerse caen en muchas tentaciones, en trampas del demonio, en muchas codicias imprudentes y dañosas que hunden a la persona en la ruina y en la perdición. Porque la raíz de todos los males es el exagerado deseo de ser rico, y algunos por dejarse llevar de él perdieron la fe y se atormentaron con muchas angustias (1Tim 6, 9).*

EJEMPLO DEL QUE SÓLO SE INTERESABA POR SER RICO

Cuenta Jesús en el evangelio que un hombre tuvo grandes cosechas en sus campos y él, en vez de repartir a los pobres lo que le sobraba, se propuso construir grandes depósitos para guardar allí todo egoístamente, y dijo: "Ahora sí, a pasar sabrosamente todo el resto de mi vida, comiendo, bebiendo y descansando, porque tengo muchas riquezas". Pero Dios le dijo: "Imprudente, esta misma noche va a ser juzgada tu alma. Y todas las riquezas que amontonaste ¿para quién van a servir?". Y termina Jesús diciendo: "Evitad toda codicia. La salvación no está en las riquezas. Lo que sucedió a éste, le sucederá a quienes atesoran riquezas para sí mismos y no se enriquecen en obras buenas delante de Dios" (Lucas 12, 16). Y añadía: "Repartid vuestros bienes con los pobres, y todo se volverá santo para vosotros" (Lucas 11, 41).

EL DÉCIMO MANDAMIENTO: NO CODICIAR LOS BIENES AJENOS

(Del Catecismo de la Iglesia Católica, números 2534 ss.)

Dice la S. Biblia: **"No codiciarás nada que sea de tu prójimo"** (Éxodo 20, 17).

La codicia es un deseo exagerado de conseguir bienes; san Juan la llama "corrupción de los ojos" (1Jn 2, 16) (2534).

El impulso de la naturaleza nos lleva a desear las cosas agradables que no poseemos. Cuando estos deseos son exagerados o injustos, entonces se convierten en codicia (2534).

El décimo mandamiento prohíbe la codicia o el deseo inmoderado de apoderarse de los bienes de otros. Prohíbe el deseo de cometer injusticias que llevan a apoderarse de los bienes de los demás. La sed o deseo de obtener estos bienes puede llegar a ser inmensa. La Sagrada Escritura dice: "La sed del avaro nunca se satisface con lo que tiene" (Ecle 14, 9) (2536).

El décimo mandamiento prohíbe también sentir envidia de los bienes ajenos (o sea tristeza porque otros los tienen) (2538).

Jesús dijo: "Dichosos los pobres en el espíritu" (Mt 5, 3).

LOS MANDAMIENTOS DE LA SANTA MADRE IGLESIA

245) ¿Cuáles son los mandamientos de la Santa Madre Iglesia?

R. Los mandamientos de la Santa Madre Iglesia son cinco:

1º Participar en la santa Misa todos los domingos y fiestas de guardar.

2º Confesarse al menos una vez cada año, o cuando esté en peligro de muerte o si teniendo que comulgar, está en pecado mortal.

3º Comulgar por Pascua de Resurrección.

4º Ayunar el Viernes Santo y el Miércoles de Ceniza. Guardar abstinencia los viernes de Cuaresma y hacer alguna pequeña penitencia cada viernes del año en recuerdo de la pasión y muerte de Jesucristo.

5º Ayudar con limosnas a la Iglesia.

La Iglesia Católica puede mandar estos mandamientos porque Jesucristo dijo a san Pedro, jefe de la Iglesia, y en su persona a todos los Pontífices de Roma: "Te doy las llaves del Reino de los Cielos. Lo que ates en la tierra queda atado en el cielo" (Mateo 16, 19). "Quedas encargado de gobernar a mis ovejas y de gobernar a mis corderos" (cf. san Juan 21, 15-17).

246) ¿Por qué es tan importante asistir a la Santa Misa?

R. Es importante asistir a la Santa Misa porque participar en la Misa vale lo mismo que haber asistido a la Última Cena o haber estado en el Calvario cuando murió Jesús, ya que este Santo sacrificio es la repetición de estos dos grandes hechos.

Los santos dicen: *"Vale más una Misa que ir descalzo en peregrinación hasta Jerusalén. Vale más una Misa que ayunar diez años a pan y agua. Vale más una Misa que todas las oraciones de los santos, porque la Misa es el sacrificio de Jesucristo, que tiene un valor infinito. Si supiéramos lo que vale una Misa, jamás dejaríamos de asistir al Santo Sacrificio".*

247) ¿Qué favores obtiene quien participa en la Misa?
R. Quien participa en la Misa obtiene cinco favores:

1º Se le perdonan muchos pecados.

2º Se le aumenta el premio para el cielo.

3º Obtiene muchos bienes que necesita, y se libra de muchos peligros.

4º Hace descansar a las almas del Purgatorio.

5º Escucha la Palabra de Dios, que lo hace mejor persona.

EJEMPLO DEL VIAJERO QUE PERDIÓ EL BUS

En los Llanos Orientales, un domingo a las siete de la mañana, un viajero va a subir al bus que lo llevará a un pueblo lejano. En ese momento oye las campanas de la iglesia que llaman a Misa, deja el bus y se va al templo.

Los compañeros se burlan de él diciéndole que "la Misa es para beatas". Pero él les dice: "A mi pueblo no podré llegar si el bus no se va por la carretera. Si nos vamos por entre los precipicios no llegaremos. De la misma manera al cielo no podré llegar si no me voy por el camino de cumplir los mandamientos. Si me voy por el camino del desobedecer a Dios, sólo llegaré al precipicio del infierno. Así que me voy a misa y luego viajo en el bus de las nueve". Y así lo hizo. Partió a las 9 de la mañana, después de asistir devotamente a la Santa Misa, y cuando llegaron a un río muy crecido encontraron a un gran número de campesinos sacando de entre las aguas torrenciales los cadáveres de todos los que se habían ido en el bus de siete de la mañana. El río se los había tragado. Y él exclamó: "Gracias mi Dios. Con una santa Misa salvé mi vida. Aleluya". Así pasa en la existencia de muchas personas: la Misa del domingo los libra de peligros de alma y de cuerpo.

248) ¿Cuáles son las fiestas de guardar?

R. Las principales fiestas de guardar son: La Navidad, la Inmaculada Concepción y Año Nuevo.

En Colombia ya no son fiestas de guardar el 6 de Enero, El Corpus, Ascensión, san Pedro, 19 de marzo, 15 de agosto y 1º de noviembre. El Jueves y Viernes Santos son días de gran importancia y que debemos celebrar de la manera más devota posible. Pero no son fiestas de guardar.

249) ¿Pecan los que culpablemente no asisten a Misa el domingo?

R. Los que culpablemente no asisten a la Misa del domingo pecan porque faltan a la obligación grave que tiene todo católico que adorar a Dios públicamente, como Él lo manda por medio de la Santa Madre Iglesia.

Jesús dijo a los jefes de su Iglesia: *"Quien a vosotros desprecie, a mí me desprecia". Y quien no asista culpablemente a Misa está despreciando la orden clara de los Pontífices de la Iglesia de Cristo.*

¿Y qué decir de la excusa de los que dicen: "No voy a Misa porque no me nace"? Las leyes no son para cuando a uno "le nace cumplirlas". Son para todas las veces. Así por ejemplo: Súbase usted a un bus y dígale al chofer "no le pago porque no me nace pagarle". ¿Lo llevan? Llegue con su auto a un semáforo en rojo y diga: "no freno, me paso en rojo, porque no me nace frenar". ¿Le rebajarán la multa? Llame al Alcalde por teléfono y dígale: "En este mes no me nace pagar ni teléfono, ni luz, ni agua, ni nada" ¿Le dejarán esos servicios o se los cortarán? Qué tal que uno dijera: "Respeto a mis padres solamente si me nace". La ley de ir a Misa no es para cuando "le nace" ir. Esta ley es para todos los domingos del año. Y cada domingo que no voy culpablemente a Misa, cometo un pecado y me pierdo un gran premio que Dios me iba a conceder por esa santa Misa.

¿Que la Misa es muy larga? Mentira: la misa no dura más de media hora. ¿No somos capaces de ofrecerle a Dios media hora por semana?

¿Que la iglesia queda muy lejos? ¿Decir eso en una ciudad donde hay montones de iglesias y montones de buses cada minuto para ir a ella? Es un engaño. Ya no somos bebés. No nos engañemos ni nos dejemos engañar por Satanás. ¡No seamos tan ingenuos!

¿Que la Misa no se entiende? La fe no es para entender, sino para creer. Lo de la religión es un misterio de fe, los misterios de la fe no se entienden. Pero ya veremos los favores que Dios les concede a los que van a Misa. Y esos sí se ven ¡y se entienden!

250) ¿Qué se debe hacer si uno está en peligro de muerte y no hay sacerdote para confesarse?

R. Si uno está en peligro de muerte y no hay sacerdote para confesarse, hay que hacer un acto de contrición lo más perfectamente posible, y proponer confesarse en la primera ocasión que se le presente.

El rey David dijo: "Un corazón arrepentido, Dios nunca lo desprecia". Y el profeta Daniel exclama: "Oh, Señor: nuestro mejor regalo para ti será un corazón arrepentido".

251) ¿Por qué la Iglesia quiere que comulguemos en la Pascua de Resurrección?

R. La Iglesia quiere que comulguemos en la Pascua de Resurrección porque es la fiesta más importante para nosotros los cristianos, es la que nos recuerda el día en que resucitó Jesucristo Nuestro Redentor.

Dijo san Pablo: "Si Jesucristo no hubiera resucitado nuestra fe sería inútil. Pero Cristo ha resucitado, y si Él ha resucitado, nosotros también resucitaremos" (1 Corintios 15, 14.20).

252) ¿A quiénes obliga el ayuno y la abstinencia?

R. El ayuno obliga a los que ya cumplieron 21 años y sólo el Miércoles de Ceniza y el Viernes Santo. La abstinencia de carne obliga a los que ya cumplieron los 14 años, y solamente los 6 viernes de Cuaresma, el Miércoles de Ceniza y el Viernes Santo.

AYUNO: Es sólo hacer tres comidas en el día: un desayuno no muy grande, un almuerzo ordinario y una cena no muy abundante. Y entre comida y comida no tomar ningún alimento sólido. Eso es ayunar. Los médicos dicen que es algo muy provechoso para mantener la buena salud y evitar exceso de grasas y males de corazón, de estómago, hígado, etc. Para el alma es algo muy provechoso también porque sirve de penitencia por los pecados, y como un sacrificio que se hace por amor a Dios.

ABSTINENCIA: Es no comer carne de ninguna clase. Lo que sí se puede comer en ese día es pescado. Sólo hay 8 días de abstinencia en el año para los católicos. Nos quedan 357 días para comer toda la carne que queramos. ¿Seremos capaces de guardar 8 días de abstinencia en el año?

253) ¿Por qué la Iglesia quiere que hagamos algún sacrificio cada viernes?

R. La Iglesia quiere que cada viernes hagamos un sacrificio para recordar a Cristo, que en ese día se sacrificó por nosotros en la Cruz, y porque los sacrificios borran muchos pecados, vuelven más fuerte la voluntad y son una demostración de nuestro amor a Dios.

Jesús dijo: *"La primera condición para el que quiera seguirme es: que se niegue a sí mismo" (Lucas 9, 23) Y san Pablo añade: "Con lágrimas en los ojos tengo que constatar que algunos cristianos viven como enemigos de la Cruz de Cristo, y su dios es el vientre" (Filipenses 3, 18-19).*

EJEMPLO DE LOS QUE NO PUDIERON SER SANTOS

Le preguntaron un día a san Vicente de Paúl: "¿Por qué tantas personas desean ser santas y no logran serlo?". Y el gran santo respondió: "Muchos desean ser santos y nunca lo logran porque no hacen sacrificios. Quien deje de hacer sacrificios aunque ya tuviera un pie en la puerta del cielo y el otro en la tierra, todavía puede condenarse. Sin hacer sacrificios nadie llega a ser santo".

Todos los santos hacían algún sacrificio cada viernes en recuerdo de la pasión de Jesucristo, y todos los psicólogos afirman que quien se acostumbra a hacer pequeños sacrificios llegará a tener una gran personalidad. Pequeños sacrificios pueden ser, por ejemplo: apagar por un rato el radio o el televisor; fumar menos en ese día; permanecer en silencio mientras se trabaja; andar por la calle o viajar en el bus sin andar mirando para todas partes; dejar de comer o de beber algo que nos agrada; leer menos prensa en ese día; dar una limosna que nos cueste; tratar bien a quien nos trata mal; dejar de decir algo que deseábamos decir, etc.

254) ¿Por qué la Iglesia manda ayudar con dinero para el culto?

R. La Iglesia manda ayudar con dinero para el culto porque la Sagrada Biblia dice: "No te presentes a Dios con las manos vacías"; porque Dios ha demostrado a lo largo de la historia lo mucho que le agrada que seamos generosos con nuestra religión, y porque Cristo prometió devolver cien veces más lo que se da por Él.

EJEMPLO DE PERSONAS GENEROSAS EN LA BIBLIA

La S. Biblia narra: que Noé le ofreció a Dios la séptima parte de los animales domésticos que tenía y que a Dios le agradó tanto que se le apareció y le prometió no volver a enviar más diluvios (Génesis 8); que Abraham ofreció para el sacerdote la décima parte de todo lo que había conseguido y Dios bendijo a Abraham (Génesis 14); que Jacob se comprometió a dar para Dios la décima parte (el diezmo) de todo lo que consiguiera, y el Señor lo hizo inmensamente rico en ganados (Génesis 28); Moisés mandó al pueblo "Darás para Dios la décima parte de tus cosechas (el diezmo). Esto es algo sagrado (Levítico 27, 30). El profeta Ageo decía: "¿Saben por qué Dios ha permitido que se les dañen sus cosechas? Porque ustedes no han sido generosos en dar para el templo. Por su tacañería han venido los malos tiempos para las cosechas" (Ageo 1). El rey David dejó para el templo todo lo que había ahorrado en 40 años, que era muchísimo. Todo lo dejó para construcción del templo para Dios, y esto agradó tanto a Nuestro Señor que le prometió que su familia reinaría para siempre. Salomón ofreció a Dios en sacrificio un número inmenso de ovejas y bueyes, y el Señor se le apareció para ofrecerle protección (1 Reyes 8). San Pablo dice: "Quien más siembre, más cosechará" o sea: el que más da para Dios, más recibirá de parte de Nuestro Señor: Y Jesús repetía: "Tendrá más alegría y más satisfacción el que da que el que recibe" (Hechos 20, 35).

En Israel, para colaborar con el templo había que comprar una moneda especial que costaba lo que un hombre ganaba en un día. Esto para que la gente no se engañara dando migajas que nada cuestan.

Porque dar, por ejemplo, una pequeña moneda para el templo es engañarse. Eso no cuesta nada y por lo tanto no consigue tampoco bendiciones de Dios. Dar las sobras de la cartera es "mala educación" con Dios y Dios no ha sido "mal educado" con nosotros. ¿Por qué ser entonces "maleducados" con Él? Recordemos: Dios devuelve multiplicado por cien lo que demos para Él.

LAS OBRAS DE MISERICORDIA

255) ¿Cuáles son las obras de misericordia?

R. Las obras de misericordia son catorce. Siete espirituales y siete corporales.

LAS ESPIRITUALES SON ÉSTAS:

1a. Enseñar al que no sabe.
2a. Dar buen consejo al que lo necesite.
3a. Corregir al que se equivoca.
4a. Consolar al triste.
5a. Perdonar las ofensas.
6a. Sufrir con paciencia los defectos de los demás.
7a. Rogar a Dios por los vivos y por los muertos.

LAS CORPORALES SON ÉSTAS:

la. Visitar a los enfermos.
2a. Dar de comer al hambriento.
3a. Dar de beber al sediento.
4a. Visitar a los presos.
5a. Regalar vestidos a los pobres.
6a. Dar posada al peregrino.
7a. Dar sepultura a los muertos.

EJEMPLO: *EL JUICIO FINAL. Dijo Jesucristo que el día del Juicio Final separará a las gentes en dos grupos: los que hicieron obras de misericordia serán colocados a la derecha del Hijo de Dios, y a los que no hicieron obras de misericordia los colocará a la izquierda. Y dirá a los de la derecha: "Venid, benditos de mi Padre, porque tuve hambre y me disteis de comer, tuve sed y me disteis de beber, era pobre y me habéis regalado vestidos, estaba preso y me visitaron; estuve enfermo y me consolaron". Y ellos le dirán: "Señor, ¿pero cuándo fue que te vimos con hambre y te dimos de comer o te vimos enfermo y te fuimos a consolar?". Jesucristo les dirá: "Toda obra de misericordia que le habéis hecho a los demás, aunque haya sido a los más humildes, la he recibido como si me la hubierais hecho a mí mismo". Y luego les dirá a los de la izquierda: "Vayan, malditos, al fuego eterno, porque tuve hambre y no me quisieron dar de comer, estaba preso y no me quisieron visitar; era pobre y no me quisieron regalar vestidos", y ellos le dirán: "Pero Señor, ¿cuándo fue que lo vimos pobre y no le quisimos ayudar, o preso y no le quisimos visitar?". Y el Hijo de Dios les responderá: "Pues toda vez que le negaron un favor al prójimo, aunque haya sido al más humilde, a mí* ***me han negado*** *ese favor". E irán al cielo los que sí hicieron obras de misericordia y en cambio los que no quisieron hacer obras de misericordia irán al castigo eterno (cf. Mateo 25, 31ss).*

QUIEN REGALE A UN POBRE AUNQUE SEA UN VASO DE AGUA, NO SE QUEDARÁ SIN RECOMPENSA

(Jesucristo, Mc 9, 41)

OBRAS DE MISERICORDIA

Corporales	Espirituales
Dar de comer al hambriento 	Enseñar al que no sabe 
Dar de beber al que tiene sed  	Dar consejo al que lo necesita 
Regalar vestidos a los pobres  	 Corregir al que yerra
Rcoger al peregrino 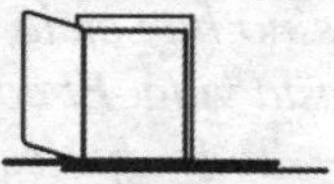	Consolar al triste 
Libertar al cautivo  	Perdonar las injurias 
Visitar y cuidar a los enfermos  	 Sufrir con paciencia las molestias del prójimo
Enterrar a los muertos 	Rogar por los vivos y por los muertos 

LOS ENEMIGOS DEL ALMA Y LAS TENTACIONES

256) ¿Cuáles son los enemigos del alma?

R. Los enemigos del alma son los que nos llevan a desobedecer a Dios, y se llaman: mundo, demonio y carne.

Se llama "mundo" el modo de pensar totalmente materializado que tienen las personas que no le dan importancia a Dios ni a sus mandamientos. Se llama "secularismo" el obrar de acuerdo con las modas, costumbres e ideas de las gentes sin Dios, sin fe y sin moral. Hay dos secularismos: el de muchas gentes de Estados Unidos y de las naciones de occidente que consiste en organizar la vida como si Dios no existiera, dándole importancia únicamente a lo que agrada al cuerpo, al orgullo o a la avaricia. El otro secularismo es el comunismo que consiste en negar que Dios existe y decir que no hay cielo ni otra vida, y que sólo hay que preocuparse de esta vida. El comunismo es enemigo de Dios y de toda religión. Todo esto es lo que se llama "mundo" y va contra nuestra alma y contra nuestra salvación.

257) ¿Cómo se vence al mundo?

R. Se vence al mundo aprendiendo a valorar lo corporal, lo material, el dinero y las personas como los valora Dios y como los valoraron los santos y no como los valora la gente sin fe.

San Juan dijo: *"Todo el mundo se compone de tres cosas: De malos deseos del cuerpo, de avaricia de tener mucho dinero y de orgullo" (1Juan 27, 16). Y Jesucristo repetía: "¿De qué le sirve a una persona ganar el mundo entero si pierde su alma?".*

EJEMPLO: ¿CÓMO VALORA DIOS AL MUNDO?

Para Dios la pirámide o escala de valores es así:

1º Lo más importante, amar a Dios y cumplir sus mandamientos. 2º Amar al prójimo y tratarlo como deseamos que nos traten a nosotros. 3º Perfeccionarse uno a sí mismo lo más posible.

En cambio, para el mundo la escala de valores es la siguiente: 1º Tener mucho dinero. 2º Darle al cuerpo todos los gustos que quiera. 3º Obtener muchos honores, mucha fama y muy altos puestos.

Los que siguen la escala de valores según Dios, obtienen paz en esta vida y premio eterno en el cielo. En cambio, los que siguen la escala de valores del mundo se llenan de preocupaciones, angustias en esta tierra y corren grave peligro de condenarse eternamente.

258) ¿Quién es el demonio?

R. El demonio es un espíritu malo, expulsado del cielo, que trabaja sin descanso para obtener que ofendamos a Dios y que seamos condenados al infierno.

EJEMPLO: LA EXPULSIÓN DE SATANÁS DEL CIELO

El Apocalipsis, el último libro de la S. Biblia, narra así la expulsión de Satanás del cielo: "Hubo una batalla en el cielo. El arcángel san Miguel y sus ángeles combatieron contra Satanás (o serpiente) y sus ángeles; y Satanás y los suyos

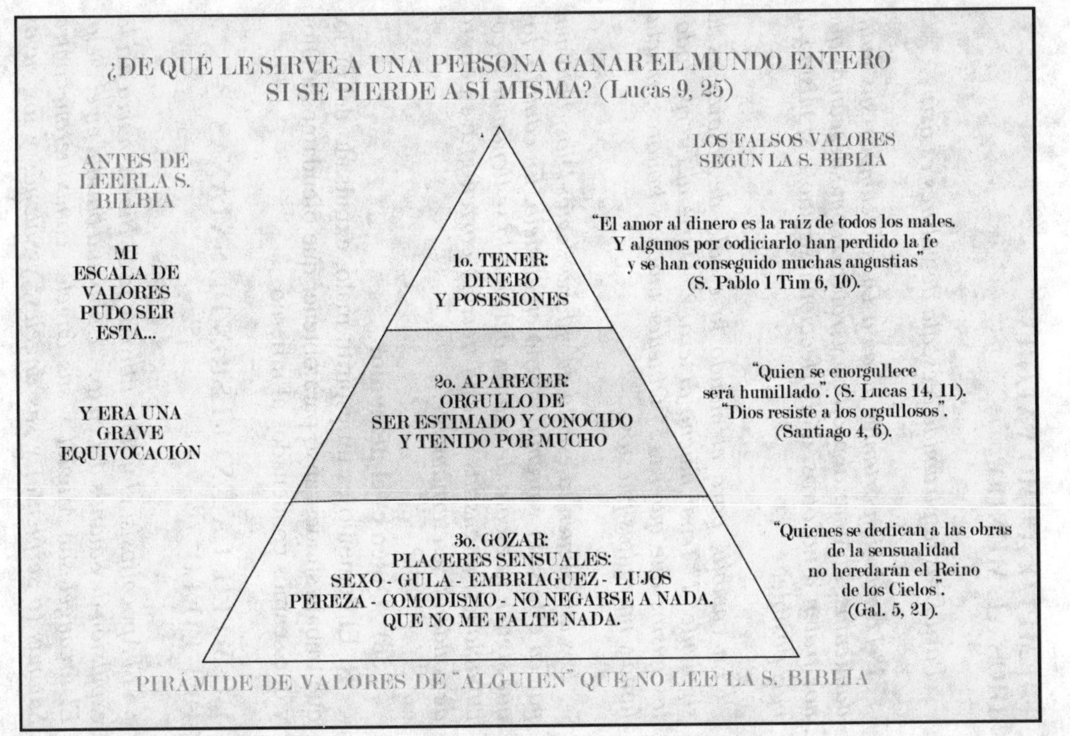
¿DE QUÉ LE SIRVE A UNA PERSONA GANAR EL MUNDO ENTERO
SI SE PIERDE A SÍ MISMA? (Lucas 9, 25)
ANTES DE LEERLA S. BILBIA
MI ESCALA DE VALORES PUDO SER ESTA...
Y ERA UNA GRAVE EQUIVOCACIÓN
1o. TENER: DINERO Y POSESIONES
2o. APARECER: ORGULLO DE SER ESTIMADO Y CONOCIDO Y TENIDO POR MUCHO
3o. GOZAR: PLACERES SENSUALES: SEXO - GULA - EMBRIAGUEZ - LUJOS PEREZA - COMODISMO - NO NEGARSE A NADA. QUE NO ME FALTE NADA.
LOS FALSOS VALORES SEGÚN LA S. BIBLIA
"El amor al dinero es la raíz de todos los males. Y algunos por codiciarlo han perdido la fe y se han conseguido muchas angustias" (S. Pablo 1 Tim 6, 10).
"Quien se enorgullece será humillado". (S. Lucas 14, 11). "Dios resiste a los orgullosos". (Santiago 4, 6).
"Quienes se dedican a las obras de la sensualidad no heredarán el Reino de los Cielos". (Gal. 5, 21).
PIRÁMIDE DE VALORES DE "ALGUIEN" QUE NO LEE LA S. BIBLIA

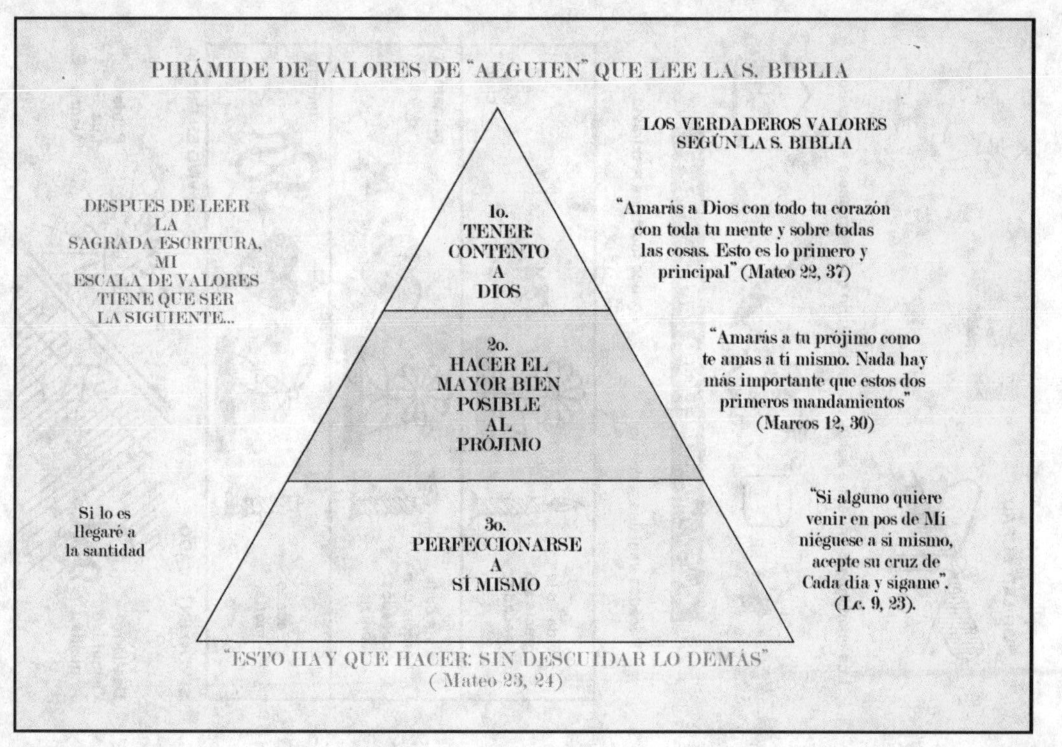
PIRÁMIDE DE VALORES DE "ALGUIEN" QUE LEE LA S. BIBLIA
DESPUES DE LEER LA SAGRADA ESCRITURA, MI ESCALA DE VALORES TIENE QUE SER LA SIGUIENTE...
1o. TENER CONTENTO A DIOS
2o. HACER EL MAYOR BIEN POSIBLE AL PRÓJIMO
3o. PERFECCIONARSE A SÍ MISMO
Si lo es llegaré a la santidad
LOS VERDADEROS VALORES SEGÚN LA S. BIBLIA
"Amarás a Dios con todo tu corazón con toda tu mente y sobre todas las cosas. Esto es lo primero y principal" (Mateo 22, 37)
"Amarás a tu prójimo como te amas a tí mismo. Nada hay más importante que estos dos primeros mandamientos" (Marcos 12, 30)
"Si alguno quiere venir en pos de Mí niéguese a si mismo, acepte su cruz de Cada dia y sigame". (Lc. 9, 23).
"ESTO HAY QUE HACER: SIN DESCUIDAR LO DEMÁS"
(Mateo 23, 24)

"VIGILAD Y ORAD"

atención
peligro de
muerte

La tentación

Los enemigos de nuestra salvación nos atraen con frecuencia al pecado:

QUIEN AMA EL PELIGRO PERECERÁ EN EL

Pecados veniales = desvío **Pecados mortales = extravío**

vida de la gracia sin pecado	**cielo**
vida de la gracia con pecados veniales	**purgatorio**
Pecado mortal	**infierno**

SI VIVO EN PECADO **SI VIVO EN GRACIA**

Destierro
Oscuridad
Angustia

Patria
Luz
Alegría

fueron derrotados y ya no hubo sitio para ellos en el cielo, y fue arrojado el diablo con sus seguidores. Ay de la tierra, porque el diablo ha bajado con furor sabiendo que le queda poco tiempo. Pero los seguidores de Cristo lo pueden vencer por el poder de la Sangre del Cordero de Dios" (Ap 12, 7-12).

El demonio fue el que hizo pecar a nuestros primeros padres Adán y Eva. El Génesis, primer libro de la S. Biblia, lo narra así: "La serpiente dijo a Eva: Si coméis del fruto prohibido seréis como Dios". Ella le hizo caso y comió y Adán también. Vino Dios y les dijo: "¿Por qué habéis hecho esto?". Eva respondió: "La serpiente me engañó y yo comí". Y dijo Dios a la serpiente (o Satanás): "Maldita serás, te arrastrarás sobre tu vientre y comerás polvo todos los días de tu vida. Y el Hijo de una mujer te aplastará la cabeza" (Génesis 3)

259) ¿Cómo se vence al demonio?

R. Se vence al demonio con oración, con fe, haciendo sacrificios y rechazando sus malas insinuaciones.

EJEMPLO: LA PREGUNTA QUE UN DÍA LOS APÓSTOLES LE HICIERON A JESÚS

Le dijeron:

"¿Por qué nosotros no logramos sacarle el demonio a un joven y en cambio a ti sí te obedeció inmediatamente y se alejó?". Cristo les respondió: "Por vuestra falta de fe no lograsteis echarlo. Ciertos demonios no se alejan sino con oración y sacrificio" (S. Marcos 9, 29). Y el Jueves Santo en el huerto de Getsemaní les dijo: "Orad para que no caigáis en tentación". San Pedro dice: "Vuestro enemigo, el diablo anda dando vueltas alrededor de cada uno, como un león, buscando a quién devorar: Resistidle siendo fuertes en la fe"

(1Pedro 5, 8) y Santiago aconseja: "Resistid al diablo y él huirá de vosotros" (St 4, 7).

260) ¿Qué es la Carne?

Se llama "la carne" a las tentaciones impuras que produce nuestro cuerpo.

Jesús dijo: "El espíritu está pronto, pero la carne es débil" (S. Mateo 26, 41). Y san Pablo afirma: "Los deseos de la carne son contrarios a los deseos del espíritu. Los deseos de la carne son: fornicación, impurezas, inmoralidades sexuales, vicios, borrachera, comer de gula. Y los que se dedican a esto no heredarán el Reino de Dios" (Gálatas 5, 18-21).

261) ¿Es pecado tener tentaciones?

R. No es pecado tener tentaciones. Lo que sí es pecado es consentirlas, o sea quedarse detenidamente a pensar con gusto en esto.

Jesús también tuvo tres tentaciones pero no las consintió sino que las rechazó (S. Mateo 4). Todos los santos han tenido tentaciones, pero se esforzaron y las rechazaron.

EJEMPLO: LAS TENTACIONES DE SANTA CATALINA

Catalina fue una santa muy famosa. Una vez le vinieron terribles tentaciones de impureza. Ella sufría mucho por eso, pero las rechazaba. Después se le apareció Jesucristo y ella le dijo: "Señor, ¿a dónde te habías ido cuando me llegaban tan horribles tentaciones?". Jesús le dijo: "Yo estaba allí en tu corazón". ¡Cómo! —le dijo la Santa—, ¿allí en medio de tan horrorosas tentaciones?". Y el Redentor le dijo: "Dime, ¿esas tentaciones te producían agrado? "No –respondió Santa Catalina–, al contrario me producían el asco más horrible de mi vida". "Pues Yo era el que te hacía sentir ese asco, le dijo Jesús. Y estaba muy contento allí al ver que en vez de consentir las tentaciones, las rechazabas con valor".

262) ¿Por qué permite Dios que tengamos tentaciones?

R. Dios permite que tengamos tentaciones para que le podamos demostrar que lo amamos a Él más que a todo lo demás; para que nos conservemos humildes y para darnos ocasión de aumentar nuestros méritos y nuestro premio para el cielo.

El libro del Eclesiástico dice: "Si te dedicas a servir a Dios, prepárate para la tentación". Y el salmista exclama: "Me estuvo bien haber sufrido tentación porque así me acordé más de Dios".

Para muchas personas muy inclinadas al orgullo, el remedio mejor para mantenerlas humildes son las fuertes y casi enloquecedoras tentaciones. Entonces se dan cuenta de que por sí nada pueden, y que sin el auxilio de Dios no somos nada. En la tentación tenemos que repetir humildemente con san Agustín: "No hay pecado por grave que sea, que otra persona haya cometido que yo no pueda cometer", y recordar lo que repetía san Pablo: "Quien está en pie tenga cuidado porque puede caer" (1Co 10, 12)

263) ¿Qué debemos hacer para no consentir las tentaciones?

R. Para no consentir las tentaciones, la Iglesia ha descubierto en sus 20 siglos de existencia, siete remedios que producen muy buenos resultados y son: asistir a la Santa Misa, confesarse y comulgar; evitar las amistades peligrosas y las ocasiones de pecar, hacer sacrificios, y pensar en el Juicio y la eternidad que nos esperan.

EJEMPLO: EL QUE NO EVITÓ LA TENTACIÓN

Don Pancracio pasaba cada semana, cuando le pagaban el sueldo, por frente a la tienda de su comadre Francisca y allí se encontraba con sus amigotes y se emborrachaba. Fue a consultar al sacerdote, y el padrecito le dijo: "Pues no pase por frente a esa tienda porque la ocasión lo vuelve a uno muy débil". Así lo hizo. Cuando ya llevaba 4 semanas sin pasar por frente a la tienda y sin emborracharse, fue a contárselo al padre. Él le dijo: "Como usted evita la ocasión, por eso es que evita el pecado". Pero don Pancracio le dijo: "Yo soy capaz de pasar por frente a la tienda y no emborracharme". El sacerdote le dijo que no, pero el hombre, terco, se fue a hacer el ensayo y a exponerse a la ocasión. Pasó por frente a la cantina donde estaban los amigotes y ellos lo invitaron: "¡Venga, se toma una cerveza!". "No señores, no tomo". "¡Una sola, don Pancracio! "No señores, ni una sola" ... y pasó derecho, feliz de su victoria. Pero cuando iba media cuadra más adelante exclamó": "Esto es mucha victoria. ¡Esta victoria merece una cerveza!" —Y volvió y se emborrachó ... El que se expone al peligro en él perece.

LOS PECADOS CAPITALES

264) ¿Qué son los pecados capitales?

R. Los pecados capitales son aquellos que más cometen las personas y son siete: orgullo, avaricia, impureza, ira, gula, envidia y pereza.

Dijo Jesús: *"Del corazón salen las impurezas, la envidia, la avaricia, la ira, el orgullo y los vicios. Y esto es lo que hace impura a una persona" (S. Marcos 7, 21).*

265) ¿Qué es el orgullo?

R. Orgullo es creerse autosuficiente; considerarse mejor que los demás, andar buscando que los otros nos admiren y nos alaben; hablar de sí mismo con vanidad y buscar más aparecer bien ante las creaturas que ser estimados por Dios.

Nuestro Señor decía: *"El que se enorgullece será humillado. Tened cuidado de no hacer las buenas obras para ser alabados por la gente, porque en ese caso ya no tendréis premio de vuestro Padre Celestial. Cuando des limosna no andes haciéndolo saber a todo el mundo como hacen los hipócritas. Os digo que ellos ya recibieron su recompensa. Cuando reces no lo hagas para ser visto, como lo hacen los hipócritas; no busques ser visto y admirado por las creaturas humanas, sino por tu Padre Celestial, y Él te recompensará" (S. Mateo 6).*

LA PARÁBOLA DEL FARISEO Y EL PUBLICANO

Dos hombres subieron al templo a orar: El uno un fariseo y el otro un publicano. El fariseo, orgulloso, oraba de pie diciendo: "Te doy gracias, oh Dios, porque yo no soy como los demás hombres. Yo ayuno y pago los diezmos. No soy como ese publicano". En cambio, el publicano humilde oraba de rodillas y no se atrevía ni a levantar los ojos y decía: "Misericordia de mí, Señor, que soy un gran pecador". Y Dios oyó y santificó al publicano por ser humilde, pero no al fariseo porque era orgulloso (S. Lucas 18, 10ss.).

¿Qué nos enseña esta parábola de Jesús?

266) ¿Qué es la avaricia?

R. La avaricia es el deseo desordenado de tener dineros y posesiones.

La frase más famosa que hay en la S. Biblia acerca de la avaricia es aquella de san Pablo a Timoteo: "Los que viven llenos de deseos de enriquecerse caen en muchas tentaciones, en trampas del demonio, en muchas codicias imprudentes, que hunden a las personas en la ruina y en la perdición. Porque la raíz de todos los males es el exagerado deseo de ser rico, y algunos por dejarse llevar de ese mal deseo perdieron la fe y se atormentaron con muchas angustias" (1Tim 6, 9ss).

267) ¿Qué es lujuria o impureza?

R. Lujuria o impureza es el deseo desordenado de satisfacer las inclinaciones sexuales.

Sentir inclinación y admiración hacia el otro sexo no es pecado. Es una inclinación que Dios mismo puso en la naturaleza. Lo que es pecado es dejarse dominar y vencer por esa inclinación.

Lo más peligroso para una persona es llegar a tener "obsesión sexual" que consiste en andar pensando siempre en sexo, hablando siempre de sexo, y por lo tanto cometiendo también pecados sexuales de obra. Las personas que tienen la "obsesión sexual" son muy desdichadas; nunca se sienten plenamente felices y le contagian esta enfermedad del alma a los que traban amistad con ellos. Por eso jamás debemos tener amistad con alguien que vive hablando de sexo.

Jesús dijo: "Los puros verán a Dios" (S. Mateo 5, 8). La S. Biblia cuenta que a José en Egipto le concedió Dios grandes triunfos por ser puro y por preferir aun la cárcel con tal de no cometer un pecado de impureza (Génesis 39). Y en cambio a la gente impura la destruyó Dios primero con un diluvio de agua en tiempos de Noé y luego con diluvio de fuego en Sodoma y Gomorra (Génesis 6 y 19).

Dios premia a los que son puros y castiga a los impuros. Uno se vuelve impuro si asiste a películas pornográficas, si lee revistas malas, si tiene amistad con personas corrompidas y si le gusta tomar bebidas embriagantes.

268) ¿Qué es ira?

R. Ira es la inclinación desordenada a estallar en arrebatos de cólera y a ofender a los demás con palabras o a vengarse de los que nos han ofendido.

San Pablo recomendaba: *"Alejad de vosotros toda ira, toda cólera, los gritos y palabras ofensivas. Sed más bien muy amables unos con otros, perdonándoos mutuamente como Dios os perdonó en Cristo" (Efesios 4, 1-3).*

El modelo perfecto para dominar la ira es Cristo. Él dijo: "Aprended de mí que soy manso de corazón" San Pedro dice de Jesús: "Él, al ser crucificado no respondía con insultos; al ser tratado mal, no amenazaba sino se callaba" (1Pedro 2, 23).

Quien desea dominar su ira debe pedir mucho a Dios la paciencia y procurar descansar un día cada semana, salir de paseo, oir música suaves y agradable, y no afanarse tanto por el futuro, e ir acostumbrándose a no disgustarse por pequeñeces. Todo ello es muy provechoso para obtener un buen genio y ser feliz.

269) ¿Qué es la gula?

R. Gula es la inclinación a comer o beber demasiado.

Dijo Jesús: *"Cuidado: no sea que por el vicio y la embriaguez, os sorprenda el día del Juicio" (S. Lucas 21, 34).*

270) ¿Qué es envidia?

R. Envidia es una tristeza o pesar del bien ajeno.

El evangelio dice que los judíos entregaron a Jesús a la muerte por envidia (S. Marcos 16, 10).

Las personas generosas no se entristecen porque a otros les vaya bien, sino que más bien se llenan de alegría al ver que a otros les suceden cosas buenas.

271) ¿Cuáles son las virtudes que debemos practicar para vencer los siete pecados capitales?

R. Las virtudes que debemos practicar para vencer los pecados capitales son:

Contra orgullo, humildad;
contra avaricia, generosidad;
contra impureza, castidad;
contra ira, paciencia;
contra gula, templanza;
contra envidia, caridad;
contra pereza, diligencia.

Dice el Señor: *"Si mi amigo se muestra cobarde en la lucha espiritual, ya no quedaré contento de él" (Hebreos 10, 38).*

DICHOSO EL

QUE

PUDIENDO

PECAR,

SIN EMBARGO

NO PECÓ

(S. Biblia, Eclesiástico)

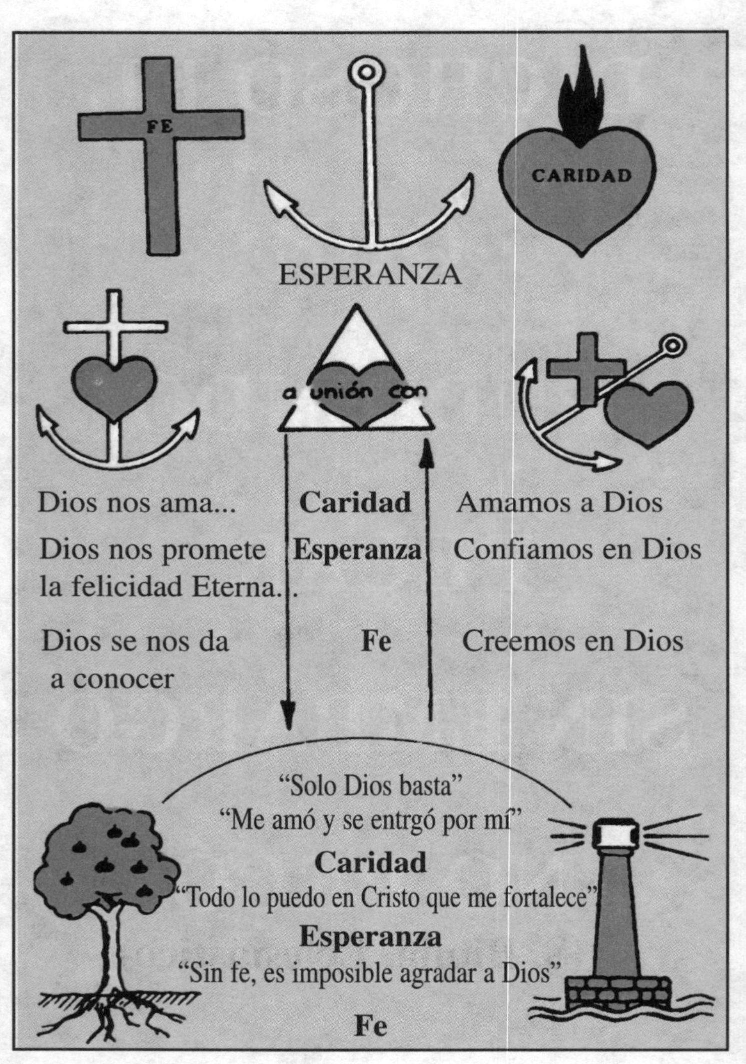
FE
ESPERANZA
CARIDAD
a unión con
Dios nos ama...
Caridad
Amamos a Dios
Dios nos promete la felicidad Eterna...
Esperanza
Confiamos en Dios
Dios se nos da a conocer
Fe
Creemos en Dios
"Solo Dios basta"
"Me amó y se entrgó por mí"
Caridad
"Todo lo puedo en Cristo que me fortalece"
Esperanza
"Sin fe, es imposible agradar a Dios"
Fe

LA GRACIA Y LAS VIRTUDES

272) ¿Qué es la gracia?

R. La gracia es una ayuda sobrenatural que Dios nos concede para que podamos conseguir la salvación eterna. La concede por los méritos de Jesucristo.

La creatura humana que más gracia ha tenido es la Virgen María. El ángel le dijo: "Llena eres de gracia" (Lucas 1, 28).

273) ¿Cuántas clases de gracias hay?

Hay dos clases de gracias: la gracia santificante y la gracia actual.

Gracia santificante o amistad con Dios la tienen los que han recibido el Bautismo y viven sin pecado mortal. La gracia actual, o ayuda para hacer obras buenas, la puede obtener toda persona que tenga fe en Nuestro Señor.

LA GRACIA SANTIFICANTE

274) ¿Qué es gracia santificante?

R. La gracia santificante es un auxilio o regalo sobrenatural que Dios nos dio en el Bautismo y por el cual somos hechos hijos de Dios y herederos del cielo.

Desde el día del Bautismo, Dios nos hizo el enorme regalo de admitirnos como hijos suyos y herederos del cielo. Hay que hacer lo posible para no perder jamás el gran regalo –gracia– de pertenecer al grupo de los amigos de Dios.

275) ¿Cómo se pierde la gracia santificante?

R. Se pierde la gracia santificante cuando se comete un pecado mortal, y se recupera al confesarse bien, o al hacer un acto de contrición perfecto si no hay sacerdote para confesarse.

La Palabra de Dios dice: "Tened cuidado para que nadie se vaya a ver privado de la gracia de Dios" (Hebreos 12, 15).

A nada le tenían mayor temor todos los santos que a perder la gracia o amistad con Dios. Por eso preferían la muerte antes que cometer un pecado mortal. Santo Domingo Savio, joven estudiante de 14 años, tenía como lema: "Prefiero morir antes que pecar".

San Juan Bosco y santa Catalina tuvieron el gusto de ver un alma en gracia de Dios; ambos afirman que si una persona viera lo hermosísima que es su alma cuando está en gracia, preferiría todos los sufrimientos del mundo antes que perder la gracia por un pecado.

Los antiguos decían "Pecador: no te acuestes nunca en pecado no sea que despiertes ya condenado" (Repitamos este versito hasta aprenderlo).

Cada noche, antes de acostarnos, tratemos de hacer un buen acto de contrición para recuperar la gracia o amistad con el buen Dios.

EJEMPLO DEL MICO AMAESTRADO

Cuenta san Alfonso que un hombre que vivía en pecado, consiguió un mico amaestrado que atendía muy bien a las visitas y les llevaba refrescos y les recibía el bastón y el sombrero. Pero un día que llegó un santo a visitar a aquel hom-

APRENDED DE MÍ, QUE SOY MANSO
Y HUMILDE DE CORAZÓN

bre, el mico se escondió y no quiso venir a atenderlo. El santo fue a un rincón a buscarlo y le echó una bendición. Entonces el mico se lanzó por una ventana y desapareció dejando un olor a azufre quemado. El santo le dijo al pecador: "Anoche en sueños supe que el demonio había obtenido permiso de Dios para que la primera noche que usted se acostara sin rezar, ese mico se subiera a su cama y lo ahogara a usted mientras dormía; y como usted vive en pecado mortal su alma se condenaba. Afortunadamente usted no se ha acostado ninguna noche sin rezar. Pero haga las paces con Dios, confiésese, arrepiéntase, pague sus pecados con limosna y oraciones, y cambie su mala vida por una vida santa, porque una noche de éstas puede usted acostarse para no levantarse, y ¿qué será de su alma?". El pecador se confesó y empezó a vivir santamente. El haber rezado cada noche, lo había librado de la eterna condenación.

Práctica. *Aprendamos de memoria lo que repetían los antiguos monjes cada noche antes de acostarse (mientras sacaban una palada de tierra de su propia sepultura que cada uno iba cavando): "Yo he de morir, yo no sé dónde; yo he de morir, yo no sé cuándo; yo he de morir, yo no sé cómo–. Pero lo que si sé muy cierto es que si muero en pecado mortal me condenaré para siempre" (Repetir esto varias veces hasta aprenderlo).*

276) ¿Qué hay que hacer para vivir en gracia y para que ella aumente?

R. Para vivir en gracia y para que nos aumente la gracia de Dios hay que orar frecuentemente, recibir los sacramentos de la Eucaristía y de la Confesión, escuchar la Palabra de

Dios y leer libros religiosos, evitar malas amistades y las ocasiones de pecar; ayudar lo más que podamos a los pobres y necesitados y cumplir muy bien nuestro deber de cada día.

Orar: Porque Jesús dijo: "Todo lo que pidáis al Padre en mi nombre lo conseguiréis" (S. Juan 14, 13). "Pedid y se os dará. Todo el que pide recibe. Si vosotros siendo malos sabéis dar cosas buenas a los que os piden, ¿cuánto más vuestro Padre que está en los cielos, dará cosas buenas a los que se las pidan?" (S. Mateo 7, 7-8); y ¿qué cosa más buena podemos pedir a Dios y que más le agrade a Él concederla que su gracia y el vivir en amistad con Él? Quien pide con fe a Dios que le ayude a vivir en gracia, lo conseguirá.

Cada vez que recibimos un sacramento, se nos aumenta el grado de gracia de Dios. Más comulgas y más gracia tendrás.

Cuando leemos o atendemos la Palabra de Dios en la Sagrada Biblia o en sermones o en libros religiosos, nuestro grado de gracia de Dios aumenta de una manera muy notable, y nuestra amistad con Nuestro Señor se vuelve mucho mejor: más Palabra de Dios escuchas, más libros buenos lees y más progresarás en santidad.

Toda limosna o ayuda a los necesitados aumenta la gracia en el alma y la vuelve más amiga de Dios. Y el cumplir muy bien los deberes de cada día es una garantía de que Dios está contento con nosotros, y que su gracia y su amistad continuarán en nuestra vida.

277) ¿Qué es la gracia actual?

R. Gracia actual es una ayuda que Dios da en momentos oportunos para que podamos cumplir bien lo que tenemos que hacer. Puede ser una buena idea o inspiración, un gusto especial para obrar el bien, una fuerza de voluntad para soportar el mal, o un asco y antipatía por todo lo que sea ofender a Dios, etc.

EJEMPLOS DE GRACIAS ACTUALES

Salomón pidió a Dios que le diera la gracia de la sabiduría, y Dios le dio todas las ideas necesarias para saber gobernar muy bien a su pueblo y para construirle el templo más hermoso. San Pablo obtuvo de Dios la gracia de la sabiduría y le vinieron las ideas necesarias con las cuales escribió las cartas más bellas de todo el mundo. Abraham recibió de Dios la gracia de tener una gran fuerza de voluntad para ser capaz de abandonar su tierra y para ir a fundar la nueva religión, y de ser capaz de sacrificar a su hijo Isaac en el monte. Job recibió de Dios la gracia de tener una gran fuerza de voluntad para poder ser capaz de perder todos sus bienes, sus hijos y su voluntad sin pecar contra la voluntad de Dios. La casta Susana es una mujer de la Biblia, que recibió de Dios la gracia de tener tanta antipatía al pecado que prefirió ser condenada injustamente a muerte que cometer un pecado de impureza. Y José en Egipto recibió de Nuestro Señor tal asco hacia el pecado que prefirió ser llevado por tres años a la cárcel antes que cometer un pecado.

Práctica: *Aprendamos esta bella oración para rezarla cada día: "Jesús, José y María, iluminadnos lo que debemos decir, hacer y evitar, y haced que lo digamos, hagamos y evitemos siempre. Amén". (Repitámosla hasta aprenderla. Con esta oración se consiguen muchas gracias actuales).*

LA GRACIA

(Del Catecismo de la Iglesia Católica, números 1996 y ss.)

La gracia es una participación en la vida de Dios (1997). Es una vocación o llamada a la vida sobrenatural. Depende enteramente de la iniciativa gratuita de Dios. Sobrepasa las capacidades de la inteligencia y las fuerzas de la voluntad humana (1998). La gracia es un don gratuito infundido en el alma por el Espíritu Santo para sanarla del pecado y santificarla. La gracia santificante se concede en el Bautismo y es la fuente de la santificación (1999).

¿QUÉ ES LA GRACIA? La gracia santificante es un don habitual, una disposición estable y sobrenatural, que perfecciona al alma para hacerla capaz de vivir con Dios y de obrar por su amor (2000).

CLASES DE GRACIA: La gracia es una disposición permanente para vivir y obrar según lo quiere Dios. Las gracias actuales son unas intervenciones divinas que llevan a la conversión o a la santificación. El que una persona se prepare para recibir la gracia, es ya una obra de la gracia (2001). Hay la gracia sacramental que es una ayuda que se recibe con cada sacramento y gracias especiales, llamadas por san Pablo carismas, como el don de milagros, o de lenguas (2003). Existe también la gracia de estado que es una ayuda especial que Dios concede a quien ha confiado alguna responsabilidad, para que la pueda cumplir (2004). Cuando a santa Juana de Arco, poco antes de martirizarla le preguntaron si sabía si estaba en gracia de Dios, respondió "Si no lo estoy, que Dios me quiera poner en ella; si lo estoy, que Dios me conserve en gracia" (2005).

LAS VIRTUDES TEOLOGALES

278) ¿Cuáles son las virtudes teologales?

R. Se llaman virtudes teologales las que se refieren directamente a Dios, y son tres: fe, esperanza y caridad.

Virtud: *Significa costumbre de hacer obras buenas. Teologal: Viene de la palabra "teos", que significa "Dios" y quiere decir: que se hace directamente por Dios y para Dios.*

La S. Biblia dice: "Por ahora hay tres virtudes: la fe, la esperanza y la caridad. Pero la más importante es la caridad" (1 Corintios 13, 13).

279) ¿Qué es la fe?

R. Fe es tener como cierto todo lo que Dios ha dicho, creer las verdades reveladas por Dios y enseñadas por la Iglesia.

La fe no se entiende. Fe es creer lo que no entendemos y no vemos. Si entendiéramos, ya no sería fe sino "ciencia". Algunos dicen: "Yo no creo", porque les parece muy difícil lo que enseña la religión. Más bien debieran decir: "Yo no entiendo". Cuanto más nos cueste entender eso que creemos, mayor será nuestro premio.

La fe es un regalo de Dios. San Pablo dice: "Gratuitamente habéis sido salvados por medio de la fe, y la fe es un regalo de Dios" (Efesios 2, 8).

280) ¿Por qué es tan importante la fe?

R. La fe es muy importante porque la Sagrada Biblia dice: "Si tenéis fe, aunque sea tan pequeña como un granito de mostaza, nada os será imposible. Todo cuanto pidáis con fe en la oración lo recibiréis". "Dichosos los que crean sin haber visto". "Según sea tu fe, así serán las cosas que te sucederán. Todo es posible para el que cree. Nada es imposible para quien tiene fe". El que crea se salvará y el que no crea se condenará. El que crea en el Hijo de Dios tendrá vida eterna".

281) ¿Qué hay que hacer para que nos aumente la fe?

R. Para que se nos aumente la fe debemos pedirle a Dios, como los Apóstoles que le decían: "Señor, auméntanos la fe". Debemos también leer y escuchar con gusto y frecuentemente la Palabra de Dios porque ella aumenta la fe. Y evitar las amistades con gente que no cree y las malas lecturas y las películas malas, porque esto disminuye y acaba la fe.

EJEMPLO: EL GÁNSTER Y LA BIBLIA

En la cárcel de San Quintín, en Estados Unidos, estaba uno de los más temibles asaltantes de bancos. Se llamaba Green. Desesperado, pedía que le llevaran novelas a su calabozo. Pero el padre capellán le dijo: "Te dejo el único libro que tengo, el que te puede salvar: la S. Biblia". El hombre no quería leerla pero como no tenía más que hacer empezó a leerla poco a poco. Y le sucedió lo que a muchísimos más les ha pasado: se convenció de que la Biblia es el libro más provechoso del mundo.

La lectura del Sagrado Libro lo convenció de que hay un Dios que nos ama muchísimo, que se siente feliz ayudándonos, que desea enormemente que nosotros triunfemos y que nos vaya bien pero que también castiga todos nuestros pecados y se disgusta mucho cuando hacemos, pensamos o decimos lo que Él ha prohibido.

Green hizo el ensayo de empezar a rezar a Dios y se dio cuenta de que Dios sí escucha nuestras oraciones. Él había sido muy desdichado cuando vivía pecando y ofendiendo a Dios, pero ahora que le había pedido perdón y que le rezaba mañana y noche, sentía una felicidad tan inmensa como jamás lo había imaginado. Y cada página de la Biblia que iba leyendo, le iba aumentando su amor a Dios y su deseo de tratar mejor a los demás. Todos en la cárcel notaron su buena conducta. Con otros presos organizó un grupo para ir leyendo y comentando cada día una página de la S. Biblia. Todo en la cárcel mejoró y la buena conducta y la amistad entre todos era admirable. El jefe de prisiones le concedió en premio poder salir por las mañanas a trabajar a la ciudad y regresar por la noche. Con lo que ganó con sus trabajos y premios obtenidos por su gran labor en favor de los otros presos, obtuvo la libertad. Ahora es uno de los más famosos vendedores de automóviles en Estados Unidos y la décima parte de todo lo que gana lo gasta en repartir Biblias porque dice: "Yo había perdido la fe, era muy malo y muy desdichado. Pero al leer la Biblia recobré mi fe, cambié mi vida y ahora soy feliz". Es que la palabra de Dios transforma las personas.

282) ¿Qué es la esperanza?

R. La esperanza es la virtud por la cual estamos seguros de que Dios nos premiará en la otra vida con los goces del cielo, si en esta tierra hacemos lo que Él ha mandado que en esta vida nos concederá todo lo necesario para poder conseguir la salvación. Y todo esto, por los méritos de Jesucristo.

Dijo el Salmista: *"Soy viejo y hasta ahora no he visto a ninguno que haya puesto su esperanza en Dios y haya sido abandonado". Y también: "Aunque tu madre y tu padre te abandonen, yo nunca te abandonaré".*

Cuando san Pablo estaba muy desanimado por sus sufrimientos, Dios le hizo ver lo que tiene destinado en la eternidad para los que cumplen sus mandamientos, y el Apóstol exclama: "Ni el ojo vio, ni el oído puede tener idea de lo que Dios tiene preparado para los que lo aman" (1 Corintios 2, 9).

En adelante san Pablo vive siempre alegre en medio de sus sufrimientos, porque recuerda los premios que le esperan en el Paraíso, y repite: "Si nuestra esperanza es sólo para esta vida, somos los seres más desdichados. Pero no. Cristo sí resucitó, y nosotros también resucitaremos" (1 Corintios 15, 18). "No os entristezcáis como los que no tienen esperanza: Dios llevará consigo a quienes fueron amigos de Jesucristo. Seremos llevados por las nubes al encuentro del Señor y estaremos siempre con Dios. Consolaos con estas palabras" (1 Tesalonicenses 4, 13-18).

283) ¿Qué es la caridad?

R. La caridad es una virtud sobrenatural por la cual amamos a Dios sobre todas las cosas y amamos al prójimo como a nosotros mismos, por amor de Dios.

Un sabio se acercó a Jesús y le dijo: "Maestro, ¿cuál es el mandamiento más importante de todos?". Jesús le respondió: "El mandamiento más importante de todos es: Amarás al Señor tu Dios con todo tu corazón, con toda tu alma y con todas tus fuerzas. El segundo es: Amarás a tu prójimo como te amas a ti mismo. No hay mandamiento más importante que éstos" (S. Marcos 12, 28).

284) ¿Cómo se conoce que alguien tiene caridad?

R. Se conoce que alguien tiene caridad si se esfuerza por cumplir los mandamientos y por no pecar; si hace con frecuencia actos de amor a Dios: dándole gracias por sus favores, pidiéndole perdón por los pecados y ofreciéndole lo que hace y lo que sufre. Y si trata a los demás como quisiera que los demás le trataran a él mismo.

San Juan dijo: *"Se conoce al que es de Dios en que se esfuerza por cumplir los mandamientos" (1 Juan 3, 24) y por no pecar (5, 18).*

San Francisco de Sales recomendaba como el mejor método para aumentar el amor de Dios: "Recordar sus favores y darle gracias por ellos".

Y Jesús dio la LEY DE ORO en el trato con el prójimo: "Todo el bien que deseáis que los demás os hagan a vosotros, hacedlo vosotros a ellos" (S. Mateo 7, 12).

LAS VIRTUDES MORALES O CARDINALES

285) ¿Cuáles son las virtudes morales o cardinales?

R. Las virtudes morales o cardinales son las cuatro buenas costumbres que toda persona normal debe tener: prudencia, justicia, fortaleza y templanza.

Virtudes morales: *quiere decir normas y costumbres para tener buena conducta.*

Virtudes cardinales: *significa que son la base o fundamento para poder tener las demás virtudes que se necesitan.*

El libro de la Sabiduría en la S. Biblia dice que las cuatro virtudes humanas sobre las cuales se basan las demás cualidades de una persona son: prudencia, justicia, fortaleza y templanza. Por eso la Iglesia las llama "cardinales", que significa aquello que sirve de base y fundamento para otras cualidades.

286) ¿Qué es prudencia?

R. Prudencia es la virtud que nos enseña qué debemos hacer, decir y evitar.

Entre los 73 libros que componen la S. Biblia hay uno dedicado a enseñar a las personas cómo adquirir prudencia. Ese libro se llama "Los Proverbios del rey Salomón". Es sumamente agradable y enseña más de mil refranes para lle-

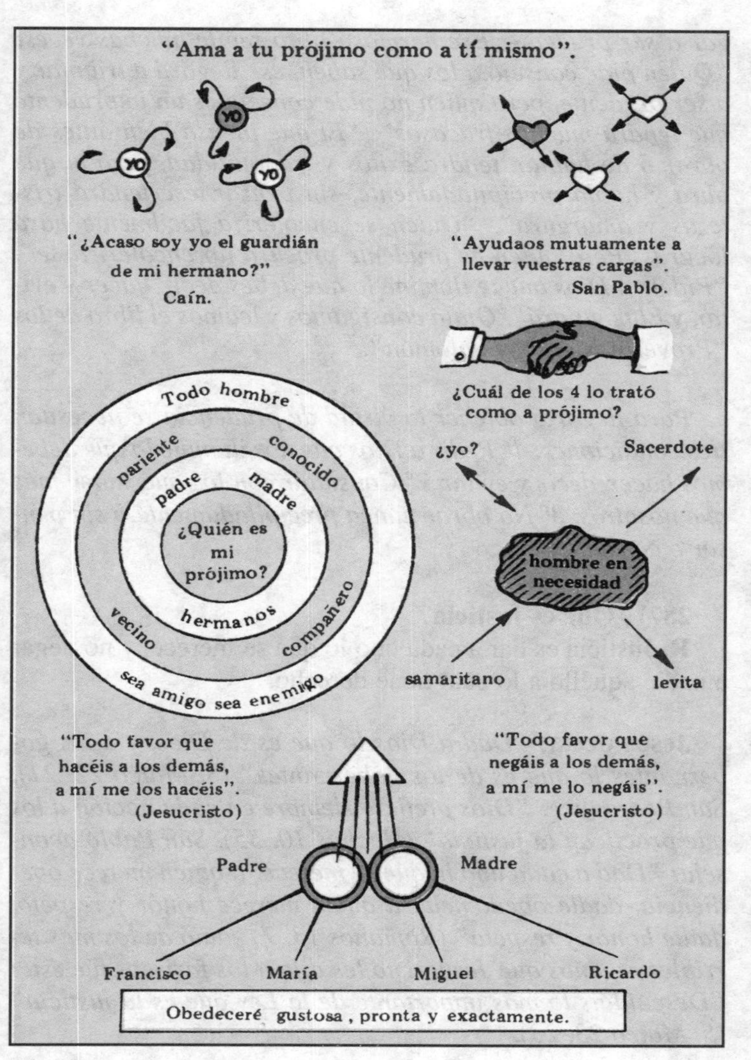
"Ama a tu prójimo como a tí mismo".
YO
YO
YO
"¿Acaso soy yo el guardián
de mi hermano?"
Caín.
"Ayudaos mutuamente a
llevar vuestras cargas".
San Pablo.
¿Cuál de los 4 lo trató
como a prójimo?
¿yo?
Sacerdote
hombre en
necesidad
samaritano
levita
Todo hombre
pariente
conocido
padre
madre
¿Quién es
mi
prójimo?
hermanos
vecino
compañero
sea amigo sea enemigo
"Todo favor que
hacéis a los demás,
a mí me los hacéis".
(Jesucristo)
"Todo favor que
negáis a los demás,
a mí me lo negáis".
(Jesucristo)
Padre
Madre
Francisco
María
Miguel
Ricardo
Obedeceré gustosa, pronta y exactamente.

gar a ser prudente. Ese hermoso libro repite muchas veces: "Quien pide consejo a los que saben, ese llegará a triunfar y a ser prudente, pero quien no pide consejo es un imprudente que tendrá muchos fracasos". "El que piensa bien antes de obrar o de hablar, tendrá éxitos y tranquilidad, pero el que obra y habla precipitadamente, sin pensar, ese tendrá tristezas y amargura". "Quien se encoleriza fácilmente hará locuras. Pero quien es prudente procura no encolerizarse". "Pídele a Dios que te ilumine lo que debes decir, hacer y evitar, y Él te guiará". Ojalá consigamos y leamos el libro de los "Proverbios del rey Salomón".

Para llegar a obtener la virtud de prudencia se necesitan tres condiciones: 1º Pedir a Dios que nos ilumine lo que debemos hacer, decir y evitar. 2º Consultar con los que saben más que nosotros. 3º No obrar nunca precipitadamente o sin pensar o consultar.

287) ¿Qué es justicia?

R. Justicia es dar a cada uno lo que se merece, y no negar a nadie aquello a lo cual tiene derecho.

Jesús decía: *"Dad a Dios lo que es de Dios, y a los gobernantes lo que es de los gobernantes" (S. Mateo 22, 21). San Pedro dice: "Dios prefiere siempre en cada nación a los que practican la justicia" (Hechos 10, 35). San Pablo aconseja: "Dad a cada uno lo que se merece: a quien merece obediencia, dadle obediencia, a quien merece honor y respeto, dadle honor y respeto" (Romanos 13, 7) y uno de los más terribles regaños que Jesucristo les dijo a los fariseos fue éste: "Descuidáis lo más importante de la Ley que es la justicia" (S. Mateo 23, 23).*

288) ¿Qué es la fortaleza?

R. Fortaleza es la virtud por la cual sufrimos con paciencia nuestras penas sin renegar ni desanimarnos, y luchamos con valor contra las dificultades que se nos presentan para el cumplimiento de nuestros deberes.

EJEMPLOS ADMIRABLES DE FORTALEZA

Jesucristo en el huerto de Getsemaní sintió mucho miedo, hasta sudar sangre, pero oró al Padre Celestial y recibió tanta fortaleza que luego sufrió con admirable valor su pasión y muerte. San Juan Bautista recibió de Dios una gran fortaleza con la cual le llamó la atención a Herodes por haberse casado con una divorciada, y murió valientemente por defender la ley de Dios. San Pedro, que había sido cobarde y había renegado de Jesús, después recibió del Espíritu Santo el don de fortaleza, se volvió tan valiente que hablaba de Cristo delante de todas las gentes y murió valerosamente crucificado cabeza abajo. San Pablo, con la fortaleza que recibió de Dios, pidiéndola muchas veces, sufrió pacientemente las muchas debilidades de su cuerpo y de su salud, y cinco palizas, y pedreadas e insultos y nunca tuvo miedo ni desánimo en propagar la religión por todas partes. Cuando Dios le regala fortaleza a una persona, porque se la ha pedido en la oración, los cobardes se vuelven valientes, los flojos se vuelven fuertes y los coléricos llegan a ser pacientes.

289) ¿En qué consiste la templanza?

R. La templanza consiste en ser moderados en la comida, en la bebida, en el descanso, en las diversiones y en todo.

Dice el Eclesiástico: "Si eres moderado vivirás más años y vivirás más feliz. Si te excedes en comer, tendrás pesadillas y dolores de estómago".

Dormir demasiado es tan dañoso como comer demasiado.

Cada cigarrillo disminuye siete minutos la vida del fumador.

Las bebidas alcohólicas hacen daño a la cartera, a la salud y al alma.

***

LAS VIRTUDES

(Del Catecismo de la Iglesia Católica, número 1803 y ss.)

La virtud es una disposición habitual y firme hacia el bien. Permite realizar actos buenos. La persona virtuosa tiende hacia el bien, lo busca y trata de conseguirlo a través de acciones concretas (1803).

Las virtudes humanas o naturales son disposiciones e inclinaciones estables hacia el bien; son perfecciones del entendimiento y de la voluntad que ordenan nuestras pasiones y guían nuestra conducta según la fe y la razón. Las virtudes humanas proporcionan facilidad para llevar una vida moralmente buena (1804).

Los virtudes morales son las que se adquieren mediante el esfuerzo y la buena voluntad.

Los virtudes cardinales son cuatro. Se les llama así porque alrededor de ellas se agrupan las demás virtudes (cardinal en latín significa fundamental; aquello sobre lo cual se basa el resto del edificio). Son: la prudencia, la justicia, la fortaleza y la templanza. La S. Biblia, en el Libro de la Sabiduría dice: "Ciertas virtudes crecen y son el fruto de los esfuerzos. De la Sabiduría nacen la prudencia, la justicia, la fortaleza y la templanza" (Sab 8, 7) (1805).

LA PRUDENCIA: Es la virtud que dispone a elegir nuestro verdadero bien, y a elegir los medios correctos para alcanzarlo. Es distinta de la timidez y el temor que impiden hacer el bien por miedo a equivocarse, y se distingue también de la doblez y la simulación que son ya una prudencia mal entendida. El libro de los Proverbios dice: "La persona prudente medita bien las palabras que va a decir" (Prov 14, 15) (1806).

LA JUSTICIA: Es la virtud que nos lleva a dar a Dios y al prójimo lo que a cada cual le es debido. Darle a Dios lo que le es debido se llama virtud de la religión. En la Sagrada Escritura se alaba mucho a las personas que practican la justicia con los demás, o sea las que respetan los derechos de cada uno y se esfuerzan por vivir en armonía con todos. El libro del levítico recomienda: "No hagas injusticia con nadie ni por favor al pobre, ni por miedo a los poderosos" (Lev 19, 15) (1807).

LA FORTALEZA: Es la virtud que concede firmeza en las dificultades y constancia para seguir buscando el bien. Reafirma la resolución de resistir a las tentaciones y de tratar de superar los obstáculos. La virtud de la fortaleza hace capaces de vencer el temor y de enfrentarnos a las pruebas y problemas. Capacita para renunciarse y dominarse a sí mismo y para sacrificar hasta la propia vida por defender una causa justa. El salmo 118 dice: "Mi fuerza y mi fortaleza es el Señor Dios" (1808).

LA TEMPLANZA: Es la virtud que modera la atracción hacia los placeres. Asegura el dominio de la voluntad sobre los instintos y mantiene los deseos en los límites de la honestidad. La persona moderada domina y encamina hacia el bien sus apetitos e inclinaciones, y trata de cumplir lo que aconseja el Libro Santo: "No te dejes arrastrar por las pasiones de tu corazón" (Ecl 5, 2) El Antiguo Testamento alaba frecuentemente la virtud de la templanza y dice: "No sigas hacia donde te inclinan tus pasiones. Tienes que moderar tus deseos" (Ecl 18, 30) En el Nuevo Testamento a la templanza se le llama "sobriedad". San Pablo aconseja: "Debemos vivir con justicia, piedad y sobriedad" (Tito 2, 12) (1809).

Toda persona debe pedir al Espíritu Santo la gracia de ser capaz de practicar las virtudes, porque no es fácil practicarlas, pues estamos heridos por el pecado (1811).

LAS VIRTUDES TEOLOGALES

Las virtudes son las que se refieren directamente a Dios. Son las que nos disponen a vivir en buenas relaciones con la Santísima Trinidad, (1812). Las virtudes teologales ayudan a todas los demás virtudes. Son infundidas por Dios en el alma, para hacernos obrar como buenos hijos suyos y para merecer la vida eterna. Estas virtudes son la señal de que el Espíritu Santo sí vive y actúa en nosotros. Son tres: fe, esperanza y caridad (1813).

LA FE: Se llama fe a la virtud por la que creemos en Dios, en lo que Él nos ha dicho y revelado y que la Santa Iglesia nos enseña (1814). El apóstol Santiago dijo: "La fe sin obras está muerta" (St 2, 26). El seguidor de Cristo no sólo debe conservar la fe, sino difundirla, propagarla y profesarla públicamente delante de los demás. Jesús prometió: "Todo aquel que se declare a mi favor delante de la gente de esta tierra, yo me declararé a su favor delante de los ángeles del cielo; pero quien se avergüence de mí delante de la gente, yo lo negaré ante mi Padre que está en los cielos" (Mt 10, 32) (1816).

LA ESPERANZA: Es la virtud por la que aspiramos al Reino de los Cielos y a la vida eterna (1817). La virtud de la esperanza corresponde al anhelo de felicidad puesto por Dios en el corazón de todo ser humano. Purifica las demás esperanzas de la gente y las encamina hacia el Reino de los Cielos; libra del desaliento, concede fuerzas cuando llega el abatimiento o pesimismo, alegra el corazón haciéndolo esperar la felicidad de la eternidad. El esperar en las dichas eternas libra de dedicarse al egoísmo y lleva a hacer obras de caridad (1818).

Modelo de esperanza fue Abraham, del cual dice la Sagrada Escritura que "esperó contra toda esperanza" (Rom 4, 18) cuando esperó que Dios salvaría a su hijo Isaac (1819). Las bienaventuranzas predicadas por Jesús elevan nuestra esperanza hacia el cielo. La esperanza se alimenta de la oración, especialmente del Padre Nuestro en el cual está resumido todo lo que la esperanza nos hace desear (1820). San Pablo dice: "Ni el ojo vio, ni el oído oyó lo que Dios tiene preparado para los que lo aman" (1Co 2, 9). Y eso es lo que esperamos conseguir nosotros (1821).

LA CARIDAD: Es la virtud por la cual amamos a Dios sobre todas las cosas y a nuestro prójimo como a nosotros mismos (1829). Jesús declaró que la caridad es su mandamiento nuevo (Jn 13, 34). Dijo: "Éste es mi mandamiento, que se amen unos a otros, como Yo los he amado" (Juan 15, 12) (1823). Jesús nos mandó que amemos a nuestros enemigos y que recemos por los que nos hacen mal (Mt 5, 44), que tratemos a los demás como lo hizo el buen samaritano (Lc 10, 37) y que amemos y tratemos bien a los pobres, a los enfermos, encarcelados y huéspedes, como si fuera a Cristo mismo (Mt 25, 40) (1825). San Pablo escribió unas frases famosas e incomparables acerca de la caridad. Dice: "La caridad es paciente; no es envidiosa; no se irrita; no vive recordando el mal que le han hecho. No se alegra de la injusticia. Todo lo excusa, todo lo cree, todo lo espera, todo lo soporta (1Co 13). Y añade: "Si no tengo caridad, nada soy, y de nada me aprovecha lo demás. La mayor de todas las virtudes es la caridad" (1 Corintios 13, 13).

LAS BIENAVENTURANZAS

290) ¿Qué son las bienaventuranzas?

R. Las bienaventuranzas son las 8 fórmulas que Jesús enseñó en el Sermón de la Montaña para obtener la verdadera felicidad.

Se llaman "bienaventuranzas" porque cada una empieza así: "Bienaventurados o dichosos los...". De todos los sermones que dijo Jesús, el más famoso es el Sermón de la Montaña, que está en los capítulos 5, 6 y 7 del evangelio de San Mateo. Este maravilloso sermón empieza con las 8 bienaventuranzas.

291) ¿Cuáles son las ocho bienaventuranzas?

R. Las ocho bienaventuranzas son: 1° Dichosos los pobres en espíritu, porque de ellos es el reino de los cielos. 2° Dichosos los mansos, porque ellos poseerán la tierra. 3º Dichosos los que lloran, porque ellos serán consolados. 4º Dichosos los que tienen gran deseo de hacer lo que más agrada a Dios, porque su deseo será satisfecho. 5º Dichosos los que son misericordiosos, porque ellos obtendrán también misericordia. 6º Dichosos los puros de corazón, porque ellos verán a Dios. 7º Dichosos los que trabajan por obtener la paz, porque ellos serán llamados hijos de Dios. 8º Dichosos los que padecen persecución por hacer lo que Dios manda, porque de ellos es el Reino de los Cielos (Mateo 5, 1-10).

292) ¿Quiénes son los pobres de espíritu?

R. Los pobres de espíritu son los que no tienen afán de ser ricos, ni se apegan con demasiado cariño a los bienes de la tierra, sino que su esperanza la ponen totalmente en Dios y en su poder y misericordia.

Jesús, a un joven que le preguntaba qué debía hacer para ser perfecto, le respondió: "Si quieres ser perfecto, anda, vende cuanto tienes y dáselo a los pobres; así tendrás un tesoro en el cielo, después, ven y sígueme" (Mateo 19, 21).

Pobres de espíritu fueron los Apóstoles, que por seguir a Jesús dejaron sus redes, sus familiares y todos sus bienes. Pobres de espíritu fueron san Benito, san Francisco y san Juan de Dios, que regalaron todos sus bienes a los pobres y se dedicaron a vivir alegremente confiados en la ayuda de la Providencia de Dios.

293) ¿Quiénes son los mansos?

R. Mansos son los que se esfuerzan por dominar su ira y su malgenio y tratan a los demás con amabilidad, humildad y buena educación.

Jesús es el hombre más manso que ha existido. De Él dice el Libro Santo: "No gritaba en la plaza ni alzaba el tono de su voz en la calle, ni discutía. A la caña quebrada no la acababa de partir y a la lámpara que se estaba apagando no la acababa de apagar (S. Mateo 12, 18ss.). "Al ser insultado no respondía con insultos, al ser maltratado no amenazaba a los que lo maltrataban" (1Pedro 2, 23); y mientras lo crucificaban decía: "Padre, perdónalos, porque no saben lo que hacen" (S. Lucas 23, 34). Y Él dice a sus seguidores: "Aprended de mí, que soy manso y humilde de corazón y hallaréis la paz para vuestras almas" (S. Mateo 11, 29).

294) ¿Qué significa que los mansos poseerán la tierra?

R. Lo que Jesús dijo: "Los mansos poseerán la tierra" significa que aquí en esta tierra serán muy aceptados por los demás, por su amabilidad y buen genio, y que después de la muerte poseerán la Tierra Prometida, que es el cielo.

El salmo 36 dice: "Los que saben sufrir con mansedumbre y buen genio, poseerán la tierra y gozarán de paz abundante".

La S. Biblia afirma que Moisés fue el hombre más manso del Antiguo Testamento (Números 12, 3). Todos los santos se han esforzado por ser mansos. San Francisco de Sales durante 21 años no tuvo sino un sólo propósito: "Ser manso". Y lo consiguió y fue apreciadísimo por toda la gente precisamente por tener mansedumbre.

AL BAJAR DE LA MONTAÑA, UNA GRAN MULTITUD ESTA ESPERANDO A JESUS. ALLI, EN AQUELLA LADERA, JESUS LES PREDICA UN SERMON EN EL QUE DESCRIBE A LOS SUBDITOS DEL REINO DE DIOS:

DICHOSOS LOS MISERICORDIOSOS, PORQUE ELLOS ALCANZARAN MISERICORDIA.

DICHOSOS LOS DE LIMPIO CORAZON, PORQUE ELLOS VERAN A DIOS.

DICHOSOS LOS PACIFICADORES, PORQUE ELLOS SERAN LLAMADOS HIJOS DE DIOS.

VOSOTROS SOIS LA LUZ DEL MUNDO. . .HACED QUE VUESTRA LUZ BRILLE DE TAL FORMA QUE LA HUMANIDAD VEA VUESTRAS BUENAS OBRAS Y GLORIFIQUE A VUESTRO PADRE QUE ESTA EN LOS CIELOS. . .

AMAD A VUESTROS ENEMIGOS, BENDECID A LOS QUE OS MALDICEN, HACED BIEN A LOS QUE OS ABORRECEN, Y ORAD POR LOS QUE OS ULTRAJAN Y OS PERSIGUEN; PARA QUE SEAIS HIJOS DE VUESTRO PADRE QUE ESTA EN LOS CIELOS, EL CUAL HACE BRILLAR EL SOL SOBRE MALOS Y BUENOS Y HACE LLOVER SOBRE JUSTOS E INJUSTOS.

ASI QUE HACED A LOS DEMAS LAS COSAS QUE QUERAIS QUE LOS HOMBRES OS HAGAN A VOSOTROS, PORQUE EN ESTO SE RESUME LA LEY DE DIOS.

295) ¿Quiénes son los que lloran?

R. Los que lloran son los que sufren con paciencia penas, enfermedades o contrariedades, y los que se entristecen por las ofensas que se hacen a Dios.

Jesucristo hizo una gran promesa a las personas que sufren: "Dichosos seréis cuando os persigan y os traten mal por mi causa. Alegraos y regocijaos porque es muy grande la recompensa que os espera en los cielos" (Mateo 5, 11). Y san Pablo añade: "Si ahora sufrimos con Cristo, después reinaremos con Él en el cielo" (2 Tim 2, 12).

296) ¿Quiénes son los que tienen hambre y sed de justicia?

R. Los que tienen hambre y sed de justicia son los que tienen gran deseo de hacer lo que más agrada a Dios, de cumplir bien sus deberes y llegar a ser santos.

El Libro de los Salmos promete: "El Señor te ayuda conforme a los buenos deseos de tu corazón" (Salmo 20). "Dios satisface los buenos deseos de los que lo aman" (Salmo 144). "Y el ángel de Dios felicitó al profeta Daniel por ser hombre de santos deseos" (Daniel 9, 23). El Libro de los Proverbios afirma: "Quien cumple bien sus deberes llegará a ser persona importante".

297) ¿Quiénes son los misericordiosos?

R. Los misericordiosos son los que saben comprender las debilidades y miserias de los demás; tienen compasión de los males del prójimo y procuran remediarlos del mejor modo posible.

El ser humano más misericordioso que ha existido es Jesucristo. A una mujer pecadora que los demás iban a matar a pedradas, Él la perdonó y le dijo: "Yo no te condeno. Lo que te pido es que no peques más" (S. Juan 8, 11). Jesús se encontraba con los enfermos y los curaba de sus enfermedades. Veía que la gente tenía hambre y multiplicaba los panes para darles de comer. Cuando hallaba a una persona poseída del demonio le sacaba del alma el mal espíritu. A los ignorantes los instruía y a los que iban por mal camino los corregía para que no se condenaran. El Evangelio dice varias veces que Jesús, al ver la multitud, sentía compasión por esas gentes porque estaban abandonadas como ovejas sin pastor (S. Mateo 9, 36). Y unos momentos antes de morir todavía Jesús tuvo misericordia del ladrón que estaba crucificado a su derecha y lo perdonó y se lo llevó al cielo (S. Lucas 23, 43). El cristiano que desea ser santo tiene que proponerse llegar a ser tan misericordioso con los demás como lo fue Jesús.

PRÁCTICA: Aprendamos y digamos de vez en cuando esta bella oración: "Jesús manso y humilde de corazón, haz nuestro corazón semejante al tuyo".

298) ¿Quiénes son los puros de corazón?

R. Los puros de corazón son los que se esfuerzan por dominar sus pasiones y vivir en gracia de Dios, o sea en buena amistad con Nuestro Señor, evitando todo lo que sea pecado y no teniendo afecto a lo que es ofender a Dios.

El único hombre que ha sido totalmente puro de corazón, o sea sin ni el más pequeño pecado, es Jesucristo. Él pudo decir en público a sus enemigos: "¿Quién de ustedes se atreve a comprobarme que yo haya cometido algún pecado?" (cf. Juan 8, 46) y nadie pudo acusarlo de nada. Cuanto más puro de corazón sea uno, o sea cuando menos pecados tenga, más cercano estará de Dios en el cielo y más logrará verlo y contemplarlo y admirarlo. El Apocalipsis dice que: "Los que en esta vida han conservado su alma sin mancha de pecado, irán en la eternidad junto al Hijo de Dios, a donde quiera que Él vaya" (Ap 14, 4).

PRÁCTICA: *Repitamos la oración del rey David: "Oh Señor; crea en mí un corazón puro, y no apartes de mí tu Santo Espíritu" (Salmo 50).*

299) ¿Quiénes son los pacíficos?

R. Los pacíficos son los que viven en paz con Dios, con los demás y consigo mismos, y se esfuerzan porque las personas logren vivir en paz unas con otras.

El Salmo 33 dice: "Si amas la vida y deseas prosperidad, tienes que amar la paz y esforzarte por obtenerla". Y el Salmo 118: "Mucha paz tendrán los que aman la Ley de Dios". San Pablo recomienda varias veces en sus cartas: "Procurad vivir en paz con todas las personas" (Rom 12, 16).

"Dios es un Dios de paz, y nos ha destinado a que vivamos en paz con todos" (1 Co 7, 15). Cordero de Dios: dadnos la paz.

300) ¿Quiénes son los que padecen persecución por la justicia?

R. Los que padecen persecución por la justicia son los perseguidos, que tienen que sufrir por hacer lo que Dios manda, y por cumplir bien su deber.

CUARTA PARTE
LOS SACRAMENTOS

301) ¿Qué son los sacramentos?

R. Los sacramentos son ciertas acciones exteriores instituidas por Jesucristo que nos dan o nos aumentan la gracia santificante.

La palabra "sacramento" es una palabra del idioma griego en el que fue escrito el Nuevo Testamento, y significa: "Un plan secreto para conseguir un gran bien". Así, por ejemplo, cuando el Libertador hizo un "Plan secreto para libertar a nuestra patria", eso en griego se dice "sacramento" y en latín se dice "misterio". Los sacramentos son planes secretos de Dios, que muchas veces no entendemos, con los cuales Él nos quiere conceder enormes favores.

302) ¿Cuáles son los sacramentos?

R. Los sacramentos son siete: 1º Bautismo, 2º Confirmación, 3º Confesión, 4º. Eucaristía, 5º Unción de los enfermos, 6º Orden sacerdotal y 7º Matrimonio.

El profeta Isaías dijo: *"Sacaréis agua con gozo de las fuentes de la salvación". (Is 12, 3). Y la Iglesia Católica enseña que de las heridas de Jesús en la Cruz brotaron las siete fuentes de salvación que son los siete sacramentos.*

303) ¿Qué condiciones se necesitan para que algo sea sacramento?

R. Para que algo sea sacramento se necesitan tres condiciones:1º) Que sea instituido por Jesucristo, 2º) que sea algo sensible: o sea que se perciba por alguno de los sentidos 3º) que conceda al alma alguna gracia o favor especial de Dios.

Así, el Bautismo es sacramento porque fue instituido por Jesucristo cuando dijo: "Id y bautizad a todas las gentes".

LOS SIETE SACRAMENTOS:

Bautismo	Confirmación	Eucaristía

Penitencia	Unción de los Enfermos

Orden	Matrimonio

Las tres notas distintivas de un Sacramento:

1. Signo exterior
algo que se ve y se oye

2. Gracia interna
se da o se acrecienta la vida de la gracia

3. Institución por Jesucristo
una palabra de Cristo.

Es sensible porque se percibe por el sentido del tacto que siente el agua, y por el sentido del oído que oye decir: "Yo te bautizo ..." ¿Y por cuál otro sentido?... Y produce una gracia o favor especial y es que borra la mancha del pecado original y nos hace hijos de Dios.

PRÁCTICA: *¿Con qué palabras instituyó Jesús el sacramento de la confesión? (S. Juan 20, 23). ¿Con qué sentido se percibe el sacramento de la Eucaristía? ¿Y el de la Unción de los Enfermos?... ¿Qué favor especial concede al alma el sacramento de la Confesión?...*

EL BAUTISMO

304) ¿Qué es el Bautismo?

R. El Bautismo es el sacramento que nos borra la mancha del pecado original y nos hace cristianos.

Objeción: *¿Por qué bautizar a los niños tan pequeñitos sin pedirles permiso?*

Respuesta: *Porque el Bautismo es un gran regalo que se le da al niño y para dar un regalo a un niño no hay que pedirle permiso. También porque el Bautismo es un inmenso favor que se hace al niño, y para ello no hace falta pedirle permiso. ¿Qué tal que los papás no mandaran vacunar al niño contra el sarampión porque no le pueden pedir permiso para vacunarlo? ¿O que no le vacunaran contra la viruela o la poliomielitis porque no se le puede pedir permiso, y entonces por no vacunarlo quedara para toda la vida con*

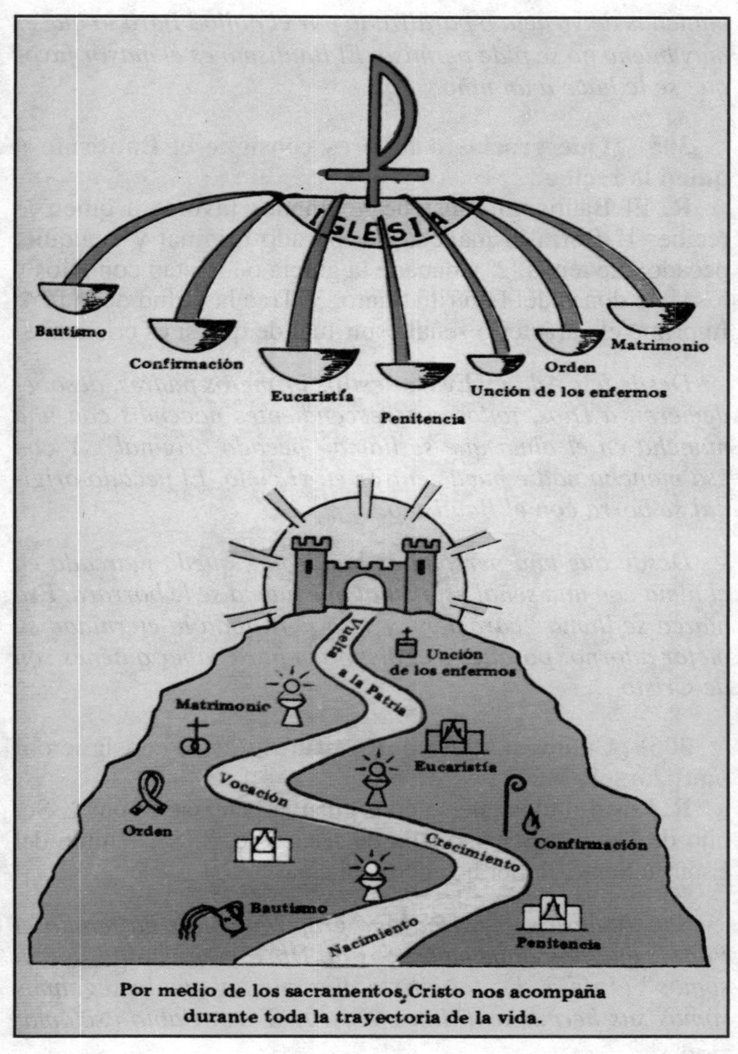

Por medio de los sacramentos, Cristo nos acompaña durante toda la trayectoria de la vida.

manchas de viruela o paralizado por el polio? Para lo que es muy bueno no se pide permiso. El Bautismo es el mayor favor que se le hace a un niño.

305) ¿Qué gracias o favores consigue el Bautismo a quien lo recibe?

R. El Bautismo consigue 4 grandes favores a quien lo recibe: 1° Borra la mancha del pecado original y cualquier pecado que tenga. 2° Concede la gracia o amistad con Dios y los siete dones del Espíritu Santo. 3° Trae la virtud de la fe 4° Imprime el carácter o señal espiritual de que sí es cristiano.

Desde que Adán y Eva, nuestros primeros padres, desobedecieron a Dios, todos sus descendientes nacemos con una mancha en el alma que se llama "pecado original". Y con esa mancha nadie puede entrar en el cielo. El pecado original se borra con el Bautismo.

Desde que una persona es bautizada, queda marcada en el alma con una señal espiritual que nunca se le borrará. Esa marca se llama "carácter" y será para toda la eternidad su mejor adorno: porque es el distintivo para saber quiénes son de Cristo.

306) ¿Cuáles son los cuatro títulos que se consiguen al bautizarse?

R. Los 4 títulos que se consiguen al bautizarse son: 1. Ser hijo de Dios. 2. Ser hermano de Jesucristo. 3. Ser templo del Espíritu Santo. 4. Ser heredero del cielo.

San Juan dice: "Mirad qué gran amor nos ha tenido el Padre: que nos llamemos hijos de Dios, y en verdad que lo somos" (1 Jn 3, 1). Jesucristo dijo que los que lo seguimos somos sus hermanos (Mateo 28, 10). Y san Pablo exclama:

"¿No sabéis que sois templos del Espíritu Santo, que Él vive con vosotros como en un templo?" (1 Corintios 6, 19). Somos herederos de la vida eterna (Tt 3, 7).

307) ¿Por qué es necesario el Bautismo para salvarse?

R. El Bautismo es necesario para salvarse porque Jesucristo dijo: "El que crea" y se bautice se salvará y quien no vuelva a nacer por medio del agua y del Espíritu Santo no puede entrar en el Reino de Dios".

Cuando Cristo se iba a los cielos, el día de la Ascensión, dijo a los Apóstoles: "Vayan por todo el mundo y enseñen lo que yo les he enseñado, y bauticen a todas las gentes en el nombre del Padre y del Hijo y del Espíritu Santo. El que crea y sea bautizado se salvará, el que no crea se condenará" (S. Marcos 16, 16 y S. Mateo 28). Y al sabio Nicodemo le dijo un día: "Quien no vuelva a nacer del agua y del Espíritu Santo no podrá entrar en el Reino de los Cielos" (S. Juan 3, 5).

308) ¿Cómo pueden reemplazar los mayores de edad el sacramento del Bautismo?

R. Los mayores de edad que no han podido recibir el sacramento del Bautismo lo pueden reemplazar por el Bautismo de deseo que consiste en un gran deseo de ser bautizado y de ser amigo de Dios; lo pueden reemplazar también por el Bautismo de sangre que consiste en derramar su sangre o padecer el martirio por amor a Jesucristo.

EJEMPLO DE BAUTISMO DE DESEO

El Emperador Maximino deseaba ser bautizado; mandó llamar a san Ambrosio a que lo bautizara. Pero mientras el santo iba de camino, para emperador se murió. Entonces san Ambrosio dijo a los familiares del difunto: "El gran deseo que él tenía de ser Bautizado reemplaza al sacramento del Bautismo. Quedó bautizado con "Bautismo de deseo", que también vale".

EJEMPLO DEL BAUTISMO DE SANGRE

San Ginés, patrono de los cómicos, era una payaso muy famoso de Roma. Un emperador enemigo de la religión lo mandó a un Bautismo para que se burlara de las ceremonias de este sacramento. Pero Ginés vio que en el momento que le echaban el agua a la cabeza del que era bautizado, aparecía el Libro de la Vida en el que están escritos todos los pecados, y al recibir el Bautismo se le borraron todos los pecados que aquel hombre tenía. Entonces Ginés se emocionó y gritó: "Yo también creo en Jesucristo, yo también quiero ser cristiano". Lleno de rabia, mandó el emperador que allí mismo le cortaran la cabeza a Ginés y así aunque no recibió el sacramento del Bautismo, si recibió el Bautismo de sangre y ahora es San Ginés.

309) ¿Quién debe bautizar?

R. De ordinario debe bautizar el sacerdote. Pero en caso de necesidad puede y debe bautizar cualquier hombre o mujer que tenga uso de razón y tenga intención de hacer lo que hace la Iglesia.

Condiciones para el Bautismo de un niño:

1º Ir al despacho parroquial a dar los datos del niño. Para ello hay que llevar el Registro Civil, y ojalá la partida de matrimonio de los padres para sacar de allí más exactamente todos los datos. Si los papás no son casados y quieren que en la partida aparezca el niño con el apellido del papá, tiene que ir éste a firmar una boleta en el despacho parroquial en la cual conste que sí quiere que el niño lleve su apellido.

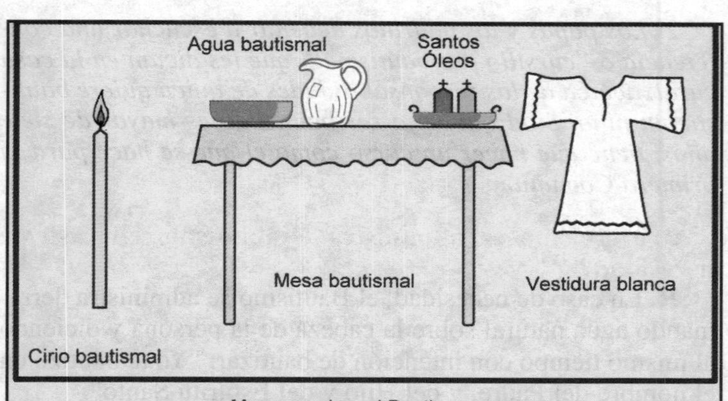

Me recuerdan mi Bautismo:

Debemos hacer la Renovación de las Promesas del Bautismo

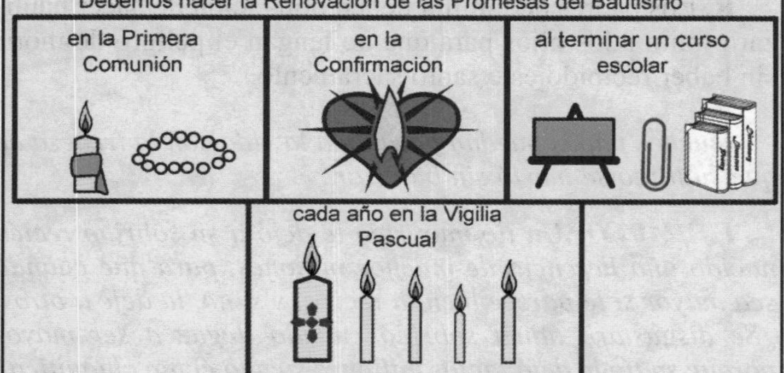

2º Los papás y los padrinos deben ir a escuchar una conferencia o "cursillo pre-bautismal" que les dictan en la casa cural, acerca de las responsabilidades de quien quiere bautizar un niño. Si el que va a ser bautizado es mayor de siete años, tiene que hacer un curso como el que se hace para la primera Comunión.

310) ¿Cómo se administra el Bautismo en caso de necesidad?

R. En caso de necesidad, el Bautismo se administra derramando agua natural sobre la cabeza de la persona y diciendo al mismo tiempo con intención de bautizar: "Yo te bautizo en el nombre del Padre, y del Hijo y del Espíritu Santo".

NOTA IMPORTANTE: Si el niño fue bautizado de urgencia y no se inscribió en los libros de la parroquia, hay que ir después a la casa cural a hablar con el párroco para que lo inscriban. Si no se hace eso se quedará después sin partida de Bautismo y esto le va a traer muchos problemas.

311) ¿Qué obligación tienen los padres de familia respecto al Bautismo de sus hijos?

R. Los padres de familia tienen obligación de hacer bautizar pronto a los hijos para que no tengan el peligro de morir sin haber recibido este santo sacramento.

Muchos papás quedan para toda la vida con la tristeza de que su hijito se murió sin bautizar

EJEMPLO: Un tío muy rico le dejó a su sobrino recién nacido una herencia de muchos millones, para que cuando sea mayor si le parece bien la reciba, y si no, la deje a otros. ¿Se disgustará aquel sobrino cuando llegue a ser mayor porque su tío le dejó tantos millones siendo él tan chiquitico?

Creemos que no. De todos modos cuando llegue a mayor puede o aceptar esa herencia y volverse rico, o no aceptarla y seguir siendo un miserable. Así le pasa al niño que es bautizado: el Bautismo lo hace heredero del cielo. Cuando llegue a ser mayor puede o aceptar esa herencia y portarse como buen cristiano y ganarse el cielo, o no aceptar ser cristiano, y dedicarse a vivir como uno que no tiene religión, y condenarse. ¡Eso depende de lo inteligente que sea!

312) ¿Cuáles son las obligaciones de los padrinos de Bautismo?

R. Las obligaciones de los padrinos de Bautismo son: Dar buen ejemplo de vida cristiana al ahijado, e interesarse porque al niño se le enseñen prontamente las oraciones y el catecismo.

No elijamos nunca como padrinos a personas que no van a misa o que no practican la religión, o viven en mal estado, porque entonces en vez de darles buen ejemplo a sus ahijados lo que les van a dar son escándalos y ejemplos de mal vivir.

EL BAUTISMO

(Del Catecismo de la Iglesia Católica, números1213 y ss.)

El santo Bautismo es el fundamento de toda la vida cristiana. Es el pórtico para entrar a la vida en el Espíritu (1213)

El nombre de este sacramento: la palabra Bautismo viene de la palabra griega "baptizein" que significan "sumergir" dentro del agua (1214).

Figuras del Bautismo: La Iglesia ha considerado como figuras que anunciaban el Bautismo: a) El arca de Noé, pues en ella se salvaron los elegidos por Dios (1219). b) El paso del mar rojo, porque allí los que habían sido esclavos cobraron su libertad (1222). c) El paso del río Jordán, porque desde entonces entraron los israelitas a la Tierra Prometida (1222).

El Bautismo de Jesús. Cristo empezó su vida pública haciéndose bautizar por Juan en el Jordán. Nuestro Señor se sometió voluntariamente al Bautismo de Juan que estaba destinado a los pecadores, y con esto se humilló haciéndose uno de tantos (Flp 2) (1223-24).

El Bautismo en la Iglesia. Jesús, después de su resurrección dijo a sus Apóstoles: "Vayan y prediquen a todas las gentes bautizándolas en el nombre del Padre y del Hijo y del Espíritu Santo" (Mt 28, 19) (1223).

La Iglesia desde el día de Pentecostés ha administrado el santo Bautismo. En ese día san Pedro dijo a la multitud que se había conmovido al escucharle su sermón: "Conviértanse, y que cada uno se haga bautizar en el nombre de Jesucristo, para el perdón de los pecados, y así recibirán el Espíritu Santo" (Hechos 2, 38) (1226).

CEREMONIA DEL BAUTISMO. Al empezar la celebración, se le hace la señal de la Cruz en la frente al que va a ser bautizado como signo de que va a pertenecer a

Cristo, que murió en la Cruz, y que en la Cruz adquirió nuestra redención (1235).

El anuncio de la Palabra de Dios: Luego se lee alguna página de la Sagrada Escritura y se da una explicación para aumentar la fe, porque el Bautismo es la entrada a la vida de la fe (1236).

Los exorcismos: Son unas oraciones contra el demonio, porque el Bautismo significa la liberación del pecado y de su instigador que es el diablo. Se le pregunta al candidato: "¿Renuncias a Satanás?". Y éste o sus padrinos en su representación responden: "Sí, renuncio".

PROFESIÓN DE FE: Se le pregunta: "¿Crees en Dios Padre Todopoderoso?" etc.... Responde: "Sí, creo". Es la confesión o proclamación de la fe de la Iglesia a la cual va a pertenecer de ahora en adelante (1237). Se le unge con aceite santo en el pecho.

EL AGUA BAUTISMAL: Se bendice al agua con la cual se va a bautizar (si no fue bendecida en la noche del Sábado Santo) (1238).

EL RITO ESENCIAL: La ceremonia esencial y principal del Bautismo es el echarle tres veces agua sobre la cabeza mientras se va diciendo: "Yo te bautizo en el nombre del Padre, y del Hijo y del Espíritu Santo". Antiguamente el Bautismo se hacía sumergiéndose tres veces dentro del agua (1240).

LA UNCIÓN: Se le unge con santo Crisma (o aceite perfumado que ha sido bendecido por el obispo el Jueves Santo). Con esto se significa que el bautizado es un "ungido", un consagrado, incorporado a Cristo que fue ungido como sacerdote, profeta y rey (1241).

LA VESTIDURA BLANCA: Significa que el bautizado se ha revestido de Cristo y tiene el alma purificada (1243). El cirio que se enciende significa que Cristo ha iluminado al recién bautizado.

EL BAUTISMO DE LOS NIÑOS: Jesús decía: "Dejad a los niños que vengan a mí" (Mc 10, 14).

La Iglesia y los padres de familia privarían al niño de la gracia inestimable de ser hijo de Dios si no le administraran el Bautismo desde poco después de su nacimiento (1250) .

La práctica de bautizar a los niños pequeños es una tradición muy antigua en la Iglesia. El Nuevo Testamento nos cuenta que "familias enteras" recibieron el Bautismo. Por lo tanto los niños de esas familias también debieron ser bautizados (Hch 16, 15; 1Co 1, 16) (1252) .

¿QUIÉN PUEDE BAUTIZAR? Son ministros ordinarios del Bautismo el obispo, el sacerdote y el diácono. Pero en caso de necesidad puede bautizar cualquier persona si tiene la intención de hacer lo que hace la Iglesia al bautizar y emplea la fórmula debida ("Yo te bautizo en el nombre del Padre y del Hijo y del Espíritu Santo") (1256).

NECESIDAD DEL BAUTISMO: Jesús dijo: "Quien no nazca del agua y del Espíritu Santo no puede entrar en el Reino de Dios" (Juan 3, 5), con lo cual declara que el Bautismo es necesario para la salvación. La Iglesia no conoce otro medio, fuera del Bautismo, para asegurar la entrada en la bienaventuranza eterna (1257).

BAUTISMO DE SANGRE: Siempre la Iglesia ha creído que los que derraman su sangre por proclamar la religión, aunque no hayan recibido el Bautismo, su martirio sirve como tal (1258).

BAUTISMO DE DESEO. Los catecúmenos, o sea los que se preparan para recibir el Bautismo, si se mueren antes de recibirlo, su deseo de ser bautizados, unido al arrepentimiento de sus pecados, les sirve para conseguir la salvación (1259).

LOS QUE NO CONOCEN NUESTRA RELIGIÓN: Los que ignorando el evangelio sin embargo quieren cumplir la voluntad de Dios, pueden salvarse, porque se supone que esas personas habrían deseado recibir el Bautismo si hubieran conocido lo importante que es (1260).

LOS NIÑOS MUERTOS SIN BAUTISMO: La Iglesia únicamente puede confiarlos a la misericordia de Dios, como lo hace celebrando sus exequias. En efecto, la misericordia de Dios "que quiere que todos los seres humanos se salven" (1Tim 2, 4) y la bondad de Jesús con los niños que le hizo decir: "No impidais que los niños se acerquen a mí" (Mc 10, 14) permiten suponer que hay un camino de salvación para los niños que mueren sin Bautismo. Y la muerte de estos niños invita más fuertemente a no impedir que los niños sean bautizados, porque por el Bautismo van hacia Cristo (1261).

EL BAUTISMO BORRA TODOS LOS PECADOS: El Bautismo quita la mancha de pecado original y todo otro pecado que tenga la persona (1263) Pero deja la inclinación hacia el pecado que se llama concupiscencia (1264).

LOS CUATRO REGALOS: El Bautismo nos hace hijos de Dios, hermanos de Cristo, herederos del cielo, y templos del Espíritu Santo (1265). Y nos hace capaces de creer en Dios, de esperar en él, de amarlo mediante las tres virtudes teologales (1266).

OBLIGACIONES DEL BAUTIZADO: Quien ha recibido el Bautismo tiene la obligación de proclamar su fe ante los demás y de participar en la actividad de apostolado y en el trabajo misionero del Pueblo de Dios (1270).

EL SELLO O CARÁCTER DEL BAUTISMO: Al ser bautizado se imprime en el cristiano un sello espiritual imborrable, que se llama "carácter" que no se quita nunca, ni siquiera por el pecado. Por eso el Bautismo no puede repetirse (1272).

***

EL SACRAMENTO DE LA CONFIRMACIÓN

313) ¿Qué es la Confirmación?

R. La Confirmación es el sacramento por medio del cual al recibir el Espíritu Santo obtenemos fortaleza y valor para proclamar nuestra religión ante los demás, con nuestras palabras y nuestra vida, como buenos soldados de Cristo.

Jesús dijo: *"Cuando venga a vosotros el Espíritu Santo, recibiréis fuerza de lo alto" (Hechos 1, 8).*

314) ¿Qué gracias o favores especiales nos concede la Confirmación?

R. La confirmación nos trae tres gracias o favores especiales: 1º) Nos aumenta la gracia santificante, y nuestra amistad con Dios. 2º) Nos da el Espíritu Santo con todos sus dones. 3º) Nos da el carácter o señal espiritual de que somos militantes o Apóstoles de Jesucristo.

Lo esencial de este sacramento es la unción del santo crisma en la frente

EJEMPLO: *Los Apóstoles antes de recibir la Confirmación eran cobardes, ignorantes, egoístas y orgullosos. Pero cuando el día de Pentecostés recibieron el Espíritu Santo se volvieron tan valientes para proclamar su fe que prefirieron el martirio antes que renegar de su religión. Todos propagaron con gran valor y sabiduría las doctrinas de Jesús, porque el Espíritu Santo los iba guiando, iluminando y llenando de valentía. Así nos puede suceder a nosotros si recibimos el Espíritu Santo.*

315) ¿Qué disposiciones se necesitan para recibir la Confirmación?

R. Para recibir el sacramento de la Confirmación es necesario estar en gracia de Dios, y saber las verdades principales del catecismo. Es aconsejable también que antes se haya hecho la Primera Comunión.

Tres condiciones exige la Iglesia actualmente casi en todas partes:

1º Que se haga el "Curso de preparación para la Confirmación". Este curso dura varias semanas y se hace después de la Primera Comunión.

2º Haber hecho antes la primera Confesión y Comunión muy bien preparados. Como la Confirmación es un sacramento, hay que recibirlo en gracia de Dios, o sea sin pecado mortal en el alma, y por eso hay que confesarse antes de ir a la Confirmación.

3º Es recomendable que quien se va a confirmar tenga más de diez años para que entienda bien qué es este sacramento que recibe.

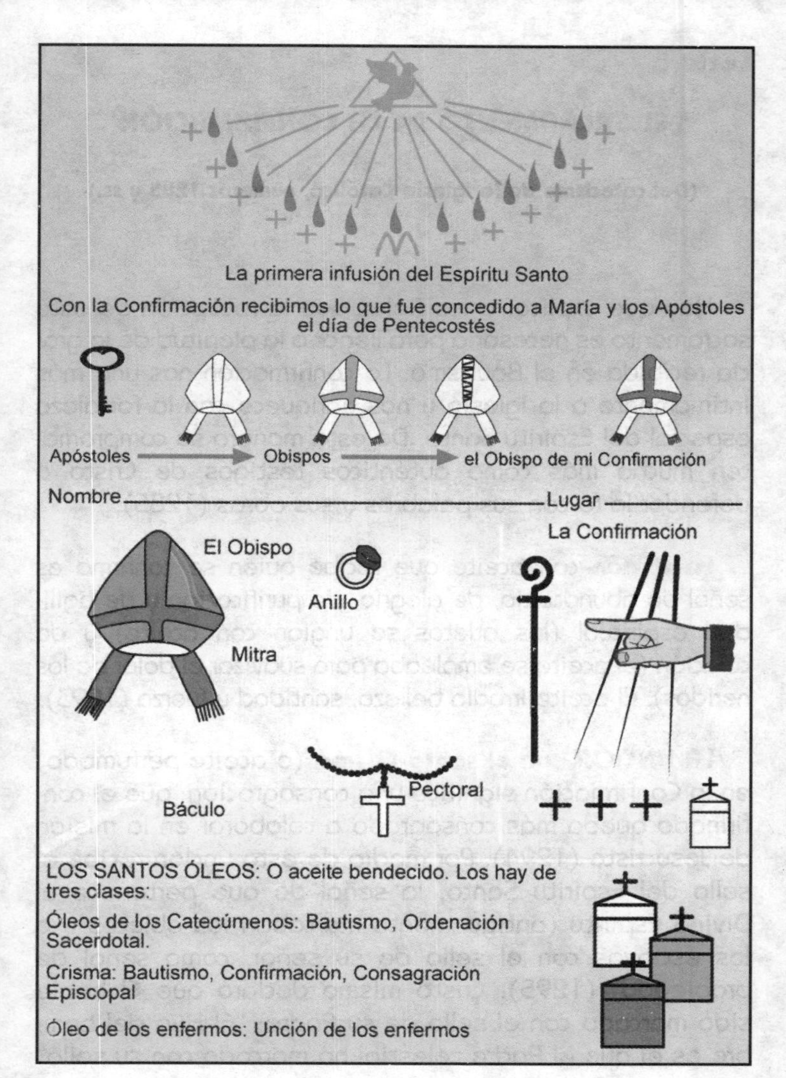
La primera infusión del Espíritu Santo
Con la Confirmación recibimos lo que fue concedido a María y los Apóstoles el día de Pentecostés
Apóstoles
Obispos
el Obispo de mi Confirmación
Nombre
Lugar
El Obispo
Anillo
Mitra
La Confirmación
Pectoral
Báculo
LOS SANTOS ÓLEOS: O aceite bendecido. Los hay de tres clases:
Óleos de los Catecúmenos: Bautismo, Ordenación Sacerdotal.
Crisma: Bautismo, Confirmación, Consagración Episcopal
Óleo de los enfermos: Unción de los enfermos

Lectura

EL SACRAMENTO DE LA CONFIRMACIÓN

(Del catecismo de la Iglesia Católica, números 1285 y ss.)

Hay que explicar a los fieles que la recepción de este sacramento es necesaria para llegar a la plenitud de la gracia recibida en el Bautismo. La confirmación nos une más íntimamente a la Iglesia y nos enriquece con la fortaleza especial del Espíritu Santo. De esta manera se comprometen mucho más como auténticos testigos de Cristo a defender la fe con sus palabras y sus obras (1285).

La Unción con aceite que recibe quien se confirma es señal de abundancia, de alegría, de purificación y de agilidad espiritual (los atletas se ungían con aceite) y de curación (el aceite se empleaba para suavizar el dolor de los heridos). El aceite irradia belleza, santidad y fuerza (1293).

LA UNCIÓN con el santo Crisma (o aceite perfumado) en la Confirmación significa una consagración: que el confirmado queda más consagrado a colaborar en la misión de Jesucristo (1294). Por medio de esta unción recibe el sello del Espíritu Santo, la señal de que pertenece al Divino Espíritu (antiguamente marcaban los objetos y a los esclavos con el sello de su señor, como señal de propiedad) (1295). Cristo mismo declaró que Él había sido marcado con el sello de su Padre: "El Hijo del hombre es el que el Padre celestial ha marcado con su sello"

(S. Juan 6, 27) (1296). El santo crisma ha sido bendecido por el obispo el Jueves Santo (1297).

La imposición de las manos: El obispo extiende sus manos sobre la cabeza de los confirmandos. Éste es un gesto que desde el tiempo de los Apóstoles es señal de que se pide y se recibe el don del Espíritu Santo. Mientras extiende sus manos el obispo dice: "Señor: envía sobre ellos el Espíritu Santo, que les conceda el don de sabiduría y de ciencia; el don de consejo y fortaleza; el don de piedad, inteligencia y de temor de Dios" (1299).

Lo esencial en el sacramento de lo Confirmación es la unción del santo Crisma en la frente. Mientras lo hace, el obispo dice: "Recibe por esta señal el don del Espíritu Santo" (1300).

EFECTOS DE LA CONFIRMACIÓN

Aumenta en la persona los dones del Espíritu Santo. Concede una fuerza especial del Espíritu Santo para difundir o defender la fe mediante la palabra y las obras y ser testigos que proclaman a Cristo sin sentir vergüenza de su Cruz (1303).

La Confirmación imprime carácter, o sea, deja en el alma una marca especial que nunca se borra. Por eso la Confirmación no se concede más de una vez (1305).

¿Quiénes pueden recibir la Confirmación?: Todo bautizado puede recibirla (1306) pero se recomienda que ojalá el que la recibe ya tenga uso de razón (1307) y que la reciban los que ya han tenido una suficiente preparación, a fin de que puedan asumir mejor las responsabilidades apostólicas de la vida cristiana (1309). Para recibir el sacramento de la Confirmación es necesario hallarse en estado de gracia (sin pecado mortal). Por eso es conveniente confesarse antes. Hay que prepararse con mucha oración para recibir más plenamente al Espíritu Santo (1310). Ojalá el confirmando se consiga un padrino o una madrina, y conviene que sea el mismo que para el Bautismo (1311).

MINISTRO DE LA CONFIRMACIÓN es el Obispo, pero él puede delegar en casos especiales a un sacerdote (1313). En peligro de muerte cualquier sacerdote puede dar la confirmación (1314).

***

EL SACRAMENTO DE LA CONFESIÓN

316) ¿Qué es el sacramento de la Confesión?

R. La Confesión es el sacramento en el que, por medio de la absolución del sacerdote, recibimos el perdón de nuestros pecados si nos manifestamos arrepentidos.

El Apóstol Santiago dice: "Confesaos unos a otros vuestros pecados para que seáis salvos. Y si alguno convierte a un pecador de su mal camino, salvará su alma de la muerte" (Santiago 5,16).

317) ¿Qué gracias o favores especiales se obtienen con la Confesión?

R. Con la Confesión se obtienen tres gracias o favores especiales: 1º Nos devuelve o nos aumenta la gracia santificante, la amistad con Dios. 2º Nos da fuerzas especiales para rechazar el pecado y las tentaciones. 3º Nos da asco y antipatía por todo lo que sea ofender a Dios.

EJEMPLO DE LA VISIÓN DE SAN JUAN BOSCO

Vio un día san Juan Bosco en una visión a un montón de demonios que trataban de llevar personas al infierno y preguntó a alguno de ellos (amenazándolo con una Cruz bendita si no le respondía) "¿Quiénes son los que más derrotan a los demonios?". Y el diablo le dijo: "Los que más derrotan a los demonios son los que se confiesan bien arrepentidos". ¿Y quién más? —preguntó el Santo— "Los que comulgan y rezan a la Virgen". ¿Y quiénes son los que menos se dejan derrotar del diablo? —preguntó por última vez san Juan Bosco—. Y el demonio lleno de rabia exclamó: "Los que menos se dejan derrotar por el diablo son los que cumplen bien los propósitos que hacen en la confesión" y desapareció aullando entre llamas.

318) ¿Cuántas cosas son necesarias para recibir dignamente el sacramento de la Confesión?

R. Para recibir dignamente el sacramento de la Confesión son necesarias cinco cosas: 1° Examen de conciencia. 2° Arrepentirse de los pecados. 3° Hacer propósito de dejar de pecar. 4° Confesarse con el sacerdote. 5° Cumplir la penitencia que le ponga el confesor.

319) ¿Qué es examen de conciencia?

R. Examen de conciencia es recordar los pecados cometidos después de la última confesión bien hecha.

Dice san Pablo: "Examine cada cual sus propias obras. Porque cada uno responderá por sus pecados" (Gálatas 6, 4).

320) ¿Cómo debemos hacer el examen de conciencia?

R. Para hacer bien el examen de conciencia debemos pedir a Dios que nos ilumine y nos ayude a recordar las ofensas que le hemos hecho a Él; y luego, ir repasando los mandamientos para recordar contra cuál de ellos hemos pecado.

El profeta decía: "Líbrame Señor, de los pecados que se me ocultan".

REPASAR LOS MANDAMIENTOS: Por ejemplo: 1er. mandamiento: ¿Me acuesto sin rezar? ¿Creo en agüeros, brujerías, naipes, fumar el cigarrillo, cruz magnética, etc.?

2º Mandamiento: ¿He dicho el nombre de Dios por cualquier bobería?

3º ¿He faltado a Misa algún domingo o he trabajado sin grave necesidad el día del Señor?

4º ¿He desobedecido a mis padres? ¿Los he tratado mal? ¿No les he querido ayudar?

5º ¿He deseado que a los demás les vaya mal? ¿He dicho malas palabras? ¿He peleado? ¿Le tengo odio a alguna persona?

6º ¿He consentido malos pensamientos o deseos? ¿He mirado malas películas, malas revistas o figuras malas de televisión? ¿He dicho u oído chistes malos? ¿He hecho cosas malas conmigo mismo o con otras personas?

7º ¿He robado? ¿Cuánto vale lo que he robado? ¿Pienso devolverlo? (Porque si no devuelvo no se me perdona).

8º ¿He dicho mentiras?, etc., etc.

¿He tenido mal genio? ¿He perdido el tiempo? ¿He tenido orgullo?

CONTRICIÓN DE CORAZÓN

321) ¿Qué es contrición de corazón?

R. Contrición de corazón o arrepentimiento, es sentir tristeza y pesar de haber ofendido a Dios con nuestros pecados.

El Salmo 50 dice: "Un corazón arrepentido, Dios nunca lo desprecia".

Jesús cuenta que un publicano fue a orar y arrodillado decía: "Misericordia, Señor, que soy un pecador". Y a Dios le gustó tanto esta oración de arrepentimiento que le concedió la santificación a dicho publicano (S. Lucas 18).

322) ¿Cuántas clases de contrición hay?

R. Hay dos clases de contrición: la contrición perfecta y la contrición imperfecta o atrición.

Ejemplo de contrición perfecta fue el arrepentimiento de san Pedro después de haber negado a Jesús. Lloró tanto por haber ofendido a un Dios tan bueno, que obtuvo un perfecto perdón. Ejemplo de falta de contrición imperfecta es la de Judas, que le dio rabia y remordimiento por haber vendido a Jesús, pero no pidió perdón al Señor, que lo habría perdonado con todo gusto si él le hubiera pedido que lo perdonara.

323) ¿Qué es contrición perfecta?

R. Contrición perfecta es una tristeza o pesar por haber ofendido a Dios, por ser Él quien es, esto es por ser infinitamente bueno y digno de ser amado, teniendo al mismo tiempo el propósito de confesarse y de evitar el pecado.

Cuando el profeta Natán anunció al rey David que Dios estaba disgustado por un gran pecado que el rey había cometido, David se entristeció enormemente de haber ofendido a Dios y le pidió perdón al Señor con todo su corazón, prometiéndole que jamás volvería a cometer esa falta. Entonces Nuestro Señor lo perdonó, aunque también le mandó castigos por ese pecado. Y en adelante David y Dios fueron grandes amigos. (Leamos el Salmo 50 que compuso David para pedirle perdón a Dios. Es un salmo muy hermoso).

324) ¿Qué es atrición?

R. Atrición o arrepentimiento imperfecto es una tristeza o pesar de haber ofendido a Dios, pero sólo por la fealdad y repugnancia del pecado, o por temor de los castigos que Dios puede enviarnos por haberlo ofendido.

Para que la atrición o contrición imperfecta obtenga el perdón de los pecados, necesita ir acompañada del propósito de enmendarse y obtener la absolución del sacerdote en la confesión.

325) ¿Cuál de estos arrepentimientos es el mejor?

R. De estos dos arrepentimientos el mejor es la contrición perfecta.

Así, si uno está en caso de muerte y no logra conseguir un sacerdote para confesarse, si hace un acto de contrición per-

fecta queda perdonado de todas sus culpas. Por eso hay que acostumbrarse a hacer acto de contrición perfecta muchas veces en la vida, especialmente cada noche antes de acostarse, y en los peligros.

La S. Biblia dice: "Si os arrepentís y os convertís quedarán borrados vuestros pecados" (Hechos 3, 19).

326) ¿En qué momento especial hay que tener arrepentimiento de los pecados?

R. El momento especial en que necesitamos arrepentimiento de nuestros pecados es cuando nos vamos a confesar, pues si no estamos arrepentidos no quedaremos perdonados. Pero es bueno también arrepentirnos de nuestras faltas todos los días de nuestra vida.

Dijo el Salmista: "El mejor sacrificio que le podemos hacer a Dios es tener arrepentimiento de nuestros pecados. Dios está siempre cerca de los que tienen un corazón arrepentido" (Salmos 34 y 50).

327) ¿Qué cualidades debe tener el arrepentimiento de los pecados?

R. El arrepentimiento de los pecados debe tener tres cualidades. 1º Arrepentirse de todos los pecados sin excluir ninguno (a no ser por olvido). 2º Que el arrepentimiento no sea sólo exterior sino que se sienta en el alma. 3º Que sea sobrenatural, o sea no sólo por los males materiales que nos trae el pecado, sino porque con él causamos un disgusto a Dios y nos vienen males para el alma y para la eternidad.

Por ejemplo: si nos arrepentimos de los demás pecados, pero de uno no queremos arrepentirnos ni dejar de cometer-

lo, ya el arrepentimiento no es universal. Si nos damos golpes de pecho, pero en el alma no sentimos ninguna tristeza de haber pecado, es señal de que el arrepentimiento es sólo exterior. Si nos da rabia y vergüenza por ese pecado que cometimos pero no sentimos tristeza de haber ofendido a un Dios tan bueno, ni nos da lástima por haber perdido los premios eternos y habernos merecido castigos para la otra vida, ya el arrepentimiento no es sobrenatural.

EL PROPÓSITO DE LA ENMIENDA

328) ¿Qué es propósito de la enmienda?

R.: Propósito de la enmienda es una firme resolución de nunca más ofender a Dios.

La S. Biblia repite muchas veces este consejo: "Que cada uno proponga convertirse y dejar de cometer sus maldades, y entonces el Señor Dios será su protector y amigo (Hechos 3, 26; Jeremías; Ezequiel; Joel; etc.).

329) ¿Qué debemos hacer para obtener arrepentimiento y propósitos verdaderos?

R.: Para obtener arrepentimiento y propósitos verdaderos debemos pensar en la pasión y muerte de Jesucristo, en los favores que Dios nos ha hecho y a los cuales hemos correspondido ofendiéndolo; y en los males y castigos que nos vendrán por el pecado, y rezar una o más veces el acto de contrición.

EJEMPLO: San Francisco de Asís y santa Catalina cuando se dedicaban a pensar en la pasión y muerte de Jesucristo sentían tan gran arrepentimiento de sus pecados que empezaban a llorar, y se proponían morir antes que cometer un peca-

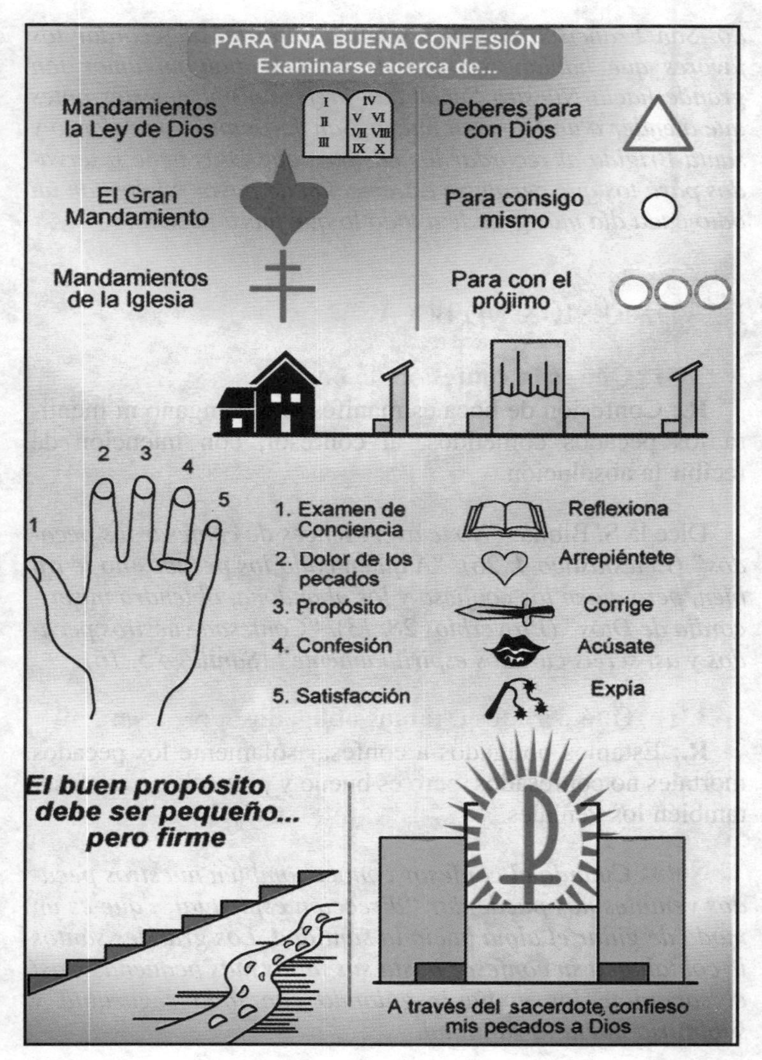
PARA UNA BUENA CONFESIÓN
Examinarse acerca de...
Mandamientos
la Ley de Dios
I II III IV V VI VII VIII IX X
Deberes para
con Dios
El Gran
Mandamiento
Para consigo
mismo
Mandamientos
de la Iglesia
Para con el
prójimo
1 2 3 4 5
1. Examen de
Conciencia
Reflexiona
2. Dolor de los
pecados
Arrepiéntete
3. Propósito
Corrige
4. Confesión
Acúsate
5. Satisfacción
Expía
El buen propósito
debe ser pequeño...
pero firme
A través del sacerdote, confieso
mis pecados a Dios

do. San Francisco de Sales y santa Teresita, al recordar los favores que habían recibido de Dios sentían un amor tan grande hacia Nuestro Señor que preferían mil muertes antes que ofender a un Dios tan bueno. San Jerónimo, san Alfonso y santa Brígida al recordar los castigos que Dios tiene reservados para los que pecan, se estremecían de pavor y le tenían un odio cada día más grande a todo lo que fuera pecado.

LA CONFESIÓN DE BOCA

330) ¿Qué es la confesión de boca?

R.: Confesión de boca es manifestar sin engaño ni mentira los pecados cometidos, al confesor, con intención de recibir la absolución.

Dice la S. Biblia: *"No te avergüences de confesar tus pecados" (Eclesiástico 4, 26). "A quien calla los pecados no le irá bien, pero quien los confiesa y los abandona, obtendrá misericordia de Dios" (Proverbios 28, 13). "Confesad vuestros pecados y así seréis curados espiritualmente" (Santiago 5, 16).*

331) ¿Qué pecados estamos obligados a confesar?

R.: Estamos obligados a confesar solamente los pecados mortales no confesados, pero es bueno y provechoso confesar también los veniales.

Nota: *Cuando el confesor conoce también nuestros pecados veniales nos puede dar "dirección espiritual", que es un modo de guiar el alma hacia la santidad. Los grandes santos le contaban a su confesor hasta sus faltas más pequeñas y así el sacerdote los podía ir guiando con toda seguridad y sabiduría hacia la santidad.*

332) ¿Qué debemos hacer cuando nos confesamos solamente de los pecados veniales?

R.: Cuando nos confesamos solamente de pecados veniales, conviene recordar también algún pecado mortal ya confesado. Así el recuerdo de una falta grave hace más fuerte el arrepentimiento y más serio el propósito.

Consejo práctico: *Los pecados de impureza ya confesados no se deben recordar ni siquiera para volverlos a confesar porque el recordarlos trae más mal que bien y su recuerdo excita las pasiones y es dañoso.*

333) ¿Qué sucede cuando uno olvida algún pecado grave en la confesión?

R.: Cuando uno olvida sin culpa algún pecado grave en la confesión, obtiene el perdón de sus pecados y puede comulgar, pero en la próxima confesión debe confesarse de ese pecado.

Norma muy útil: *Cuando uno termina de decirle al sacerdote los pecados, conviene añadir: "pido perdón también de todos los pecados que se me hayan olvidado". Así queda el alma mucho más tranquila.*

334) ¿Quiénes se confiesan mal?

R.: Se confiesan mal los que callan culpablemente algún pecado mortal, o los que se confiesan sin arrepentimiento o sin propósito, o sin intención de cumplir la penitencia.

EJEMPLO: LA VISIÓN DE UN SANTO

San Juan Bosco vio en una visión que los demonios amarraban al cuello de los que se iban a confesar unos lazos para no dejarlos confesarse bien. El santo preguntó en nombre de Dios a los demonios qué significaban esos tres lazos, y ellos le respondieron: "El primero se llama 'callar' y significa que nosotros hacemos que les dé miedo y se callen los pecados y no los digan al confesor. El segundo se llama 'no arrepentirse' y significa que nosotros hacemos que no les dé tristeza ni pesar haber ofendido a Dios, y así quedan mal confesados. Y el tercero no se lo decimos porque es nuestro secreto". Entonces san Juan Bosco amenazó con la señal de la Cruz y el agua bendita a los diablos si no le contaban lo que significaba el tercer lazo, y uno de ellos le respondió temblando: "El tercer lazo se llama 'no hacer propósito' y significa que nosotros hacemos que la gente se confiese sin propósito de volverse mejor, y así seguirán tan malos y pecadores después de la confesión como lo que eran antes de confesarse". Y desaparecieron todos los demonios entre llamas de azufre, bramando de rabia por haber contado sus "secretos".

335) ¿Quiénes dan señales de no haber tenido arrepentimiento ni verdaderos propósitos en sus confesiones?

R.: Dan señal de no haber tenido arrepentimiento ni verdaderos propósitos en sus confesiones los que no se apartan de las ocasiones de pecar, y los que después de una y otra confesión siguen en sus mismos pecados sin que se note ningún esfuerzo por enmendarse.

San Pedro dice en la S. Biblia que "ciertos pecadores son como el perro que vuelve a comerse lo que había vomitado, o como el cerdo que después de que lo lavan bien, vuelve a revolcarse otra vez en el charco de barro" (2 Pe 2, 22).

336) ¿Qué pecado cometen los que se confiesan mal?

R. Los que se confiesan mal cometen un sacrilegio y quedan con la obligación de confesarse de los pecados que confesaron, de los que callaron y del sacrilegio que cometieron.

Dice la S. Escritura: "*No os engañéis, de Dios no se burla nadie" (Gál 6). ¿El que hizo los ojos no va a ver? ¿El que hizo los oídos no va a oír? Dios conoce vuestros pensamientos, aún los más ocultos, y oye todas vuestras palabras" (Salmo 94).*

SACRILEGIO: *Es irrespetar algo que es muy sagrado. Quien hace una mala confesión comete sacrilegio, porque irrespeta un sacramento, que es algo muy sagrado.*

337) Si tenemos duda si un pecado de la vida pasada ha sido perdonado o no, ¿qué debemos hacer?

R. Si tenemos duda de si algún pecado de la vida pasada habrá sido perdonado o no, debemos pedir perdón frecuentemente a Dios, y confiar que por la sangre que Jesucristo derramó en la Cruz han sido borrados nuestros pecados. No hace falta seguir confesando los pecados ya confesados como si no hubieran sido perdonados todavía.

EJEMPLO: Qué tal que al hijo pródigo, después de que el papá lo perdonó y lo abrazó, lo hubiera encontrado por ahí un día triste y preocupado y al preguntarle por qué estaba tan afanado, el joven hubiera respondido: "Papá: es que tengo duda de si de verdad me habrás perdonado o no". El papá habría respondido: "Hijo mío, ¿todavía dudas de si te perdoné o no? Te abracé, te besé, te di el mejor vestido y el mejor calzado, hice una fiesta en tu honor y todavía dudas de si te he perdonado?". Así nos dice Dios cuando empezamos a afanarnos por si un pecado de la vida pasada del cual ya le hemos pedido perdón, estará perdonado o no. "Hijo mío, pero ¿qué mayores señales quieres de mi perdón? El sacerdote, mi ministro, te perdonó en nombre mío. Mi Hijo murió por ti en la Cruz. En el Libro Santo he dicho: "Como se aleja el occidente del oriente así alejo para siempre de vosotros vuestros pecados" (Salmo 102). "Yo no quiero la muerte del pecador sino que se convierta y viva. Aunque vuestros pecados hayan sido rojos como lo más rojo, yo los volveré blancos como la nieve" (Is 1, 18). ¿Qué más pruebas quieres de que sí estás perdonado?".

Cuando nos vengan estas angustias recordemos lo que decía san Francisco de Sales: "Lo que más desea el diablo es que vivamos angustiados y tristes. Lo que más desea Dios es que vivamos alegres y confiando en su bondad".

PENITENCIA QUE NOS PONE EL CONFESOR

338) ¿En qué consiste la penitencia que nos pone el confesor?

R. La penitencia que nos pone el confesor consiste en oración u obras buenas que tenemos que hacer para ir pagando la pena temporal que debemos por nuestros pecados.

Ejemplo: *A un hombre que llevaba 38 años paralizado en una cama, Jesús al curarlo le dijo: "Cuidado, no peques más no sea que te suceda algo peor" (S. Juan 5, 14). ¿Puede sucederle a uno algo peor que estar 38 años tullido en una cama? Pues Jesús le dice que si sigue pecando le va a suce-*

SATISFACCIÓN DE OBRA:

Distingue: culpa y pena

Cristal roto: culpa

Castigo de la Policía

Pena.

LA CULPA se perdona. Pero hay que pagar el daño o PENA

Dios nos perdona por medio de la confesión

La pena temporal del pecado sólo en parte

Podemos expiar el resto de la pena temporal (Reliquias del pecado).

Por medio de obras voluntarias de penitencia

Por medio de las indulgencias

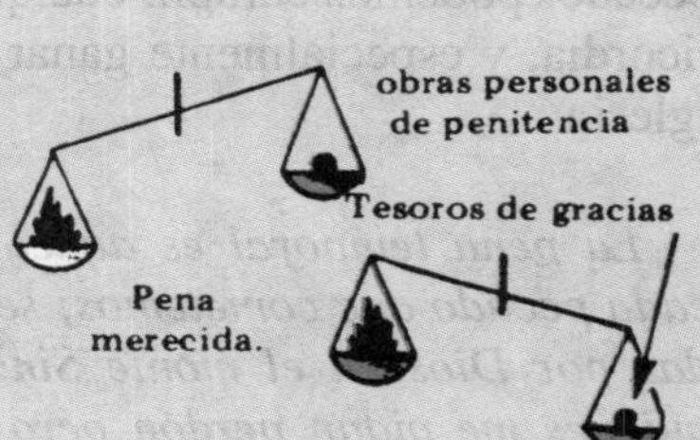

Pena merecida.

der algo peor que esto. Por ello es que el pecador tiene que hacer obras de penitencia en esta vida, porque si no tendrá terribles castigos en la eternidad, ya que Dios ha dicho: "No dejaré ningún pecado sin castigo" (Ex 34, 7).

La penitencia que impone el confesor es casi siempre muy pequeña, por eso el que se confiesa debe hacer obras de penitencia por su cuenta, como limosnas, oraciones, favores, sacrificios, lectura de la S. Biblia, etc., para ir disminuyendo la pena que tendrá que pagar por sus pecados.

339) ¿Cuándo debe cumplirse la penitencia?

La penitencia debe **cumplirse cuanto antes para** que no haya peligro de olvidar cumplirla. Al menos hay que cumplirla antes de la próxima confesión.

Nota: *Si al terminar de confesarnos vemos que el sacerdote está repartiendo la comunión, podemos ir a comulgar primero, y después de la comunión cumplir la penitencia.*

340) ¿Qué obras buenas podemos hacer para pagar la pena temporal que debemos hacer por nuestros pecados?

R. Para pagar la pena temporal que debemos por nuestros pecados podemos cumplir cualquiera de las 14 obras de misericordia, y especialmente ganar las indulgencias de la Santa Iglesia.

La pena temporal es aquel castigo que merecemos por cada pecado que cometemos; se basa en las palabras repetidas por Dios en el monte Sinaí cuando dijo: "Perdono a quienes me pidan perdón pero no dejaré ninguna falta sin castigo" (Éxodo 34, 7; Números 14, 18).

EL SACRAMENTO DE LA PENITENCIA Y LA RECONCILIACIÓN

(Del Catecismo de la Iglesia Católica, números 1422 y ss.)

¿Qué se obtiene con el sacramento de la Penitencia?

Los que se acercan al sacramento de la Penitencia obtienen de la misericordia de Dios el perdón de los pecados cometidos y se reconcilian con la Iglesia a la cual ofendieron con sus pecados. Ella los mueve a conversión con su amor, su ejemplo y sus oraciones (1422).

LOS NOMBRES DE ESTE SACRAMENTO

Se le llama **sacramento de Conversión** porque realiza o consigue lo que Jesús desea cuando invita a la conversión (1 423).

Sacramento de la Penitencia porque realiza los tres actos de la virtud de la penitencia: conversión, arrepentimiento y reparación de los pecados cometidos (1424).

Sacramento de la Confesión porque su elemento esencial es la confesión de los pecados ante el sacerdote. Es también una "confesión" o reconocimiento y alabanza de la santidad de Dios y de su misericordia para con el pecador (1424).

Sacramento del Perdón, porque por la absolución del sacerdote, Dios concede al penitente el perdón y la paz (1424).

Sacramento de Reconciliación porque concede al pecador el amor de Dios que lo reconcilia con él, cumpliendo así el deseo de san Pablo que dijo: "Por favor déjense reconciliar con Dios" (2Co 5, 20) (1424).

NECESIDAD DE LA CONVERSIÓN. Aunque la Confesión obtiene el perdón de los pecados, sin embargo no suprime la fragilidad y la debilidad, ni la inclinación al pecado, que es lo que se llama **concupiscencia.** Por eso se necesita una lucha continua contra esta mala inclinación y esto es lo que se llama **conversión** (1426).

Jesús invita continuamente a la conversión. En su predicación decía: "Se ha cumplido el tiempo. Conviértanse y crean en el evangelio" (S. Marcos 1, 15) (1427). Esta llamada o invitación a la conversión sigue repitiéndose continuamente y es una tarea ininterrumpida de la Iglesia. Pero el esfuerzo por la conversión no es una obra humana; es un movimiento de la gracia de Dios y de su amor misericordioso que nos atrae (1428).

Ejemplo: La conversión de san Pedro: Acerca de cómo Dios invita a la conversión y concede la gracia de convertirse, sirve de testimonio la conversión de san Pedro, después de haber negado por tres veces a Jesús. La mirada de infinita misericordia del Divino Maestro lo hizo estallar en lágrimas de arrepentimiento (Lc 22, 1-62) y después de la resurrección pagó sus tres negaciones diciéndole tres veces a Jesús: "Señor, tú sabes que te amo" (S. Juan 21, 15) (1429).

No basta la conversión exterior; Jesús y los profetas insisten en que no bastan las señales exteriores de conversión (ayunos, mortificaciones, vestirse de penitente), sino que es necesario convertirse interiormente. Sin esta conversión interior, las obras exteriores de penitencia resultan sin fruto y engañosas; en cambio, si hay conversión interior, ésta llevará a hacer obras externas de penitencia (1430).

¿En qué consiste la conversión interior? Es una reorientación total de la vida, un dirigirse espiritualmente en dirección contraria a donde se estaba marchando; es un romper con el pecado, una aversión y antipatía hacia lo que es malo; una repugnancia hacia las malas acciones que hemos cometido; al mismo tiempo, comprende un deseo y una resolución de cambiar de vida.

La conversión del corazón va acompañada de tristeza o aflicción de espíritu por haber ofendido a Dios, lo cual se llama arrepentimiento de corazón (1431).

¿Quién es el que convierte? El corazón del ser humano es rudo y endurecido. Es necesario que Dios le dé un corazón nuevo, como lo prometió por medio del profeta Ezequiel diciendo: **"Les daré un corazón nuevo y un espíritu nuevo"** (Ez 36, 26). El libro de las Lamentaciones en la S. Biblia dice: **"Conviértenos, Señor, y nos convertiremos"** (Lm 5, 21). Dios da la fuerza para empezar. Al meditar en la grandeza de Dios, nuestro corazón se estremece de horror ante el pecado y comienza a temer ofender a Nuestro Señor. Y se cumple lo que dijo el profeta Zacarías: "Nos convertiremos al mirar a Aquel, al cual nuestros pecados traspasaron" (Zc 12, 10) (1432).

Las diversas formas que hay de hacer penitencia

La Sagrada Escritura recomienda especialmente tres maneras de hacer penitencia: **la oración, el ayuno y la**

limosna. Hay otras formas muy recomendables: los esfuerzos por reconciliarse con el prójimo, la tristeza y arrepentimiento por haber pecado (las "lágrimas de penitencia" llamaban a esto los antiguos); el consultar a un director espiritual, el aceptar los sufrimientos de cada día; el ser perseguidos o tratados mal a causa de lo religión o del buen comportamiento ("Dichosos los perseguidos a causa de la justicia", dijo Jesús); el esforzarse por obtener la salvación de otros (el Apóstol Santiago afirma: "El que convierte a un pecador de su camino equivocado obtendrá el perdón de multitud de pecados" (St 5, 20). Y el tener caridad hacia los demás, pues según el Apóstol san Pedro, "el tener caridad cubre multitud de pecados" (1 Pedro 4, 8) (1434-35).

Una gran ayuda para la conversión. La Eucaristía sirve de fuente y alimento para la conversión diaria. El Concilio de Trento dijo que la Eucaristía es el antídoto o antiveneno que nos libera de nuestras faltas cotidianas y nos preserva de pecados mortales (1436).

Otros buenos remedios: La lectura de la Sagrada Escritura, el rezo de los Salmos, el decir el Padrenuestro y los actos de contrición, contribuyen al perdón de nuestros pecados (1437). También hace provecho el practicar cada viernes alguna mortificación en recuerdo de la pasión y muerte de Cristo y el asistir a peregrinaciones como signo de penitencia (1438).

El gran modelo de conversión: Jesús describió maravillosamente el modelo de penitencia al contarnos la parábola del hijo pródigo, cuyo tema central es "el Padre Misericordioso" (San Lucas 15) . Al hijo lo fascina y atrae una libertad ilusoria. Abandona la casa del padre; sufre una miseria extrema por haber malgastado su fortuna. Le llega la humillación profunda de verse obligado a cuidar cerdos, y peor aún la de desear alimentarse con la comida de los cerdos; reflexiona acerca de los bienes que perdió por su alejamiento del padre; se arrepiente; toma la decisión de declararse culpable; emprende el camino de retorno. Todos éstos son rasgos propios de lo que hay que hacer para convertirse. El padre lo recibe con inmenso cariño y alegría; le manda poner el mejor vestido, y el anillo de la amistad y hace preparar un gran banquete de fiesta. Esto es señal de la alegría que siente Dios y que experimenta la Iglesia cuando un pecador se convierte. Sólo Cristo que conoce el gran amor del Padre celestial, pudo revelarnos de manera tan sencilla y tan llena de belleza la misericordia que Él tiene hacia el pecador (1439).

¿Quién perdona el pecado? Sólo Dios. Solamente Dios puede perdonar pecados. Jesús es Hijo de Dios, y Dios, como el Padre Celestial, y dijo: "El Hijo del hombre tiene poder para perdonar los pecados sobre la tierra" (S. Marcos 2, 10) (1441).

Un poder concedido a otros: Jesús, por su poder divino concedió a ciertos hombres el poder de perdonar pecados y dijo: "A todo el que le perdonéis quedará perdonado" (Jn 20, 23) (1441).

La conducta de Jesús con los pecadores: Cristo no sólo perdonó a los pecadores sino que les demostró verdadero afecto y hasta fue a comer con ellos (1443).

El poder de las llaves. Jesús dijo a san Pedro: A ti te daré las llaves del Reino de los cielos, y lo que desates en la tierra quedará desatado en el cielo" (Mt 18, 18). San Pedro pasó este poder a sus sucesores, los cuales tienen el poder de desatar los pecados, o sea de perdonarlos (1444).

¿Cómo era este sacramento al principio?: En los primeros siglos de la Iglesia, los que habían cometido pecados graves después del Bautismo, tenían que hacer penitencia por varios años, y confesar sus pecados públicamente. En el siglo VIII, los misioneros irlandeses trajeron a Europa la costumbre de la Iglesia de Oriente de hacer la confesión en privado y de no exigir años de penitencia por los pecados. Desde entonces, el sacramento de la Reconciliación se hace en secreto entre el penitente y el confesor (1447).

Los dos componentes de la Reconciliación: Este sacramento se compone de dos partes. Por una parte, los actos del que quiere convertirse: inspirado por el Espíritu Santo se arrepiente de sus pecados, los confiesa y se propone ofrecer una penitencia o satisfacción por ellos. Y por otra parte, la acción de la Iglesia: en nombre de Jesucristo, el sacerdote le concede el perdón, le impone la penitencia y ora por el pecador (1448).

La fórmula de la absolución: El sacerdote, al dar la absolución al penitente dice: "Dios Padre misericordioso que reconcilió consigo al mundo por la muerte y resurrección de su Hijo, y envió al Espíritu Santo para la remisión de los pecados, por el ministerio de la Iglesia TE CONCEDA EL PERDÓN Y LA PAZ, Y YO TE ABSUELVO DE TUS PECADOS, EN EL NOMBRE DEL PADRE, DEL HIJO Y DEL ESPÍRITU SANTO" (1449).

¿En qué consiste la contrición?: Es un dolor o pesar del alma por haber pecado; es una detestación o aborrecimiento del pecado cometido; con la resolución de no volver a pecar (1451).

Las dos clases de contrición. Cuando se siente tristeza de haber pecado, porque con ello hemos ofendido a un Dios que tanto nos ha amado, eso se llama "contrición perfecta" y obtiene el perdón de los pecados veniales, y también de los mortales si se hace el firme propósito de confesarse lo más pronto posible (1452).

La contrición imperfecta o "atrición" viene también del Espíritu Santo y es un arrepentimiento que proviene de la fealdad del pecado, o del temor a los castigos de Dios. Puede ser el principio de un cambio interior. Por sí misma no alcanza el perdón de los pecados, pero dispone para recibir el sacramento de la Penitencia (1453).

¿Cómo hacer el examen de conciencia?: Conviene hacerlo basándose en la Palabra de Dios. Por ej., examinarse acerca de lo que manda el Sermón de la montaña (capítulos 5, 6 y 7 de San Mateo) o de lo que aconsejan las Cartas de los Apóstoles, etc. (1454).

Ventajas de la confesión: Este sacramento libera a la persona de muchos males; facilita la reconciliación con los demás, la hace enfrentarse a sus pecados y asumir su responsabilidad. Le acerca a Dios y a la Iglesia y le prepara un futuro mejor (1455).

Lo esencial del sacramento de la Penitencia es la confesión de los pecados al sacerdote. Hay que decir los pecados mortales no confesados antes, de los cuales se tiene conciencia o seguridad de haberlos cometido, después de haberse examinado seriamente, incluso los pecados muy secretos, y aunque hayan sido contra el noveno o décimo mandamiento (malos deseos, codicias etc.). Porque a veces esos pecados hieren más gravemente al alma que los que han sido cometidos a la vista de todos. No hay nada que no pueda ser perdonado por mediación del sacerdote (1456).

¿Cuándo hay que confesarse?: Todo fiel llegado al uso de razón debe confesarse al menos una vez al año. Quien tiene conciencia o seguridad de hallarse en pecado grave, no debe celebrar ni recibir la Sagrada Comunión sin confesarse antes, a no ser que haya una causa grave y no encuentre confesor. En ese caso debe hacer un acto de contrición perfecto y el propósito de confesarse cuanto antes. Los niños deben acercarse al sacramento de la Penitencia antes de recibir la primera Comunión (1451).

La confesión de los pecados veniales no es obligatoria, pero se recomienda porque esto ayuda a formar la conciencia y a luchar contra las malas inclinaciones y a progresar en la vida del Espíritu. Cuanto más frecuentemente se siente la misericordia de Dios al ser perdonado en este sacramento, el creyente se ve más impulsado a ser él también misericordioso (1458).

La satisfacción de obra es hacer lo posible por reparar el pecado que se ha cometido, como por ejemplo restituir las cosas robadas; devolver la buena fama a aquellas personas de las cuales se habla mal; tratar bien a quien se trata mal... La absolución quita el pecado, pero no remedia los daños que el pecado causó, por eso el pecador debe hacer lo que más convenga para reparar los daños que hizo pecando (1459).

¿Cómo debe ser la penitencia que impone el confesor?: La penitencia debe ser proporcionada a la gravedad de los pecados cometidos. Puede consistir en oraciones, en ofrendas, en obras de misericordia, en privaciones voluntarias o sacrificios, y sobre todo en aceptar con paciencia la Cruz de sufrimientos de cada día (1460).

El ministro del sacramento de la Penitencia es el obispo, y el sacerdote que recibe de su obispo la potestad de confesar (1461).

La excomunión: Ciertos pecados muy graves reciben el castigo de la "excomunión" y entonces su perdón queda reservado al Sumo Pontífice, o al obispo o a algunos sacerdotes que tienen privilegio de absolverlos. Pero en caso de muerte, todo sacerdote puede absolver de cualquier pecado y de toda excomunión (1463).

Recomendaciones para el confesor: Los sacerdotes deben animar a los fieles a recibir el sacramento de la Penitencia, y mostrarse disponibles para confesarlos (1464). Recordar que el confesor representa al Buen Pastor, que busca las ovejas perdidas, y al Buen Samaritano que quiere curar las heridas de las almas, y al Padre misericordioso que recibe amablemente al hijo pródigo (1465). Al confesar debe conducir al penitente con paciencia hasta su curación completa, y orar y ofrecer penitencias por sus penitentes (1466).

El sigilo o secreto total: Todo confesor está obligado, bajo penas muy severas a guardar el más absoluto silencio acerca de los pecados que sus penitentes le han confesado, y no puede hacer uso de los conocimientos que la confesión le da acerca de sus penitentes. Este secreto se llama "sigilo sacramental", porque lo que el penitente confesó queda bajo el sello (sigilo) del silencio, sellado para siempre (1467).

LOS EFECTOS DEL SACRAMENTO DE LA PENITENCIA

El sacramento de la Penitencia nos devuelve la gracia de Dios y nos une a Él con profunda amistad (1468). Quienes lo reciben con un corazón arrepentido y con las debidas disposiciones, les trae la paz y la tranquilidad a la conciencia y un profundo consuelo espiritual (1468). **Reconcilia el pecador con la Iglesia,** y así él es fortalecido con el intercambio de bienes espirituales de todos los fieles. Y se reconcilia el pecador consigo mismo en el fondo más íntimo de su propio ser (1469). "Se juzga él a sí mismo, para no tener que incurrir en el Juicio de Dios" (Jn 5, 24) (1470).

La celebración comunitaria de la confesión

Se puede celebrar este sacramento en forma comunitaria así: Se lee la Palabra de Dios; se hace una predicación; luego, el examen de conciencia dirigido; petición de perdón hecho entre todos; rezo del Padrenuestro y acción de gracias a Dios por su perdón. Enseguida cada fiel hace su confesión individual y recibe su absolución individualmente (1482).

La absolución general, se puede hacer en casos de grave necesidad, por ejemplo, cuando hay un peligro inminente de muerte sin que el sacerdote o los sacerdotes tengan el tiempo suficiente para oír la confesión de todos los penitentes. También es una causa grave que puede permitir la absolución general el que no haya bastantes confesores para oír debidamente las confesiones individuales, de manera que los penitentes, sin culpa suya, se verían privados durante algún tiempo de recibir la absolución y la comunión, (1483).

Una condición: Para recibir la absolución general los penitentes deben tener el propósito de hacer una confesión individual en su debido tiempo (1483).

Es al obispo a quien corresponde decir si existen las condiciones para que se pueda dar absolución general. Pero una gran concurrencia de fieles en ocasión de grandes fiestas o de peregrinaciones no es causa grave para que se pueda dar la absolución general (1483).

La confesión individual sigue siendo el único modo ordinario para que el creyente se reconcilie con Dios. Cristo se dirige a cada uno de los pecadores individualmente y le dice: "Tus pecados quedan perdonados" (Mc 2, 5). Es el Médico Divino que se inclina hacia cada enfermo del alma para curarlo (1484).

LAS INDULGENCIAS

341) ¿Qué son las indulgencias?

R. Indulgencias es una gracia o favor especial que la Iglesia concede a los fieles, con lo cual se les perdona la pena temporal que debían pagar por sus pecados.

Duda: Y algunos preguntan: ¿Con qué derecho se atreve la Iglesia a perdonar la pena temporal que un pecador le debe a Dios? ***Respuesta:*** *Porque Jesucristo le dijo a su Iglesia: "Todo lo que desatéis en la tierra quedará desatado en el cielo" (S. Mateo 16, 19).*

342) ¿Qué clases de indulgencia hay?

R. Hay dos clases de indulgencia: la plenaria que borra toda la pena temporal que debemos por nuestros pecados, y la indulgencia parcial que borra solamente una parte de esta pena temporal.

NOTICIA IMPORTANTE: *El Papa Pablo VI dio un decreto acerca de las indulgencias y todo lo que en nuestro catecismo se dice de las indulgencias fue dicho por este Sumo Pontífice que hablaba en nombre de Dios. Ese decreto fue dado en 1968.*

343) ¿Quiénes ganan indulgencia parcial?

R. Ganan indulgencia parcial, o sea se les borra parte de la pena que deben a Dios por sus pecados, las siguientes personas: 1°. Los que ofrecen a Dios los trabajos que hacen o los sufrimientos que padecen. 2° Los que hacen alguna obra de misericordia al prójimo por amor de Dios. 3° Los que hacen algún sacrificio por amor al Señor.

Duda: Dicen algunos: Pero es que los que hacen estas obras buenas ya se les perdona por ello una parte de la pena temporal que debían a Dios. Respondemos: Sí, eso es cierto, pero el decreto del Sumo Pontífice dice que al que hace esto en gracia de Dios y por amor de Nuestro Señor se le borra otro tanto de la pena temporal de la que se le habría borrado con hacer esa obra buena. En eso consiste la indulgencia: la Iglesia concede al que hace la obra buena en gracia de

MODELO DE CONVERSIÓN FUE EL HIJO PRÓDIGO.

Dios (o sea sin pecado) que con cada obra pague el doble de pena temporal: uno por la obra buena, y otro por la indulgencia que le concede la Iglesia.

344) ¿A qué oraciones le ha concedido el sumo pontífice indulgencia especial?

R. El Sumo Pontífice Pablo VI concedió en nombre de Dios una indulgencia especial a las siguientes oraciones: — El Credo — El Vía crucis — El visitar al Santísimo Sacramento — El Santo Rosario — El "Acuérdate, oh Madre Santa, que jamás se oyó decir..." — La Novena al Espíritu Santo — La oración para pedir vocaciones — La oración "Alma de Cristo, santifícame". — Y el llevar con fervor el Cristo o la medalla de la Virgen.

Nota: La oración "Acuérdate, oh Madre Santa, que jamás se oyó decir que alguno te haya implorado sin tu auxilio recibir por eso con fe y confianza humilde y arrepentido lleno de amor y esperanza este favor yo te pido", fue compuesta por san Bernardo en el año mil. La oración "Alma de Cristo, santifícame" etc., era la oración preferida de san Ignacio y otros santos para rezarla después de recibir la S. Comunión. El Sumo Pontífice la reza cada día después de comulgar.

PERDÓN DE LOS PECADOS

345) ¿Cómo podemos conseguir el perdón de los pecados veniales?

R. Podemos conseguir el perdón de los pecados veniales por los sacramentos de la Confesión y de la Comunión; participando devotamente de la Santa Misa; haciendo un acto de contrición; dando limosnas que nos cuesten, a la Iglesia o a los pobres; leyendo páginas de la Sagrada Biblia; rezando con devoción y haciendo obras de caridad o de penitencia.

Lectura

LAS INDULGENCIAS

(Del Catecismo de la Iglesia Católica, números 1471 y ss.)

La indulgencia es la remisión (perdón o suspensión) de la pena temporal que se debía pagar por los pecados, la cual se consigue por medio de la Iglesia que es la administradora de la redención y distribuye y aplica con autoridad el tesoro de satisfacciones y pagos conseguidos por Cristo y los santos (1471).

Hay dos clases de indulgencias: la indulgencia **parcial,** que libra de una parte de las penas que se deben por los pecados, y la indulgencia **plenaria** que libra totalmente de las penas (1471).

¿Quiénes pueden ganar indulgencias?

Todo fiel puede ganar para sí mismo y en favor de las almas del purgatorio, indulgencias parciales o plenarias (1471).

¿Por qué hay que pagar penas por el pecado?

Cada pecado tiene una doble consecuencia: la culpa, que consiste en privar de la amistad con Dios, y la pena, que es el castigo merecido por esa falta. Todo pecado, aunque sea venial, tiene necesidad de purificación, ya sea aquí en la tierra, ya sea después de la muerte en el Purgatorio. Esa pena que hay que pagar por el pecado no es una especie de venganza infligida por Dios desde el exterior, sino algo que brota de la naturaleza misma del pecado, el cual es un apego desordenado a las creaturas y tiene necesidad de purificación (1472).

Algo que reemplaza. El creyente debe esforzarse por aceptar con paciencia los sufrimientos de cada día, lo cual le sirve para pagar las penas que debe por sus pecados; también le sirve mucho el practicar las obras de misericordia, y el hacer oración y penitencia (1473).

¿En qué consiste el tesoro de la Iglesia? Se llama **"tesoro de la Iglesia"** al valor infinito e inagotable que tienen ante Dios las expiaciones y los méritos que Cristo ofreció para que la humanidad quedara libre de sus pecados (1476) y forman también el tesoro de la Iglesia las oraciones y las buenas obras de la Virgen María y de todos los santos (1477). Cuando la Iglesia concede una indulgencia, aprovecha el poder que Cristo le dio de atar y desatar, y abre "el tesoro de los méritos de Cristo y de los santos" y lo reparte para pagar las penas debidas por los pecados (1478).

Y también en favor de los fieles difuntos, a los cuales podemos ayudarles obteniendo indulgencias para ellos, de manera que se vean libres de las penas temporales debidas por sus pecados (1479).

> **"Un corazón arrepentido, Dios nunca lo desprecia"**
>
> **Salmo 50**

LA SAGRADA EUCARISTÍA

LA SAGRADA EUCARISTÍA

346) ¿Qué es la Sagrada Eucaristía?

R. La Sagrada Eucaristía es el sacramento que contiene verdaderamente el Cuerpo y la Sangre de Nuestro Señor Jesucristo, con su alma y divinidad, bajo las apariencias de pan y vino.

La palabra "Eucaristía" *significa "sacrificio para dar gracias". Se llamaban así los sacrificios antiguos que se dedicaban a dar gracias a Dios por grandes favores recibidos. Como por ejemplo el sacrificio que ofreció Abel, el sacrificio de pan y vino que el sacerdote Melquisedec ofreció en nombre de Abraham para dar gracias por una gran victoria obtenida (Génesis 15, 18) y el sacrificio que cada día se ofrecía en el templo de Jerusalén para dar gracias al Señor Dios.*

347) ¿Cuándo instituyó Jesucristo la Sagrada Eucaristía?

R. Jesucristo instituyó la Sagrada Eucaristía en la Última Cena cuando convirtió el pan en su Cuerpo y el vino en su Sangre y dio a los Apóstoles el poder de hacer lo mismo.

"Mientras comían tomó el pan, lo bendijo, lo partió y se lo dio diciendo: 'Tomad y comed, esto es mi cuerpo que será entregado por vosotros'. Tomó luego el cáliz y dijo: 'Tomad y bebed todos de él porque es el cáliz de mi sangre que será derramada por vosotros y por todos los hombres para el perdón de los pecados. Haced esto en conmemoración mía'" (Lucas 22; Mateo 26; Marcos 14).

348) ¿Quiénes tienen ahora el poder de obtener que el pan y el vino se conviertan en el Cuerpo y Sangre de Cristo?

R. Los que tienen el poder de convertir el pan y el vino en el Cuerpo y la Sangre de Jesucristo son los obispos y sacerdotes, porque ellos reemplazan a los que Jesús ordenó: "Haced esto en conmemoración mía".

Ejemplo: Este es un poder que no tienen ni los presidentes de las naciones, ni los millonarios, ni los grandes sabios, sino los sacerdotes y obispos. Una vez en Bolsena (Italia), un sacerdote tenía duda de si en verdad al decir él las palabras de Jesús en la Última Cena, el pan y el vino se convertían en Cuerpo y Sangre; y al partir la S. Hostia, salió de ella tal cantidad de sangre que empapó el mantel del altar. Todavía se conserva ese mantel manchado, después de varios siglos, y los científicos, lo han examinado y lo que allí observan es sangre fresca, como recién derramada.

349) ¿Cuándo obtienen los sacerdotes que el pan y el vino se conviertan en el Cuerpo y Sangre de Jesucristo?

R. Los sacerdotes convierten el pan y el vino en el Cuerpo y Sangre de Jesucristo cuando celebran la Santa Misa, en el momento de la Consagración, al repetir las palabras de Jesús en la Última Cena.

Ejemplo: *Santa Teresa, santa Catalina y muchos santos más vieron repetidas veces a Jesucristo en la Santa Hostia cuando el sacerdote la presenta al pueblo para que la adore. Nosotros no tenemos la dicha de verlo con los ojos del cuerpo, pero sí lo vemos con los ojos de la fe, y se cumplirá lo que Jesús dijo: "Dichosos los que crean sin ver" (San Juan 20, 29).*

LA SANGRE DEL NUEVO TESTAMENTO: PACTO ENTRE DIOS Y LOS HOMBRES.

INSTITUCIÓN DE LA EUCARISTÍA

1. En el transcurso de la Cena tomó Jesús el pan y el vino, y, después de dar gracias, los bendijo.

2. Partió el pan y los dio a sus discípulos diciendoles: "Tomad y comed, este es mi cuerpo, que será entregado por vosotros. Haced esto en conmemoración mía".

3. Y les entregó el cáliz y dijo: "Bebed del él todos, porque ésta es mi sangre del Nuevo Testamento, que será derramada por muchos para remisión de los pecados".

4. Y añadió luego: "En verdad os digo que no beberé más de este fruto de la vid hasta el día que lo beba de nuevo con vosotros en el Reino de mi Padre. Por ello os lego el reino, como mi Padre me lo legó a mí". Y después de haber dicho los himnos de alabanza, tomaron juntos el camino al monte de los Olivos.

350) ¿Qué es la hostia después de la Consagración?

R La hostia después de la consagración es el verdadero cuerpo de Jesucristo, juntamente con su sangre, alma y divinidad

Ejemplo: *Hasta el mismo Lutero, el fundador de los protestantes, que niegan que Jesús esté en la Eucaristía, decía: "Para negar que Jesús esté en la Hostia consagrada tiene uno que ser o un tonto o un loco, porque Jesús lo afirmó clarísimamente diciendo: "Esto es mi Cuerpo". Más claro no lo podía decir.*

351) ¿Qué contiene el cáliz después de la consagración?

R. Después de la consagración el cáliz contiene la verdadera Sangre de Jesucristo juntamente con su cuerpo, su alma y su divinidad.

Jesús lo dijo claramente: *"Éste es el cáliz de mi sangre, sangre que será derramada por vosotros y por todos los hombres para el perdón de los pecados. Haced esto en memoria mía" (S. Mateo 26; S. Marcos 14).*

352) ¿Hay en la hostia pan, o en el cáliz vino después de la consagración?

R. Después de la consagración no hay pan en la hostia ni vino en el cáliz, sino solamente los accidentes, especies o apariencias de pan y de vino como son la cantidad, la forma, el color, el olor y el sabor.

Ejemplo: *San Antonio tenía un amigo que no creía que en la Hostia consagrada estuviera el Cuerpo de Jesucristo. Y éste desafió al santo a que obtuviera un milagro para que le probara esta verdad. San Antonio rezó mucho y luego invitó*

a su amigo a que dejara tres días sin comer ni beber a su caballo y lo trajera luego a la puerta de la Iglesia. Así lo hicieron. A un lado de la puerta pusieron un bulto de pasto fresco, y al otro lado se colocó San Antonio teniendo en sus manos una Hostia consagrada. El caballo muy hambreado y muy sediento, en vez de irse a comer y beber lo que cerca se le presentaba, se fue hacia la S. Hostia y doblando sus patas delanteras se quedó allí arrodillado. El incrédulo se echó a llorar exclamando: "Infeliz de mí; las bestias tienen más fe que yo". Y empezó a creer.

353) ¿Se divide a Jesucristo cuando se divide la hostia?

R. Cuando se divide la hostia consagrada no se divide a Jesucristo pues Él queda todo entero en todas y en cada una de las partes en que se divide la hostia.

Comparación: *Si partimos un gran espejo en varios pedazos, en cada uno de ellos estará y se verá nuestra imagen completa. Si partimos una hostia en varias partes, en cada una de ellas está el Cuerpo completo de Jesucristo*

SAGRADA COMUNIÓN

354) ¿A quién recibimos en la Sagrada Comunión?

R. En la Sagrada Comunión recibimos a Jesucristo, Dios y hombre, que está verdaderamente en la hostia consagrada.

Dijo Jesús: "El pan que yo os daré es mi propio Cuerpo. El que come mi cuerpo tendrá vida eterna" (S. Juan 6, 51).

355) ¿Para qué instituyó Jesucristo la Sagrada Comunión?

R. Jesucristo instituyó la Sagrada Comunión para quedarse más cerca de nosotros, para aumentarnos su gracia, sus favores y su amistad, y para ser Él mismo el alimento de nuestra alma.

Dijo Jesús: "Mi carne es verdadera comida y mi sangre es verdadera bebida. Quien come mi carne y bebe mi sangre permanece en mí y yo en él" (S. Juan 6, 56).

356) ¿Qué otras gracias produce en nosotros la Sagrada Comunión?

R. La Sagrada Comunión aumenta en nosotros el amor a Dios y al prójimo; nos perdona los pecados veniales y nos preserva de los mortales, y es una señal segura de que resucitaremos para la Vida Eterna.

Jesús decía: *"A quien coma mi cuerpo, yo lo resucitaré en el Último día" (S. Juan 6, 54).*

San Francisco de Sales repetía: *"Si eres colérico, debes comulgar para que el Señor te traiga un buen genio. Si eres pecador, debes comulgar para que Jesucristo te traiga el perdón y las fuerzas para no pecar. Si eres bueno comulga para no volverte malo, y si eres malo, comulga para que te vuelvas bueno".*

357) ¿Qué disposiciones debemos tener para poder comulgar dignamente?

R. Para poder comulgar dignamente debemos estar en gracia de Dios, o sea sin pecado mortal en el alma. No haber comido desde una hora antes. Y acercarnos a comulgar con respeto y devoción.

Nota: Para poder comulgar no hace falta habernos confesado en esa semana o en ese mes, si no tenemos pecado mortal (pecado mortal sería por ejemplo, no haber ido a misa un domingo por pereza o descuido; haber visto una película mala, haber hecho una acción de impureza, o haber consentido por bastante tiempo un mal pensamiento, etc.). Jamás dejemos de comulgar por un mal genio, una pelea o disgusto o alguna palabra fuerte que se nos escapó. Estos son pecados veniales que se borran con un acto de contrición. No dejemos de comulgar: Más comulgamos y más santos nos volveremos.

358) ¿Qué deben hacer para comulgar dignamente los que se hallan en pecado mortal?

R. Los que están en pecado mortal deben confesarse para comulgar dignamente, pues no les basta en este caso hacer solamente un acto de contrición.

San Pablo dijo esta tremenda frase: "Cada uno cuide cómo recibe el Cuerpo del Señor, pues quien come y bebe indignamente al Señor, come y bebe su propia condenación" (1Corintios 11, 27.29).

LA PARÁBOLA DEL QUE ENTRÓ SIN TRAJE DE FIESTA AL CONVITE

Jesús narró la parábola de un rey que invitó a mucha gentes al banquete de su hijo. Todos podían entrar, pero en la puerta del palacio tenían que colocarse un traje de fiesta que allí les ofrecían. Los demás se pusieron el traje, pero uno de los invitados no quiso y entró así con los vestidos manchados y feos que tenía. Cuando estaban en pleno banquete entró el rey y al ver a ese hombre sin el traje de fiesta y con tantas manchas en su vestido, mandó que lo echaran afuera a las tinieblas" (S. Mateo 22). Esto le puede suceder al que se atreve a ir a comulgar con el alma manchada con pecados mortales sin colocarse antes el traje de fiesta que es la gracia de Dios. La gracia se obtiene con una buena confesión.

359) ¿Pueden comulgar sin confesarse los que solamente tienen pecados veniales?

R. Los que solamente tienen pecados veniales pueden comulgar sin confesarse, porque los pecados veniales no hacen perder la gracia santificante o amistad con Dios.

Nota: *Si no podemos jurar sobre una S. Biblia que estamos en pecado mortal, pasemos a comulgar. Jesús dijo que Él no venía a buscar santos sino pecadores. Porque somos pecadores es que necesitamos recibir a Nuestro Redentor: La confesión no obliga sino una vez al año, si no tenemos pecados mortales. Pero la comunión la debemos recibir siempre que vayamos a la S. Misa si no nos consta que estemos en pecado mortal. (Sr. Catequista, por favor dar algunos ejemplos de qué es pecado mortal y qué no es. Si tiene dudas consultar al sacerdote. Hacer acciones impuras, faltar a misa el domingo, leer malos libros o revistas pornográficas. Ir a cines malos, etc. No es pecado mortal una mentira no grave o un disgusto pasajero, etc.).*

360) ¿Cuál es el ayuno prescrito por la Iglesia para comulgar?

R. El ayuno prescrito por la Iglesia para comulgar es no haber comido ni bebido desde una hora antes de la comunión.

361) ¿Se puede tomar agua antes de la Comunión?

R. Antes de la comunión se puede tomar agua a cualquier hora o por cualquier motivo.

362) ¿Quiénes pueden comulgar sin guardar ningún ayuno?

R. Pueden comulgar sin guardar ningún ayuno los enfermos que reciben la comunión por viático.

La palabra "viático" significa "alimento para el viaje". El enfermo necesita que Jesucristo lo acompañe en su enfermedad y en su partida hacia la eternidad. Por eso se le lleva la Sagrada Comunión como el mejor alimento para el último viaje.

363) ¿A quiénes se debe llevar el viático?

R. El Viático o Sagrada Comunión se debe llevar a los enfermos que tienen cierta gravedad aunque no tengan que guardar cama y a quienes estén en peligro de muerte.

Ningún otro regalo más provechoso para un enfermo que el Cuerpo y la Sangre de Jesucristo. En el que lo recibe se cumplirá la frase de Jesús: "He aquí que estoy a la puerta y llamo. Si alguno me abre entraré y cenaré con él" (Apocalipsis 3, 20).

364) ¿Se puede recibir la comunión por viático varias veces durante la misma enfermedad?

R. Durante una misma enfermedad se puede y es conveniente recibir varias veces la comunión por viático en distintos días.

Jesús decía: *"No son los sanos los que necesitan médico, sino los enfermos" (Lucas 5, 31). Y Jesús es el mejor médico*

LA EUCARISTÍA
Alimento en el viaje hacia la eternidad
El manjar celeste
del alma
Jesús nos dice como Elías:
"Levántate y come; pues
tienes mucho que caminar
todavía".
DIGNA RECEPCIÓN
Corazón
puro
Ayuno está
permitido
agua, siempre;
una hora antes
comidas y
bebidas
Vestidos
decentes
Ojalá dentro de
la Misa
Consideraciones
Antes pensar
Adorar
dar gracias
pedir
¿Con qué frecuencia recibo la Sagrada Comunión?
debo: una vez al año, por Pascua.
me conviene: en cada Misa que oigo.
puedo: todos los días.
Jesús, ven a mí

para el alma y para el cuerpo. Así que a los enfermos les será de gran provecho recibirlo en la Sagrada Comunión.

365) ¿Pueden recibir el viático los niños enfermos que no han hecho la primera Comunión?

R. Los niños que están enfermos y no han hecho la primera Comunión pueden recibir el viático o comunión de enfermos, con tal que sepan y crean que es Jesucristo el que está en la Sagrada Hostia.

Decía Jesús: "Dejad que los niños vengan a mí. El Reino de los Cielos es para los que se vuelvan semejantes a los niños" (S. Lucas 18, 16). Por eso Él siente especial gusto en visitar el alma de los niños enfermos.

366) ¿Qué pueden tomar los enfermos antes de comulgar?

R. Los enfermos pueden tomar a cualquier hora antes de comulgar las medicinas, alimentos y bebidas que necesiten.

El Salmo 102 dice: "Dios conoce de qué barro somos hechos, y por eso comprende nuestras debilidades".

367) ¿Con qué frecuencia podemos comulgar?

R. Podemos y debemos comulgar con mucha frecuencia, ojalá todos los domingos y aun todos los días. Pero no debemos comulgar más de una vez al día.

Nota: Solamente hay unas fechas en que sí se puede comulgar dos veces y son: El día de la Resurrección de Jesús, si uno comulgó en la Misa de medianoche; el día de la Navidad, si uno comulgó en la Misa de medianoche, puede volver a comulgar en la Misa del día; el día del entierro de un familiar o de las bodas de Plata de alguno de la familia, si ya antes había comulgado en otra misa, puede volver a comulgar en la misa del entierro o de la celebración familiar.

Hay que tener cuidado con un grave error: ***el jansenismo,*** *que consiste en decir: "No debemos comulgar sino rarísimas veces porque no estamos bien preparados". Esto lo enseñaba un hereje llamado Jansenio. Contra esto lucharon san Pío X, san Francisco de Sales y san Juan Bosco diciendo: "Debemos comulgar muchas veces, porque no colmulgamos porque ya somos santos, sino porque queremos ser santos".*

368) ¿A qué edad deben hacer los niños la primera Comunión?

R. Los niños deben hacer la primera Comunión cuando ya comprendan quién es el que está en la Sagrada Eucaristía, y hayan hecho el curso de preparación.

Por lo general se hace la primera Comunión después de 4º año de primaria. Sería un error gravísimo permitir que un niño hiciera la primera Comunión sin que hubiera asistido a la preparación, porque se quedaría para siempre sin saber ciertas verdades de la religión. El niño con tal de hacer la primera Comunión está dispuesto a asistir a todas las clases de catecismo que le pidamos. Aprovechemos tan bella ocasión para hacer que se instruya todo lo más posible en nuestra santísima religión.

Otro error de graves consecuencias es dejar la primera Comunión para después de los trece años. Porque entonces ya las pasiones y la rebeldía juvenil le van a impedir asistir con docilidad a las clases de preparación. En la más bella edad, de los 9 a los 12 años, sería el tiempo ideal para que empezaran a recibir a Jesucristo, que los ayudará a conservarse puros y a vencer las tentaciones juveniles. La excusa de que "no tenemos plata", puede ser una trampa diabólica para retardar la venida de Jesucristo al alma del niño.

369) ¿Recibe también a Jesucristo quien comulga sin las debidas disposiciones?

R. Quien comulga sin las debidas disposiciones, o sea en pecado mortal o sin creer en lo que recibe, o sin respeto o devoción, recibe también a Jesucristo, pero no recibe las gracias y favores que produce la Santa Comunión, y comete sacrilegio.

La palabra "sacrilegio" significa irrespetar lo sagrado. La S. Biblia narra el hecho de un hombre que cayó fulminado por un castigo de Dios por atreverse a tocar el arca de la alianza (1 Crónicas 13, 10). ¿Cuánto mayor será la responsabilidad de quien se atreve a acercarse a la Sagrada Comunión del Cuerpo de Cristo con el alma manchada por el pecado mortal, o sin respeto, o sin fe?

370) ¿Qué debemos hacer para comulgar con mayor fruto?

R. Para comulgar con mayor fruto debemos prepararnos con actos de fe pensando en Aquel a quien vamos a recibir, que es Jesucristo Nuestro Señor. Hacer actos de humildad reconociendo que no somos dignos de recibirlo. Darle gracias por su visita. Pedirle con confianza lo que necesitamos, y recordar después que lo hemos recibido, para volverle a agradecer y para portarnos más dignamente.

San Alfonso decía que era un irrespeto pasar a comulgar sin rezar nada antes. Y san Felipe reprendía por falta de respeto a las personas que apenas comulgan se van del templo sin quedarse unos momentos a agradecer al Señor.

LA SANTA MISA

371) ¿Qué es un sacrificio?

R. Sacrificio es el ofrecimiento de un bien sensible, hecho por un ministro legítimo, principalmente para adorar a Dios como Ser Supremo, Creador y Dueño de todas las cosas.

Los sacrificios más famosos de la antigüedad fueron: Los de Abel, que ofrecía a Nuestro Señor lo mejor de su campo, y esto agradó mucho a Dios. El de Noé, que al salir del Arca ofreció en sacrificio la séptima parte de todos los animales que tenía, y esto le gustó mucho a Nuestro Señor. El de Melquisedec, que ofrecía en sacrificio pan y vino. El de Abraham, que ofreció en sacrificio a su propio hijo Isaac; Dios no le permitió matarlo pero sí lo premió mucho por este sacrificio. David y Salomón ofrecieron en sacrificio grandes cantidades de ovejas, toros, pan y vino. El mejor sacrificio de todos fue el de Jesús en la Cruz, al ofrecerse a sí mismo para perdón de nuestros pecados.

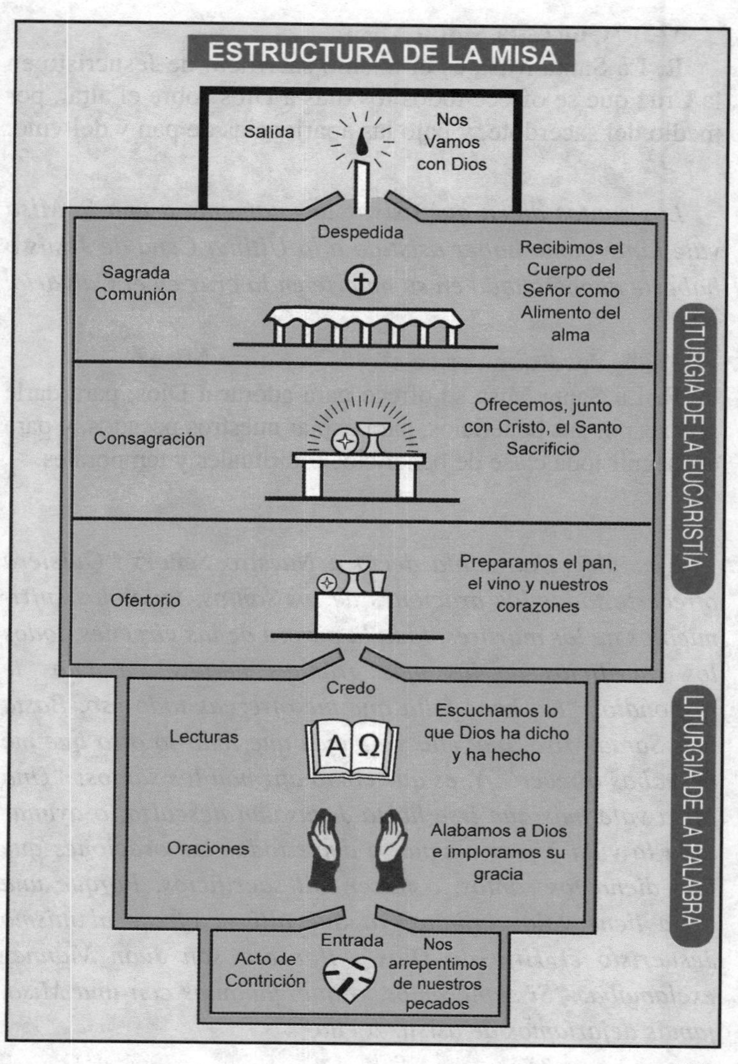
ESTRUCTURA DE LA MISA
Salida
Nos
Vamos
con Dios
Despedida
Sagrada
Comunión
Recibimos el
Cuerpo del
Señor como
Alimento del
alma
Consagración
Ofrecemos, junto
con Cristo, el Santo
Sacrificio
Ofertorio
Preparamos el pan,
el vino y nuestros
corazones
LITURGIA DE LA EUCARISTÍA
Credo
Lecturas
A Ω
Escuchamos lo
que Dios ha dicho
y ha hecho
Oraciones
Alabamos a Dios
e imploramos su
gracia
LITURGIA DE LA PALABRA
Entrada
Acto de
Contrición
Nos
arrepentimos
de nuestros
pecados

372) ¿Qué es la Santa Misa?

R. La Santa Misa es el mismo sacrificio de Jesucristo en la Cruz que se ofrece todos los días a Dios sobre el altar, por medio del sacerdote, y bajo las apariencias de pan y del vino.

Los santos dicen que asistir devotamente a una S. Misa vale tanto como haber asistido a la Última Cena de Jesús o haberle acompañado en su muerte en la cruz en el Calvario.

373) ¿Para quienes se ofrece la Santa Misa?

R. La Santa Misa se ofrece para adorar a Dios, para darle gracias por sus beneficios, para expiar nuestros pecados, y para conseguir toda clase de beneficios espirituales y temporales.

Ejemplo: Una santa decía a Nuestro Señor: "Quisiera ofrecerte todas las oraciones de los santos, todos los sufrimientos de los mártires, toda la pureza de las vírgenes, todos los sacrificios de los más grandes héroes". Y Dios le respondió: "No hace falta que me ofrezcas todo eso. Basta una Santa Misa, que ella vale más que todo lo otro que me deseabas ofrecer". Y, es que como afirman los santos: "Una Misa vale más que irse hasta Jerusalén descalzo, o ayunar toda la vida a pan y agua, o decir todas las oraciones que han dicho los santos, o hacer mil sacrificios. Porque una Misa tiene valor infinito, ya que allí se ofrece al mismo Jesucristo el Hijo de Dios". Por eso san Juan Vianney exclamaba: "Si supiéramos lo que ganamos con una Misa, jamás dejaríamos de asistir a ella".

374) ¿Para qué otros fines se ofrece la Santa Misa?

R. La Santa Misa se ofrece también para honrar a la Virgen María y a los santos y alcanzar su intercesión, y para ayudar a las almas de los difuntos.

Ejemplo: La visión de san Gregorio: En la vida de este gran santo se cuenta que un día se quedó como extasiado y emocionado durante la Santa Misa. Le preguntaron la causa y exclamó: "Es que tuve una visión en la cual observé que mientras celebraba la misa por los difuntos, las almas del purgatorio descansaban de sus penas".

375) ¿Cuántas partes tiene la Santa Misa?

R. La Santa Misa o sacrificio eucarístico tiene dos partes: la Liturgia de la Palabra y la Liturgia de la Eucaristía.

La Liturgia de la Palabra contiene las oraciones y cantos del principio, tres lecturas de la S. Biblia y el sermón u homilía. La Liturgia de la Eucaristía contiene el ofrecimiento del pan y del vino, el Himno del Prefacio, la consagración, la Comunión y las oraciones hasta el final de la Misa.

Nota: Las posiciones en la S. Misa son tres: ***de pie*** *es señal de respeto, de admiración, de prontitud para actuar (es la posición que se tiene cuando llega un gran personaje). Esta posición la tenemos en las oraciones del principio, y en las que van después de la consagración y durante la lectura del S. Evangelio.* **Sentados:** *es posición de tranquilidad, de calma, de meditación. La tenemos mientras escuchamos las primeras lecturas, el sermón y las oraciones del ofertorio.* ***De rodillas:*** *es señal de humildad, de arrepentimiento, de profunda adoración. Es la posición* *para el momento de la Consagración (al levantar el sacerdote la hostia y el cáliz después de la Consagración, mirémoslos con profunda fe y pidámosle alguna gracia al Señor. Es un momento de gran importancia).*

376) ¿Qué significa oír Misa entera?

R. Oír Misa entera significa asistir a las dos partes de la Misa: La Liturgia de la Palabra, o sea todo lo que va desde el principio de la Misa hasta el sermón y la Liturgia de la Eucaristía, o sea todo lo que va desde el sermón hasta la bendición final.

Observación importante: *Durante la Misa no leamos novenas ni recemos el rosario. Estemos atentos y respondamos con voz fuerte y poderosa a las oraciones (como en tiempos antiguos cuando, según cuenta san Jerónimo cada "Amén" se oía tan fuerte como un trueno). Cantemos afinados y fuerte. Si los demás se arrodillan a la Elevación, arrodillémonos también y así no estorbamos a los de atrás que quieren ver la Santa Hostia. No lleguemos tarde que eso molesta y distrae a los demás. No dejemos que los niños jueguen o corran porque eso desvía la atención. Ofrezcamos cada misa para obtener un favor especial y veremos que la ofrecemos con más gusto y atención.*

Dice el Señor: "No podéis dar buenos frutos si no permanecéis en mi amistad"

(Juan 5, 4)

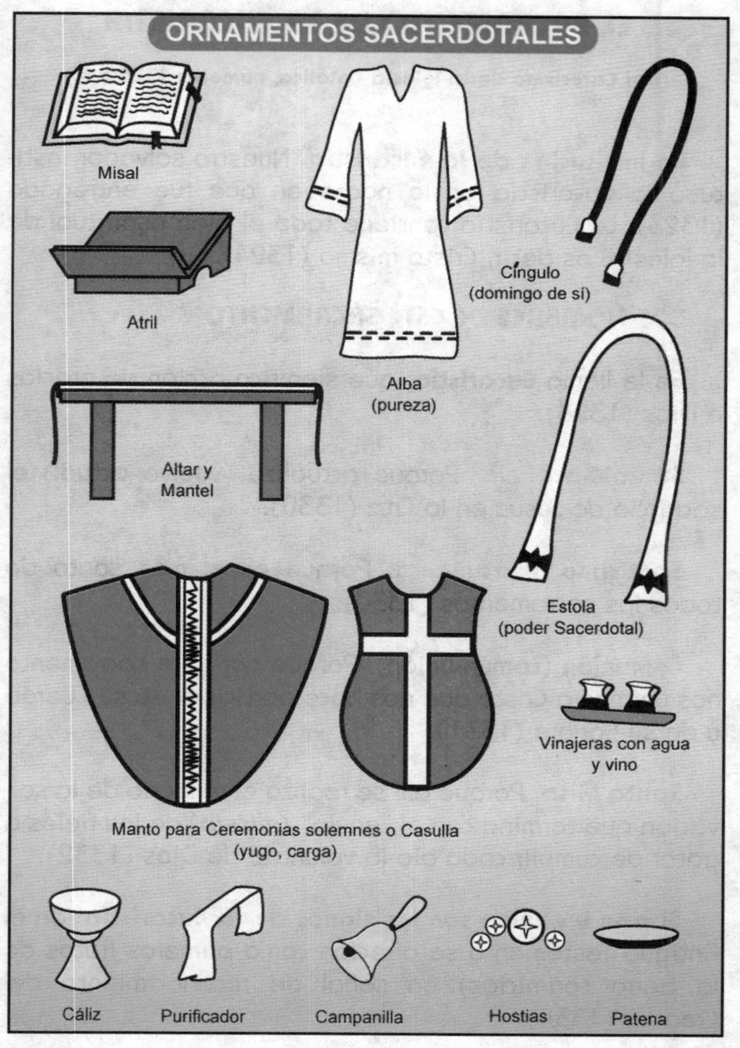
ORNAMENTOS SACERDOTALES
Misal
Atril
Alba
(pureza)
Cíngulo
(domingo de sí)
Altar y
Mantel
Estola
(poder Sacerdotal)
Vinajeras con agua
y vino
Manto para Ceremonias solemnes o Casulla
(yugo, carga)
Cáliz
Purificador
Campanilla
Hostias
Patena

EL SACRAMENTO DE LA EUCARISTÍA

(Del Catecismo de la Iglesia Católica, números 1322 y ss)

La institución de la Eucaristía. Nuestro salvador instituyó la Eucaristía en la noche en que fue entregado (1323). La Eucaristía contiene todo el bien espiritual de la Iglesia, es decir, Cristo mismo (1324).

LOS NOMBRES DE ESTE SACRAMENTO

Se le llama **Eucaristía,** que significa acción de gracias a Dios (1328).

Santo Sacrificio: Porque actualiza (vuelve actual) el sacrificio de Jesús en la Cruz (1330).

Santísimo Sacramento: Porque es el más santo de todos los sacramentos (1330).

Comunión (común-unión): Porque por este sacramento nos unimos a Cristo que nos hace participar de su Cuerpo y de su Sangre (1331).

Santa Misa: Porque allí se realiza el misterio de la salvación que termina con el "envío" *(missio)* de los fieles a tratar de cumplir cada día la voluntad de Dios (1332).

El pan y el vino son los signos de la Eucaristía: en el Antiguo Testamento se ofrecían como primeros frutos de la tierra (primicias) en señal de reconocimiento del Creador (1334).

Jesús **multiplicó los panes** (con cinco panes dio de comer a cinco mil hombres) y **transformó el agua en vino en Caná** (1335).

El primer anuncio que hizo Jesús de la Eucaristía (cuando dijo: "El pan que les voy a dar es mi propia carne, el que coma mi carne tendrá la vida eterna") escandalizó a los oyentes. Y casi todos se alejaron de Él diciendo: "Duro es este modo de hablar, ¿quién puede aceptarlo? (Juan 6, 60). Jesús dijo entonces a los Apóstoles: "¿También vosotros queréis marcharos?" (Juan 6, 67) y nosotros tenemos que responderle con las palabras que entonces le dijo Pedro: "Señor: ¿a quién iremos? Sólo tú tienes palabras de vida Eterna (Juan 6, 68) (1336).

¿Cómo fue instituida la Eucaristía? Jesús, habiendo amado a los suyos, los amó hasta el extremo, y sabiendo que había llegado la hora de partir de este mundo, para no alejarse nunca de los suyos, instituyó la Eucaristía como memorial o recuerdo de su pasión, muerte y resurrección, y ordenó a sus Apóstoles celebrarla en memoria suya, constituyéndolos así como sacerdotes del Nuevo Testamento (1337).

Los tres primeros evangelios (Mateo, Marcos y Lucas), y también san Pablo, nos han narrado la institución de la Eucaristía, y san Juan en su evangelio narra cómo Jesús en Cafarnaúm anunció la Eucaristía cuando habló del Pan de Vida (Jn 6) (1338).

¿Cómo era la misa en la antigüedad?

San Justino, que vivió en el siglo II, narra cómo se celebraba en ese tiempo la S. Misa. Dice así: "Nos reunimos cada domingo. Se leen los escritos de los profetas o de los Apóstoles y el que preside, explica esas lecturas. Luego oramos por todos para pedir a Dios para que logremos cumplir los mandamientos y obtener la salvación. Todo el pueblo pronuncia una aclamación diciendo: Amén. Luego se presenta al sacerdote pan y vino, y él pronuncia sobre ellos la consagración y se reparten entre el pueblo. Nos damos unos o otros el saludo de la paz"... O sea que la Santa Misa se celebra ahora como hace 18 siglos (1345).

Las dos partes de la Misa: Desde los primeros siglos la Misa se compone de dos partes: La liturgia de la Palabra, o sea la lectura y explicación de la Palabra de Dios, y la liturgia de la Eucaristía, o sea el ofrecimiento del pan y el vino, su consagración y su comunión (1346).

LA ANÁFORA: Se llama anáfora o plegaria eucarística a la oración de acción de gracias y de consagración que en la misa va desde el prefacio hasta la comunión. (Actualmente hay unas 12 anáforas distintas, y el sacerdote puede escoger para cada celebración la que le parezca más apropiada para esa ocasión).

La anáfora se compone de siete oraciones. La primera se llama **"el prefacio"** que es un himno para dar gracias al Padre Dios, por Cristo, en el Espíritu Santo. Los prefacios son himnos muy hermosos. Actualmente son setenta (1352).

La segunda oración de la anáfora es la **epiclesis** (o petición de bendición) oración con la cual se pide al Padre que envíe al Espíritu Santo para que convierta el pan en el Cuerpo de Jesús y el vino en su santísima Sangre (1353).

Luego viene "el relato de la institución" o sea, las palabras con las cuales se narra cómo Jesucristo instituyó la eucaristía. (1353).

La cuarta oración de la anáfora es lo "**anámnesis**" (que significa hacer recuerdo de algo) y es una oración que recuerda la pasión de Jesús y su resurrección y ascensión, para cumplir el mandato de Jesús que dijo "Haced esto en conmemoración mía" (1354).

La quinta oración de la anáfora son **"las intercesiones"** o sea las oraciones que se hacen por el Papa, el obispo, la Iglesia, los que ofrecieron la misa, todos los creyentes y además los fieles difuntos (1354).

El Padrenuestro es la sexta oración que se hace en la anáfora de la misa y se reza como preparación a la comunión (1355).

La séptima parte de la anáfora la forman las oraciones que el sacerdote dice antes de comulgar (1355).

TRES CUALIDADES DE LA EUCARISTÍA

La Eucaristía es: **Acción de gracias** al Padre. **Memorial o recuerdo** del sacrificio de Cristo. **Presencia** de Cristo, por su Cuerpo, su Palabra, y su Espíritu Santo (1358).

LA EUCARISTÍA ES UN SACRIFICIO. Esto se recuerda al repetir las palabras de Jesús: "Esto es mi cuerpo que será entregado por vosotros. Éste es el cáliz de la nueva alianza que será derramado por vosotros" (Lc 22, 19). La Eucaristía es un sacrificio porque representa el sacrificio de la Cruz y es su memorial o recuerdo (1365-66).

¿A quiénes se recuerda en la Santa Misa?

En la celebración de la Eucaristía se hace memoria del Sumo Pontífice, del obispo de la diócesis, de los sacerdotes y de los fieles de la Iglesia, como también de los fieles difuntos (1369-70-71).

¿Quién está presente en este Sacramento?

Al convertirse el pan en su Cuerpo y el vino en su Sangre, Cristo se hace presente en la Eucaristía (1375). El Concilio de Trento ha declarado que por la consagración del pan y del vino se obra el cambio de toda la sustancia del pan en sustancia del Cuerpo de Cristo y de toda la sustancia del vino en sustancia de su Sangre. Esto se llama **"transubstanciación"** (1376).

¿CÓMO SE DEMUESTRA EN LA IGLESIA EL CULTO A LA EUCARISTÍA?

En la Iglesia se demuestra el culto a la Sagrada Eucaristía, arrodillándonos o inclinándonos profundamente en señal de adoración al Señor. Y adorando a Jesús en la Eucaristía no solamente en la Santa Misa, sino también fuera de su celebración, conservando con el mayor cuidado las hostias consagradas; presentándolas a los fieles para que los adoren y llevándolas en procesión (1378).

¿Qué es el sagrario? El sagrario (o tabernáculo que guarda algo muy sagrado) sirve para guardar las hostias consagradas. Al principio se empleaba para guardar las santas hostias que se iban a llevar a los enfermos. Ahora se dedica también para la adoración silenciosa de los fieles a Jesús presente en la Eucaristía.

El sagrario debe estar colocado en un sitio muy digno de la iglesia, y construido de tal manera que recuerde la Presencia fiel de Cristo en la Eucaristía (1379).

Un consejo del Papa: "Jesús nos espera en este sacramento del amor. No ahorremos tiempo para ir a adorarlo en la Eucaristía, con mucha fe, y para pedirle perdón por los pecados del mundo" (Juan Pablo II) (1380).

Algo que no se entiende. Santo Tomás dice: "La presencia del Cuerpo y la Sangre de Cristo en la Eucaristía no se entiende por los sentidos sino que hay que aceptarlo por la fe". Y San Basilio afirma: "No preguntes cómo es que Jesús está presente en la Eucaristía, sino más bien créele a Él que lo ha dicho, y Él nunca miente" (1381).

¿Qué representa el altar? El altar (alto-rex=objeto alto) representa dos cosas: el sitio donde se hace el Sacrificio y la mesa donde se ofrece la Cena del Señor (1383).

Condiciones para la comunión: Jesús dijo: "En verdad les digo: Si no comen el cuerpo del Hijo del hombre y no beben su sangre, no tendrán vida" (Juan 6, 53) Para responder a esta invitación debemos prepararnos debidamente para el momento tan grande y santo de la Comunión. Quien tiene conciencia de estar en pecado grave, debe acercarse antes al sacramento de la Reconciliación, pues san Pablo dijo: "Quien coma o beba indignamente el Cuerpo o el cáliz del Señor será reo del Cuerpo y de la Sangre del Señor. Por eso examínese cada uno para que no vaya a comer o beber su propio castigo" (1Co 11, 27). Conviene repetir las palabras del evangelio: "Señor, no soy digno de que entres en mi casa, pero una palabra tuya bastará para sanarme" (Mt 8, 8) (1385-86).

¿Cuándo se debe comulgar? La Iglesia recomienda que los fieles comulguen cuando participan de la misa, y manda que se reciba la Comunión por lo menos una vez en el año, y ojalá por Pascua (1388-89).

¿Qué frutos se consiguen al comulgar?

La Comunión aumenta nuestra unión con Cristo; produce en la vida del alma, lo que los alimentos en la vida del cuerpo. La Comunión puede apartar del pecado, borra los pecados veniales. Nos hace capaces de romper los lazos que nos llevan desordenadamente hacia las criaturas. Nos concede nuevas fuerzas y nos preserva de futuros pecados mortales. Pero la comunión no perdona los pecados mortales. Eso es propio del sacramento de la Reconciliación (1391-95).

DICE EL SEÑOR:
OS HE DESTINADO A
QUE DÉIS MUY BUENOS
FRUTOS Y A QUE
VUESTRO FRUTO
PERMANEZCA.

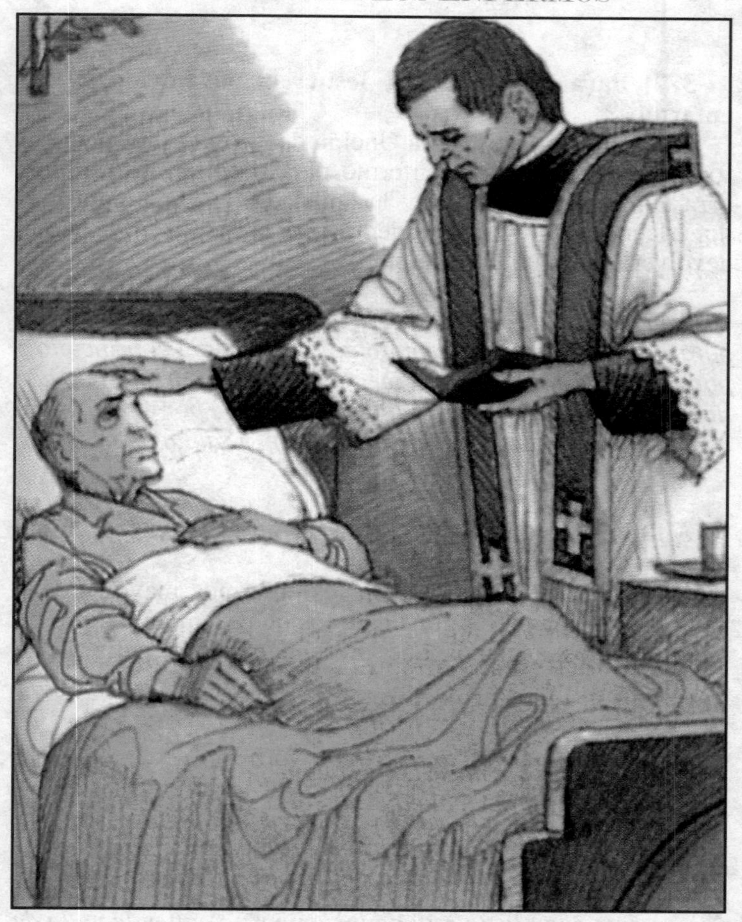

Dice el sacerdote al enfermo: "Por esta santa unción te sean perdonados todos tus pecados".

377) Para qué instituyó Jesucristo la Unción de los enfermos?

R. Jesucristo instituyó la Unción de los enfermos para dar fortaleza y paciencia al enfermo para soportar sus dolores; para aumentarle la gracia y la amistad con Dios; para perdonarle pecados; y si conviene para la salud de su alma, devolverle la salud del cuerpo.

Sabemos que Jesús instituyó la Unción de los enfermos porque así lo ha creído siempre la Iglesia desde el principio y porque el apóstol Santiago dice: "Si alguno está enfermo, que llame a los presbíteros de la Iglesia; que oren por él y lo unjan con aceite santo en el nombre del Señor" (Santiago 5,14).

378) ¿Quiénes deben recibir la Unción de los enfermos?

R. Deben recibir la Unción los enfermos mayores de 7 años que tengan cierta gravedad, los que están en peligro de muerte, y los ancianos que presenten ciertos peligros de muerte próxima.

Nota: La Unción no se lleva solamente al que está en peligro de muerte. Se lleva al enfermo para que Nuestro Señor le conceda valor para sufrir su enfermedad, y para que le perdone sus faltas y lo ayude a conseguir la salud. Por eso es mala costumbre dejar para llevarle el sacerdote al enfermo únicamente cuando ya está agonizante y no entiende nada de lo que recibe. Mejor llevárselo cuando esté en sano juicio y pueda comprender bien el sacramento que recibe.

379) ¿Qué disposición se debe tener para recibir la Unción de los enfermos?

R. Para recibir dignamente la Unción de los enfermos hay que estar en gracia de Dios. Si no lo está debe confesarse o hacer un acto de contrición perfecto.

Quien nunca se confesaba ni hacía actos de contrición cuando estaba en buena salud, ¿cómo podrá confesarse bien o hacer actos de contrición cuando esté en grave enfermedad? ¡Como se vive se muere! Si nos confesamos muchas veces y hacemos muchos actos de contrición estando en buena salud, lo haremos también en la última enfermedad.

380) ¿Qué deben hacer los parientes y amigos de los enfermos graves?

R. Los parientes y amigos de los enfermos graves deben llamar pronto al sacerdote, y pecan mortalmente y quedarán con graves remordimientos si no lo llaman, o lo llaman demasiado tarde, por descuido; y, por no asustar al enfermo, lo dejan morir sin recibir los sacramentos.

EJEMPLO: DOS MUERTES

El 3 de junio de 1963 murieron dos hombres de la misma enfermedad, pero de muy distinta manera. Ambos sufrían de terribles dolores por cáncer en el estómago. El primero recibió la Unción de los enfermos y aunque sus sufrimientos eran muy grandes los soportaba con paciencia y exclamaba: "Todo por Dios, hágase su santa voluntad" y murió como un santo: se llamaba Juan XXIII. El otro, en México, a esa misma hora, se negó a recibir la Unción de los enfermos. Era un famosísimo cantante y actor de cine. Dijo que no necesitaba sacramentos; pero, desesperado ante sus dolores, mientras que la enfermera salió un momento de la pieza, abrió el enfermo la mesa de noche, sacó un revólver y se suicidó. A la misma hora murieron los dos enfermos del mismo mal. Pero el uno santamente y con paciencia: había recibido la Unción de los enfermos. El otro con muerte pésima: no había querido recibir el Santo Sacramento.

LA UNCIÓN DE LOS ENFERMOS

(Del Catecismo de la Iglesia Católica, números 1500 y ss.)

Consecuencias de las enfermedades

La enfermedad y el sufrimiento son unos de los más graves problemas de la vida. En esto el ser humano experimenta su impotencia, sus límites y recuerda que es un ser que se va a morir. Toda enfermedad puede hacernos prever la muerte (1500).

La enfermedad puede llevar a la angustia y a la desesperación, a rebelarse contra lo que Dios permite que suceda. Pero también puede llevar a la persona a una mayor santidad. Con mucha frecuencia la enfermedad lleva a buscar más a Dios (1501).

La enfermedad en el Antiguo Testamento

En la Sagrada Escritura, el enfermo cuenta sus sufrimientos a Dios (salmo 38) implora su ayuda y su curación

DIJO JESUS AL ENFERMOS:
TUS PECADOS QUEDAN PERDONADOS

(Salmo 6). Recuerda que muchas enfermedades pueden deberse a pecados que se han cometido, y los profetas anuncian que las enfermedades pueden ser útiles para conseguir bienes para los demás (Is 53, 11) (1502).

Cristo y la enfermedad

La compasión de Cristo hacia los enfermos, y las curaciones que Él hizo de enfermedades de toda clase son un signo de que "Dios ha visitado a su pueblo" (Lc 7, 16). Y Jesús no se contentaba sólo con curar el cuerpo sino que además concedía el perdón de los pecados, porque Él vino a curar al cuerpo y al alma (Mc 2, 5). Su compasión hacia todos los que sufren llega a anunciar que todo favor que se hace a un enfermo lo recibe como hecho a Cristo mismo (Mt 25, 40). El amor de Jesús hacia los enfermos no ha cesado ni disminuido y esto ha llevado a la Iglesia, a través de los siglos, a fundar muchas obras en favor de los que sufren enfermedades (1503).

El carisma de sanación: El Espíritu Santo da a algunos el carisma o regalo especial de obtener la sanación. Así lo afirmó san Pablo diciendo: "A algunos dio el Espíritu, el carisma de obtener curación" (1Co 12, 9). Sin embargo, ni siquiera las oraciones más fervorosas obtienen la curación de todas las enfermedades. Así le sucedió al mismo san Pablo el cual pidió a Dios que lo librara de ciertos males, y el Señor en respuesta le dijo: "Te basta mi gracia; que en la debilidad brilla mejor mi poder" (2Co 12, 9) (1508).

Los sacramentos y la sanación: La Iglesia recibió de Jesús el siguiente mandato: **"Vayan y sanen enfermos"** (S. Mateo 10, 8). Esta orden se cumple especialmente organizando obras de caridad en favor de la salud y especialísimamente por **medio de la Sagrada Eucaristía** (1509).

¿Cómo se efectúa el sacramento de la Unción de los enfermos?

Este sacramento, el más especialmente destinado a reconfortar a los enfermos, se efectúa de la siguiente manera: Se unge con aceite bendecido la frente y las manos del enfermo diciendo: "Por esta santa unción y por su bondadosa misericordia, te ayude el Señor por la gracia del Espíritu Santo para que quedes libre de tus pecados te salves y se te suavice tu enfermedad" (1513).

¿A quiénes hay que darles la Unción de los enfermos?

El sacramento de la Unción de los enfermos no es sólo para los que están a punto de morir. Se considera tiempo oportuno para recibirlo cuando el fiel empieza a estar en peligro de muerte, por enfermedad o por vejez (1514).

Si un enfermo que ya recibió la Unción recupera la salud, puede volver a recibirla otra vez. En el curso de una misma enfermedad se puede repetir la Unción si la enfermedad se agrava. Conviene recibir la Unción de los enfermos antes de una operación importante; lo mismo conviene hacer con las personas de edad avanzada, cuando sus fuerzas se debilitan (1515).

¿Qué efecto se consigue con la Unción de los enfermos?

La primera gracia que trae este sacramento es el consuelo, la paz del ánimo y la fortaleza para vencer las dificultades propias del estado de enfermedad grave o de la

El Corazón de Jesús prometió asistir en la hora de la muerte a quienes le ofrezcan la S. Comunión de los primeros viernes.

fragilidad de la vejez. Esta gracia es un don o regalo del Espíritu Santo y puede llevar al enfermo a la curación del alma y aún, si tal es la voluntad de Dios, a la curación del cuerpo (1520).

La Unción de los enfermos puede llevar al paciente a unirse con sus sufrimientos a la pasión que Cristo padeció por la salvación del mundo, y cumplir así lo que dijo san Pablo: "Completo con mis sufrimientos lo que falta a la pasión de Cristo" (Col 1, 24). Y esto es muy útil para la santificación de toda la Iglesia (1522).

La Unción de los enfermos es una preparación para el último tránsito o paso de esta vida a la eternidad. Es la última de las sagradas unciones que la Iglesia da a sus fieles, y es como un "viático" o ayuda para el viaje hacia la vida eterna (1523).

SACRAMENTO DEL ORDEN

381) ¿Para qué instituyó Jesucristo el sacramento del Orden sagrado?

R. Jesucristo instituyó el sacramento del Orden sagrado para consagrar y ordenar a los Obispos, sacerdotes y diáconos de su Iglesia.

La S. Biblia cuenta que los Apóstoles imponían las manos a los que deseaban que fueran ministros del Señor (Hechos 6, 6). Y que san Pablo iba nombrando presbíteros en las Iglesias que fundaba (Hechos 14).

382) ¿Qué es el sacramento del Orden?

R. El Orden es el sacramento por el cual algunos hombres son convertidos en obispos, en sacerdotes o en diáconos, por medio de la Unción, la bendición, la imposición de las manos y las oraciones del Santo Padre o de un obispo.

LOS TRES GRADOS EN LA IGLESIA SON:

El obispo, *que tiene la plenitud de los poderes. Reemplaza directamente a los Apóstoles. Puede administrar todos los sacramentos.*

El sacerdote: *depende del obispo. Puede administrar todos los sacramentos menos el del Orden y el de la Confirmación (este lo puede administrar si el obispo le concede autorización especial).*

El diácono: *Ayuda al sacerdote y puede administrar los sacramentos del Bautismo, Matrimonio y Unción de los enfermos, y repartir comunión y predicar. El diácono puede ser casado. El obispo y el sacerdote católicos no pueden casarse.*

383) ¿Qué gracias da el sacramento del Orden?

R. El sacramento del Orden da la gracia santificante, aumenta la amistad con Dios, imprime el carácter o señal espiritual que distingue a los ministros sagrados, y obtiene las gracias necesarias para ejercer dignamente los oficios que el Orden sagrado impone.

San Pablo decía al sacerdote Timoteo: "Tienes que avivar la gracia de Dios que recibiste cuando te fueron impuestas las manos en tu ordenación" (2 Tim 1).

Cuando Dios da una obligación, concede las gracias para poder cumplirla. Por eso al ordenar a alguno como obispo, sacerdote o diácono, el Señor le concede las gracias necesarias para que cumpla dignamente los deberes que esos oficios tan sagrados le imponen. Pero cada uno debe esforzarse por hacerse lo más digno posible de tan altos cargos.

384) ¿Qué debemos hacer respecto a las vocaciones sacerdotales?

R. Respecto a las vocaciones sacerdotales, debemos orar frecuentemente al Señor para que envíe santos y numerosos sacerdotes a su Iglesia. Fomentar entre los jóvenes la vocación al sacerdocio, hablar siempre muy bien de los sacerdotes, y colaborar con ayudas económicas a la formación de sacerdotes en los seminarios.

Jesús mandó expresamente: "Pedid a Dios, Dueño de la cosecha espiritual, que envíe obreros (sacerdotes) para su cosecha" (San Mateo 9, 37).

Es necesario pedir a Dios que envíe muchos sacerdotes y que a los que ya están los haga santos. En vez de criticar y hablar mal de ellos, recemos para que sean buenos. Criticar no ayuda nada. Rezar por ellos si les hace un gran bien.

Lectura

EL SACRAMENTO DEL ORDEN

(Del Catecismo de la Iglesia Católica, números 1537y ss)

EL NOMBRE: En la antigüedad se llamaba "Orden" a los distintos grados de autoridad en el gobierno civil. Y se llamaba **"ordenación"** al acto por medio del cual se admitía a una persona a formar parte de estos grados de mando. En la Iglesia se llama **"órdenes"** a los distintos grados de autoridad, y se habla de "Orden de los obispos", "Orden de los sacerdotes" y "Orden de los diáconos". Y se llama **"ordenación"** al acto religioso y litúrgico en el cual los nuevos candidatos son admitidos a formar parte del grupo de los obispos, de los sacerdotes o de los diáconos (1537-38).

El sacerdocio en la Antigüedad

En el Antiguo Testamento, una de las 12 tribus, la de Leví, tenía por oficio dedicarse al servicio divino en los actos de culto, y de esa tribu, una familia, la de Aarón, estaba dedicada al sacerdocio. Y la consagración del sacerdote se hacía mediante una ceremonia muy especial que está descrita en el libro del Éxodo (29, 1-30). El sacerdote tenía por oficio intervenir en favor de los seres humanos ante Dios, y ofrecer dones y sacrificios por los pecados (Hb 5, 1) (1539).

El sacerdote Melquisedec, imagen del sacerdocio de Cristo

El salmo 110 dice de Jesús: "Tú eres sacerdote según el orden de Melquisedec". Este personaje nombrado en el

DIJO JESÚS:
"ID Y EVANGELIZAD A TODAS LAS GENTES".

libro del Génesis (14, 18), es llamado "sacerdote del Altísimo" y la S. Biblia dice que Jesús es Sumo Sacerdote a semejanza de Melquisedec (Hb 5, 10). Él fue quien ofreció un sacrificio de pan y de vino en la antigüedad (anuncio del pan y el vino del sacrificio de la Eucaristía) (1544).

El sacerdote: un ser débil

Aunque el sacerdote representa a Cristo, no debe ser entendido esto como si estuviera libre de todas las flaquezas humanas, del afán de poder, de errores y de pecado. Aunque en la administración de los sacramentos el Espíritu Santo lo acompaña y garantiza que éstos tengan efecto, a pesar de los pecados del que los administra, sin embargo, hay muchos actos más en los cuales la debilidad del sacerdote deja huellas que no son signos de fidelidad al Evangelio y que pueden hacer daño a la Iglesia (1550).

El sacerdocio ministerial es un servicio

A diferencia del sacerdocio de los fieles (que es un poder que ellos tienen de interceder ante Dios por los demás) el que se recibe por la ordenación se llama "sacerdocio ministerial". Depende totalmente de Cristo y tiene como fin el bien de la comunidad de la Iglesia. Recibe de Cristo "un poder sagrado". El Señor dijo: "Si me amas apacienta mis ovejas, y apacienta mis corderos" (Juan 21, 15s) (1551).

LOS TRES GRADOS DEL SACRAMENTO DEL ORDEN

Desde la antigüedad, los tres grados que se reciben por la ordenación reciben los nombres de: **obispos, presbíteros y diáconos.** Los obispos y presbíteros son sacerdotes. Los diáconos no lo son, pero ayudan a los sacerdotes (1554).

La celebración de la ordenación

El rito o ceremonia esencial en la ordenación de obispos, sacerdotes o diáconos está constituido por la imposición de manos del obispo sobre la cabeza del ordenado, y por la oración consagratoria en la que se pide a Dios que descienda el Espíritu Santo con los dones apropiados para el ministerio para el cual el candidato es ordenado (1573).

¿QUIÉN PUEDE DAR ESTE SACRAMENTO?

El ministro que confiere a otros el sacramento del Orden es el obispo, porque los obispos son los sucesores de los Apóstoles (1576).

¿Quién puede recibir el sacramento del Orden?

En la Iglesia Católica, únicamente los varones pueden recibir el sacramento del Orden (ser ordenados como obispos, sacerdotes o diáconos) (1577).

Jesús eligió para formar al grupo de los 12 Apóstoles: solamente a varones. Y los Apóstoles también cuando eligieron a algunos para que los reemplazaran eligieron a varones (1 Tim 3, 1s) (1577).

EL CELIBATO. Se llama célibe al hombre que no contrae matrimonio ni vive como marido de ninguna mujer. La Iglesia Católica exige que todo el que quiera ser sacerdote u obispo tiene que vivir en celibato, o sea ser célibe, no casado. Los diáconos permanentes sí pueden ser casados (1579).

En las Iglesias orientales (Turquía, Grecia, etc.), los sacerdotes pueden ser casados, pero no los obispos (1579).

LOS EFECTOS DEL SACRAMENTO DEL ORDEN

Quien es ordenado como sacerdote recibe la capacidad de actuar como representante de Cristo (1581).

EL CARÁCTER. Al recibir el sacramento del orden queda en el alma una marca o "carácter" que nunca se borra. Por eso la ordenación no se repite, ni puede ser retirada (1582). Si un sujeto no quiere seguir ejerciendo la sagrada orden que recibió, puede ser dispensado por la Santa Iglesia de ciertas obligaciones que la ordenación le había impuesto, pero ya nunca vuelve a ser un simple laico, no es un no-sacerdote, sino un sacerdote, pero que no ejerce su profesión (1583).

Dios se compromete a dar a cada uno de los que reciben las santas órdenes las gracias o ayudas necesarias para los oficios sagrados a los cuales los ha destinado. Pero el que recibe la ordenación tiene el deber de tratar de convertirse cada día para lograr llegar al altar, libre de las manchas que lo hacen a uno indigno del ministerio que ejerce (1587-89).

"Si el sacerdote conociera la inmensa dignidad que Dios le ha concedido, se moriría al instante, no de temor sino de amor" (Santo cura de Ars) (1589).

El obispo, en nombre de Jesús, concede la ordenación sacerdotal.

385) ¿Para qué instituyó Jesucristo el sacramento del Matrimonio?

R. Jesucristo instituyó el sacramento del Matrimonio para santificar el hogar que forman el hombre y la mujer, para aumentarles la gracia santificante y la amistad con Dios. Y para darles gracias o favores especiales que les ayuden a cumplir bien sus deberes de padres y de esposos.

El sacramento del Matrimonio lo instituyó Dios en el Paraíso cuando Él mismo celebró el matrimonio de Adán y Eva y les mandó: "Tengan hijos y pueblen la tierra" (Génesis 1, 28). Así que el pecado de Adán y Eva no pudo ser de impureza porque ya estaban casados.

Después Jesucristo, para demostrar que está totalmente de acuerdo con el matrimonio y que este sacramento es algo muy santo, hizo su primer milagro en una boda, en Caná, al convertir el agua en vino (S. Juan 2).

386) ¿Qué mandó hacer Jesucristo respecto del Matrimonio?

R. Jesucristo mandó respecto del Matrimonio dos cosas: 1º Que sea de un solo hombre con una sola mujer; 2º Que sea para toda la vida.

Dijo Jesús: "Quien se separe de su esposa y se case con otra, comete pecado de adulterio. Lo que Dios unió que no lo separe el hombre" (S. Mateo 19, 6)

387) ¿Qué disposiciones deben tener los que reciben el sacramento del Matrimonio?

R. Los que reciben el sacramento del matrimonio deben tener cinco disposiciones: 1º) Estar en gracia de Dios, o sea sin pecado mortal. 2º) Ser solteros o viudos. 3º) Ser mayores de 16 años. 4º) No ser familiares en grado cercano. 5º) Haber hecho el cursillo prematrimonial y las informaciones.

Las informaciones son unas declaraciones que hacen los novios ante el párroco, afirmando bajo juramento que no son casados, ni parientes cercanos y que se van a casar libremente sin que nadie los haya obligado. Estas declaraciones las hacen los novios por separado, y dos testigos que los conozcan muy bien. Todo bajo juramento.

388) ¿Qué pecados van contra la santidad y la felicidad del Matrimonio?

R. Los cinco pecados que van contra la felicidad y la santidad del Matrimonio son:

1º El divorcio, que consiste en separarse del cónyuge para casarse con otro.

2º El adulterio, que consiste en cometer pecados sexuales con otra persona.

3º El aborto, que consiste en matar a los hijos antes de que nazcan.

4º La frialdad o falta de demostraciones de cariño.

5º La aspereza o dureza en el trato del uno para con el otro.

El matrimonio de san José y la Virgen María

San Pablo dijo: *"Maridos, sed amables y compasivos con vuestras esposas. Mujeres, sed respetuosas y obedientes con vuestros maridos" (Efesios 5, 24-26).*

389) ¿Qué pecado comete quien practica el aborto?

R. Quien comete un aborto (que consiste en matar a un niño antes de que nazca) y quien ayude a cometer un aborto, comete un gravísimo pecado, y queda con la obligación de hacer muchas limosnas, obras buenas y penitencias en desagravio de tan gran ofensa a Dios. Toda la vida quedará con el remordimiento de haber cometido este crimen.

Dios mismo se encarga de tomar venganza de quienes asesinan a un niño en el vientre de la madre, pues Él mismo le dijo a Noé al salir del Arca: "A todo el que le quite la vida a un ser humano, Yo mismo le cobraré esa vida" (Génesis 9, 5).

Mujeres hay que cometieron un aborto hace 20 años y todos los días siguen sintiendo el terrible remordimiento de haber asesinado a un inocente. Les pasa como a Caín, que el recuerdo de su asesinato nunca se borra de la mente.

390) ¿Qué es el matrimonio civil?

R. El matrimonio civil no es sacramento, y para los católicos no vale como matrimonio. La Iglesia lo considera como una unión que ante Dios no es aceptable y ante el prójimo produce mal ejemplo.

El patriarca Tobít decía a su hijo: "Nosotros somos hijos de profetas, por eso no podemos juntarnos como lo hacen los que no tienen religión" (Tobías 4, 12).

391) ¿Qué pecado cometen los que viven en unión libre?

R. Los que viven juntos, en unión libre, sin casarse, cometen pecado de fornicación, lo cual los priva de la amistad con Dios, y de recibir muchos favores que les iba a conceder Nuestro Señor. Mientras vivan así, no pueden recibir sacramentos porque están en pecado mortal.

La S. Biblia dice muy claro que los que viven cometiendo pecado de fornicación no poseerán el Reino de Dios (Gálatas 5, 21). Esto es espantoso: quedarse fuera del Reino de Dios. Es un mal que debería hacer reflexionar a los concubinos que viven en unión libre. El Libro Santo insiste en que Dios no trata lo mismo a los que viven en amistad con Él que a los que viven ofendiéndolo sin querer mejorar su conducta. A éstos les niega muchos favores que sí concede a los que viven como Él quiere que vivan. El enemigo del alma les dice que "casarse cuesta mucha plata". Eso es falso. Se puede hacer en privado y verán que no cuesta mucha plata. El día que se casen por lo católico empezarán a recibir nuevas bendiciones de Dios.

Los fornicarios no poseerán el Reino de Dios

(San Pablo)

¡Nunca AMARÉ!
¡Nunca REIRÉ!

¡Mi madre ME ABORTÓ!

DIARIO DEL ÁNGEL DE UN NIÑO QUE NO PUDO NACER

5 de enero: Hoy ha empezado una nueva vida. Es un ser más pequeño que la punta de un alfiler. Pero ya es personita. Todas sus características físicas y psicológicas están determinadas. Por ejemplo: tendrá los ojos del papá y la sonrisa de la mamá.

21 de enero: Hoy aparecieron sus venas y su sangre. Tiene la forma de una coma (,). En este momento mide dos milímetros. Está adherido a la pared del vientre materno y se alimenta con la sangre y las energías de la mamá.

25 de enero: Su boca acaba de formarse. Dentro de dos años podrá hablar. Sus padres se inclinarán sobre su cuna y las primeras palabras que estos labios van a pronunciar serán: "¡Papá, mamá!".

29 de enero: Desde hoy su corazón empieza a palpitar y no dejará de hacerlo hasta el fin de sus días. ¡Qué maravilla! Este niño podrá amar a Dios con todo su corazón.

22 de febrero: La mamá ha sentido ya hoy el movimiento de su hijo en su vientre. ¡Debió ser una gran alegría para ella! La creatura mide ya 12 cms.

28 de febrero: Ya ha aparecido su cabeza, muy notoria. También aparecieron el hígado, el intestino y los bronquios para la respiración. Empieza poco a poco a circular su sangre. Su cabeza tendrá dentro de sí el cerebro que es la perfección de las perfecciones.

5 de marzo: Se ha definido su sexo. Será un hermoso niño, orgullo de la familia, ¡quizá un héroe de la patria o un gran científico, o un santo! Quién sabe…

17 de marzo: Aparecieron sus ojos y sus oídos. ¡Qué maravilla cada uno de estos sentidos! ¡Cada ojo, cada oído humano es lo más perfecto en la creación!

24 de marzo: Ya se puede oír palpitar el corazón de este nuevo y precioso ser humano. Cuántos niños vienen al mundo con el corazón enfermo y tienen que hacerles operaciones costosas para salvarles la vida. Gracias a Dios este niño está bien formado y sano. Será un varón lleno de vida, alegre, simpático, feliz. ¡Todos se llenarán de alegría cuando él nazca!

***

26 de marzo: *Hoy la mamá, con el consentimiento del papá y de otros... ha asesinado al niño dentro del vientre materno por medio del ¡¡¡ABORTO!!!*

Y dijo Dios: *"Yo personalmente, tomaré venganza de todo el que derrame sangre humana" (S. Biblia, Génesis 9, 4). Quien derrame sangre humana tendrá sangriento castigo, porque toda creatura humana fue creada a imagen y semejanza de Dios" (S. Biblia, Génesis 9, 6).*

¡RECHACEMOS EL ABORTO! ¡ES UN CRIMEN! QUIEN PRODUCE EL ABORTO QUEDA AUTOMÁTICAMENTE EXCOMULGADO.

¿Nos libraremos del juicio y de la condenación humana? Algunas veces quizá sí, ¡pero del juicio de Dios no nos libraremos nunca! y "es terrible caer en manos del Dios vivo" (S. Biblia, Hebreos 10, 31).

Lectura

EL SACRAMENTO DEL MATRIMONIO

(Del Catecismo de la Iglesia Católica, números 1601 y ss)

Es algo sagrado. El mismo Dios es el autor del Matrimonio. El Matrimonio no es una institución únicamente humana. En todas las culturas ha sido considerado como algo de una especial grandeza y dignidad (1603).

El Matrimonio en la Biblia: Dios dijo al crear a Adán: "No es bueno que el hombre esté solo. Dejará el hombre a su padre y a su madre y se irá con su mujer y serán los dos y un solo ser" (Génesis 2, 18). Por eso Jesús decía: "Ya no son dos, sino un solo ser" (Mateo 19, 6) (1605).

Peligros contra el Matrimonio

En todo tiempo el Matrimonio ha tenido y tendrá serios peligros, como la discordia, el espíritu de dominio o de agresividad, la infidelidad, los celos, y las peleas, que pueden llegar hasta el odio y la ruptura o separación (1606).

Para lograr sanar las heridas espirituales que producen los agravios recíprocos, el hombre y la mujer necesitan la ayuda de la gracia de Dios, la cual nunca se niega a quien le pide con fe (1608).

El Matrimonio en el Antiguo Testamento

Moisés permitió el divorcio, sin embargo, Jesús advirtió que lo permitió únicamente por la dureza del corazón de la gente, pero que desde el principio no fue así, sino un solo hombre con una sola mujer (S. Mateo 19, 8)(1610).

En el Antiguo Testamento hay ejemplos muy hermosos de matrimonio, como en el libro de Ruth y en el libro de Tobías (1611).

Jesús y el Matrimonio. Al empezar Jesús su vida pública, el primer milagro que hizo, el de las bodas de Caná, fue en la celebración de un matrimonio. La Iglesia le ha dado siempre gran importancia a la presencia de Jesús en las Bodas de Caná, porque es como el anuncio de que Cristo iba a estar presente en los matrimonios (1613).

En su predicación, Jesús condenó el divorcio, el abandonar el hombre a su mujer, o la esposa a su esposo y proclamó solemnemente: "Lo que Dios ha unido que no lo separe el hombre" (Mt 19, 6) (1614).

San Pablo y los esposos. En sus cartas el apóstol san Pablo da unos consejos muy importantes a los esposos. Por ejemplo: "Maridos amen a sus esposas. Mujeres: sean respetuosas y obedientes con su esposo. Hombres: amen a su esposa como Cristo ama a su Iglesia" (Efesios 5, 25).

Los que permanecen sin casarse. Jesús dijo: "Algunos permanecen puros, sin casarse y sin tener relación sexual con mujeres, y esto por el Reino de los Cielos. Pero esto solamente lo puede entender quien reciba la capacidad de entenderlo" (S. Mateo 19, 12) (1618).

Tanto el Matrimonio como el permanecer puros y sin casarse por el Reino de Dios, son dos estados dignos y que merecen gran estimación (1620).

¿Cómo celebrar el sacramento del Matrimonio?

La Iglesia Católica prefiere que el matrimonio se celebre dentro de la Santa Misa (1621) y que los novios se preparen a esta celebración recibiendo el sacramento de la Confesión o de la Penitencia (1622).

Los ministros de este sacramento son los dos esposos (1623).

Lo esencial en el Matrimonio

La Iglesia considera que lo esencial en el sacramento del Matrimonio es el consentimiento que cada uno de los esposos hace del otro. "Yo te acepto como mi esposa y me entrego a ti como tu esposo... Yo te acepto como esposo y me entrego a ti como tu esposa" (1626-27).

Es, por tanto, sumamente importante que no haya habido coacción (que se casen libremente sin que nadie les obligue a ello) y que no estén impedidos por ninguna ley natural (que no sean familiares cercanos) ni por alguna ley eclesiástica (que ninguno de ellos tenga votos religiosos, etc.) (1625).

El sacerdote (o el diácono que ha recibido autorización para presenciar el Matrimonio) recibe el consentimiento de los esposos y les da la bendición en nombre de la Iglesia (1630).

Los padrinos son dos testigos que pueden certificar que sí se efectuó el Matrimonio (1631).

La preparación para el Matrimonio es de gran importancia. Los que se preparan para recibir este sacramento deben ser debidamente instruidos para que puedan cumplir muy bien sus deberes de buenos esposos (1632).

Los matrimonios mixtos son los que se celebran entre un católico y otro bautizado pero no católico. Tienen el peligro de que se produzcan serias tensiones y discusiones en el matrimonio, especialmente respecto a la educación de los hijos y de que lleguen al indiferentismo religioso. Para hacer estos matrimonios se necesita permiso del obispo, y la parte católica queda con la obligación de instruir a los hijos en la religión católica. Y ojalá lograra que la parte no católica se convirtiera a nuestra religión (1633-37)

La indisolubilidad. El vínculo del matrimonio entre bautizados no puede ser disuelto jamás. La Iglesia no tiene poder para pronunciarse contra esta disposición de la sabiduría divina (1640).

¿Qué gracias concede el Matrimonio? El sacramento del Matrimonio obtiene de Dios gracias o ayudas para amarse mejor, fortalecer la unidad indisoluble del Matrimonio, ayudarse mutuamente y poder educar bien a los hijos (1641).

¿Qué exige el Matrimonio? El Matrimonio exige a los esposos la fidelidad para siempre (1646). Esto muchas veces es sumamente difícil. Por eso los esposos que permanecen fieles el uno al otro, merecen la alabanza y gratitud (1648).

La separación de cuerpos: Cuando por razones graves a los esposos les queda ya imposible lograr vivir juntos, la Iglesia les permite la "separación de cuerpos". Los esposos no cesan de ser marido y mujer, y no pueden volverse a casar, pero pueden no vivir juntos. Lo mejor en estas situaciones difíciles sería lograr otra vez la reconciliación (1649).

Los divorcios: Si una persona que se había casado por lo católico se divorcia y se vuelve a casar, no puede recibir ni confesión ni comunión mientras esté viviendo con la persona con la cual se ha vuelto a casar (1650).

La familia creyente: En el mundo actual tan opuesto a la fe, tiene gran importancia que la familia sea creyente y eduque en la fe a los hijos y sea una "Iglesia doméstica" y los papás sean los primeros educadores de la fe con su palabra. (1656).

MI FAMILIA Y YO SERVIREMOS SIEMPRE A DIOS

(S. Biblia - Josué 24, 15)

CANTOS

1) ALABARÉ, ALABARÉ

Alabaré, alabaré (4 veces)
Alabaré a m,i Señor. (Bis)

1. Juan vio el número
de los redimidos,
y todos alababan al Señor.
Unos cantaban, otros oraban,
y todos alababan al Señor.

2. Todos unidos, alegres cantamos
glorias y alabanzas al Señor.
Gloria al Padre, Gloria al Hijo
y gloria al Espíritu de amor.

3. Somos tus hijos,
Dios Padre eterno,
Tú nos has creado por amor.
Te adoramos, te bendecimos
y todos cantamos en tu honor.

2) ERES MI PASTOR

Eres mi pastor, ¡Oh Señor!
nada me faltará, si me llevas Tú.

1. En tus verdes campiñas
me hiciste reposar,
y en tus límpidas aguas
mi sed quiero calmar.

2. Senderos de justicia
   trazaste para mí,
   ellos son el camino
   para llegar a ti.

3. Preparas un banquete
   frente a los que me odian,
   la mesa está ya lista,
   la copa se desborda.

4. Bondad, misericordia
   me sigan por doquier,
   habite yo en tu casa
   por los siglos. Amén.

3) BENDIGAMOS AL SEÑOR

Bendigamos al Señor
que nos une en caridad
y nos une con su amor
en el pan de la unidad.

¡Oh Padre Nuestro!

Conservemos la unidad
que el Maestro nos mandó
donde hay odio que haya amor
donde hay guerra que haya paz.

¡Oh Padre...!

El Señor nos ordenó
devolver el bien por mal,
ser testigos de su amor
perdonando de verdad.

¡Oh Padre...!

Al que vive en el dolor
y al que sufre en soledad
entreguemos nuestro amor
y consuelo fraternal

¡Oh Padre...!

El Señor que nos llamó
a vivir en unidad,
nos congregue con su amor
en feliz eternidad.

4) MARÍA LA BLANCA PALOMA

Es María la blanca paloma (bis)
que ha venido a América (ter)
a traer la paz.

Pastorcitos humildes de Fátima (bis)
la vieron muy triste (ter)
por nuestra maldad.

Les mandaste rezar el Rosario (bis)
por los pecadores (ter)
para hallar la paz.

Llena eres de gracia María (bis)
Virgencita blanca (ter)
Reina celestial.

Te pedimos que reines María, (bis)
Reina en nuestra patria (ter)
Reina de la Paz.

No nos dejes, oh Madre querida (bis)
pues nos consagramos (ter)
a tu corazón.

Es por eso que los colombianos (bis)
te llamamos Madre (ter)
Madre de bondad.

5) HA VENIDO EL SEÑOR

Ha venido el Señor
a traernos la paz,
ha venido el Señor,
y en nosotros está.

1. Te alabamos, Señor,
   por tu inmensa bondad;
   te alabamos, Señor,
   por tu Cuerpo hecho pan.
2. Tú eres sólo mi Dios,
   mi Señor, mi heredad;
   Tú eres sólo mi Dios,
   mi confianza en Ti está.
3. Somos hermanos, sí,
   con tu vida y tu amor,
   somos hermanos, sí,
   somos un corazón.
4. Qué podré yo temer
   si tú moras en mí
   qué podré yo tener
   si ya estoy todo en ti.
5. Siempre cerca de ti,
   juntos en el altar

siempre cerca de ti
en la Patria Eterna.

6) JUNTOS COMO HERMANOS

Juntos como hermanos
miembros de una Iglesia,
vamos caminando
al encuentro del Señor.

1. Un largo caminar
por el desierto bajo el sol;
no podemos avanzar
sin la ayuda del Señor.

2. Unidos al rezar,
unidos en una canción,
viviremos nuestra fe
con la ayuda del Señor.

3. La Iglesia en marcha está,
a un mundo nuevo vamos ya
donde reinará el amor
donde reinará la paz.

7) PESCADOR DE HOMBRES

Tú, has venido a la orilla,
no has buscado ni a sabios ni a ricos;
tan sólo quieres que yo te siga.

Señor, me has mirado a los ojos
sonriendo has dicho mi nombre,
en la arena he dejado mi barca,
junto a ti buscaré otro mar.

Tú sabes bien lo que tengo,
en mi barca no hay oro ni espadas
tan sólo redes y mi trabajo.

Tú necesitas mis manos,
mi cansancio que a otros descanse,
amor que quiera seguir amando.

Tú, pescador de otros lagos,
ansia eterna de almas que esperan,
amigo bueno que así me llamas.

Mira, soy un joven apenas,
de ilusiones he vivido mi pesca,
mas hoy contigo voy sin tardanza.

8) NO PODEMOS CAMINAR

No podemos caminar
con hambre bajo el sol.
Danos siempre el mismo pan
tu Cuerpo y Sangre, Señor.

1. Comamos todos de este Pan,
el Pan de la Unidad;
en un cuerpo nos unió el Señor
por medio del Amor.

2. Señor, yo tengo sed de ti,
sediento estoy de Dios.
Pero pronto llegaré a ver
el rostro del Señor.

3. Por el desierto el siervo va
cargando su dolor.
En la noche brillará tu luz,
nos guía la verdad.

9) POR TI MI DIOS

Por ti, mi Dios, cantando voy
la alegría de ser tu testigo, Señor.

1. Me mandas que cante
con toda mi voz
no sé como cantar
tu mensaje de amor,
los hombres me preguntan
cuál es mi misión.
Les digo: "Testigo soy".

2. Es fuego tu palabra
que mi boca quemó
mis labios ya son llamas
y ceniza mi voz,
da miedo proclamarte
pero tú me dices:
"No temas, contigo estoy".

10) UN MANDAMIENTO NUEVO

Un mandamiento nuevo
nos da el Señor
que nos amemos todos
como nos ama Dios.

1. Quien a sus hermanos no ama
miente, si a Dios dice que ama

2. Cristo, Luz, Verdad y Vida
al perdón y amor invita.

3. Perdonemos al hermano
como Cristo ha ordenado.

4. En la vida y en la muerte
Dios nos ama para siempre.

5. Somos de Cristo hermanos
si de veras perdonamos.

6. En trabajos y fatigas,
Cristo a todos nos anima.

11) VAMOS CANTANDO AL SEÑOR

Vamos cantando al Señor:
Él es nuestra alegría.

1. La luz de un nuevo día
venció a la oscuridad;
que brille en nuestras almas
la luz de la verdad.

2. La roca que nos salva
es Cristo, Nuestro Señor,
lleguemos dando gracias
a Nuestro Redentor.

3. Los cielos y la tierra
aclaman al Señor,
ha hecho maravillas
inmenso es su amor.

4. Unidos como hermanos
venimos a tu altar,
que llenes nuestras vidas
de amor y de amistad.

12) SANTA MARÍA DEL CAMINO

1. Mientras recorres la vida
tú nunca sólo estás,
contigo por el camino
Santa María, va.

Ven con nosotros a caminar
Santa María, ven (bis),

2. Aunque te digan algunos
que nada puede cambiar,
lucha por un mundo nuevo,
lucha por la verdad.

3. Si por el mundo los hombres,
sin conocerse van,
no niegues nunca tu mano,
al que contigo está.

4. Aunque parezcan tus pasos
inútil caminar, tú irás
haciendo caminos,
otros te seguirán.

13) YA LLEGÓ LA FECHA

Ya llegó la fecha
dulce y bendecida
hoy es la mañana
bella de mi vida.

Lleguemos al templo
donde está mi Señor,
que tierno y amante
nos brinda su amor.

Ángel de mi guarda
Ángel del consuelo
dile a Jesucristo
que baje del Cielo

Y tú, Virgen Santa,
oh Madre querida
enciende en mi pecho
la luz de la vida.

14) OH BUEN JESÚS

1. Oh buen Jesús yo creo firmemente,
que por mi bien estás en el altar;
Que das tu Cuerpo y Sangre juntamente
al alma fiel en celestial manjar.

2. Espero en ti, piadoso, Jesús mío,
oigo tu voz que dice: "Ven a mí";
porque eres fiel, por eso en ti confío:
todo, Señor, espérolo de ti.

15) LOS CAMINOS DE ESTE MUNDO

Los caminos de este mundo
nos conducen hacia Dios,
hasta el cielo prometido
donde siempre brilla el sol.

Y cantan los prados,
cantan las flores

con armoniosa voz;
y mientras que cantan
prados y flores, yo soy
feliz pensando en Dios.

Los caminos de la tierra
están llenos de amistad;
no la niegues a tu hermano
que la espera en ti encontrar.

Los caminos de este mundo,
enlazados juntos van
entre penas y alegrías
hasta el cielo llegarán.

16) OH MARÍA, MADRE MIA

Con el Ángel de María
sus grandezas celebrad
transportados de alegría
sus finezas publicad.

Oh María, Madre mía
oh consuelo del mortal
amparadme y guiadme
a la patria celestial.

Salve júbilo del cielo,
del excelso dulce imán,
salve hechizo de este suelo
triunfadora de Satán.

17) LLEGARÁ CON LA LUZ

Llegará con la luz
la esperada libertad (bis)

Caminamos hacia el sol
esperando la verdad,
la mentira, la opresión,
cuando vengas, cesarán

LLEGARÁ CON LA LUZ...

Construimos hoy la paz
con la lucha y el dolor
nuestro mundo surge ya
en la espera del Señor.
Llegará con la luz...

18) SI YO NO TENGO TU AMOR

Si yo no tengo amor
yo nada soy Señor (2)
El amor es comprensivo
el amor es servicial,
el amor no tiene envidia
el amor no busca el mal

SI YO NO TENGO AMOR...

El amor nunca se irrita,
el amor no es descortés,
el amor no es egoísta,
el amor nunca es doblez.

ORACIONES

1. EL ÁNGELUS

La oración que el pueblo cristiano reza a la salida del sol, al mediodía y a la puesta del sol, es el Ángelus:

V/ El ángel del Señor anunció a María.

R/ Y Ella concibió por obra del Espíritu Santo. Dios te salve, María...

V/ He aquí la esclava del Señor.

R/ Hágase en mí según tu palabra. Dios te salve, María...

V/ El Verbo de Dios se hizo hombre.

R/ Y habitó entre nosotros. Dios te salve, María...

Ruega por nosotros, Santa Madre de Dios: para que seamos dignos de alcanzar las promesas de Cristo.

ORACIÓN: Infunde, Señor, tu gracia en nuestros corazones, para que al reconocer por el anuncio del ángel la Encarnación de tu hijo Jesucristo, alcancemos por su Pasión y su Cruz, la gloria de la Resurrección. Te lo pedimos por el mismo Cristo nuestro Señor. Amén.

2. COMUNIÓN ESPIRITUAL

Creo, Jesús mío, que estás en el Santísimo Sacramento del Altar. Te adoro y te amo con todo mi corazón; y como ahora no puedo recibirte sacramentalmente, ven, al menos espiritualmente a mi corazón. Y como si ya hubieses venido, quédate en mí y ayúdame a que mi vida sea testimonio de tu amor. *Amén.*

3. ACTO DE CONTRLCIÓN

JESÚS, MI SEÑOR Y REDENTOR: Yo me arrepiento de todos los pecados que he cometido hasta hoy, y me pesa de todo corazón, porque con ellos he ofendido a un Dios tan bueno. Propongo firmemente no volver a pecar, y confío en que por tu infinita misericordia, me has de conceder el perdón de mis culpas, y me has de llevar a la vida eterna. Amén.

4. ORACIONES PARA DESPUÉS DE COMULGAR

(El Santo Padre, El Papa, las reza después de que comulga)

Alma de Cristo, santifícame.
Cuerpo de Cristo, sálvame.
Sangre de Cristo, embriágame.
Agua del costado de Cristo, lávame.
Pasión de Cristo, confórtame.
Oh mi buen Jesús, óyeme.
Dentro de tus llagas, escóndeme.
No permitas que me aparte de ti.
Del enemigo malo, defiéndeme
A la hora de mi muerte, llámame,
y mándame ir a ti, para que con tus
santos te alabe, por los siglos de los siglos. *Amén.*

MIRADME, OH AMADO Y BUEN JESÚS,

que postrado ante vuestra Santísima presencia os ruego que con el mayor fervor, que imprimáis en mi corazón, los más vivos sentimientos de fe, esperanza y caridad, dolor de mis pecados y propósito de jamás ofenderos, mientras que yo, lleno de amor y de compasión voy considerando vuestras cinco llagas, comenzando por aquellas palabras que de vos dijo el santo profeta David:

"Han taladrado mis manos y mis pies, y se pueden contar todos mis huesos".

(Padrenuestro, Ave y Gloria).

Nota: El que rece esta oración ante una imagen de Cristo después de comulgar, gana indulgencia.

5. LETANÍAS DE LA SANTÍSIMA VIRGEN

Señor, ten misericordia de nosotros.
Cristo, ten misericordia de nosotros.
Señor, ten misericordia de nosotros
Cristo, óyenos.
Cristo, escúchanos.
Dios, Padre celestial, ten misericordia de nosotros.
Dios, Hijo Redentor del mundo, ten misericordia de nosotros.
Dios, Espíritu Santo, ten...
Trinidad Santísima que eres un sólo Dios, ten...
Santa María, ruega por nosotros.
Santa Madre de Dios, ruega por nosotros
Santa Virgen de las Vírgenes.
Madre de Cristo, ruega por nosotros.
Madre de la Divina gracia, ruega por nosotros.
Madre Purísima, ruega por nosotros.
Madre Castísima, ruega por nosotros.

Madre Inmaculada, ruega por nosotros.
Madre siempre Virgen, ruega por nosotros.
Madre Amable, ruega por nosotros.
Madre Admirable, ruega por nosotros.
Madre del Buen Consejo, ruega por nosotros.
Madre del Creador, ruega por nosotros.
Madre del Salvador, ruega por nosotros.
Madre de la Iglesia, ruega por nosotros.
Virgen prudentísima, ruega por nosotros.
Virgen venerable, ruega por nosotros.
Virgen digna de alabanza, ruega por nosotros.
Virgen poderosa, ruega por nosotros.
Virgen clemente, ruega por nosotros.
Virgen fiel, ruega por nosotros.
Trono de la sabiduría, ruega por nosotros.
Causa de la alegría, ruega por nosotros.
Morada del Espíritu Santo, ruega por nosotros.
Morada digna de gloria, ruega por nosotros.
Morada consagrada a Dios, ruega por nosotros.
Rosa mística, ruega por nosotros.
Torre de David, ruega por nosotros.
Torre de marfil, ruega por nosotros.
Casa de Oro, ruega por nosotros.
Arca de la Alianza, ruega por nosotros.
Puerta del cielo, ruega por nosotros.
Estrella del mañana, ruega por nosotros.
Salud de los enfermos, ruega por nosotros.
Refugio de los pecadores, ruega por nosotros.
Consuelo de los afligidos, ruega por nosotros.
Auxilio de los cristianos, ruega por nosotros.
Reina de los Ángeles, ruega por nosotros.
Reina de los Patriarcas, ruega por nosotros.
Reina de los Profetas, ruega por nosotros.
Reina de los Apóstoles, ruega por nosotros.

Reina de los Mártires, ruega por nosotros.
Reina de los Confesores, ruega por nosotros.
Reina de todos los santos, ruega por nosotros.
Reina concebida sin pecado original, ruega por nosotros.
Reina llevada al Cielo, ruega por nosotros.
Reina del Santísimo Rosario, ruega por nosotros.
Reina de la Paz, ruega por nosotros.
Cordero de Dios que quitas los pecados del mundo,
Perdónanos, Señor.
Cordero de Dios que quitas los
pecados del mundo,
Escúchanos, Señor.
Cordero de Dios, que quitas los
pecados del mundo,
Ten misericordia de nosotros.

6. NOVENA DE LA CONFIANZA

(O de las tres Avemarías)

Madre amable de mi vida,
Auxilio de los cristianos,
la gracia que necesito
pongo en tus benditas manos

Dios te salve, María…

Tú que sabes mis congojas,
pues todas te las confío,
da la paz a los turbados
y alivio al corazón mío.

Dios te salve, María…

Y aunque tu amor no merezco
no recurriré a ti en vano
pues eres Madre de Dios
y auxilio de los cristianos.

Dios te salve, María…

Acuérdate, oh Madre Santa,
que jamás se oyó decir
que alguno te haya implorado
sin tu auxilio recibir.

Por eso con fe y confianza
humilde y arrepentido
lleno de amor y esperanza
este favor yo te pido:

(Pedir la gracia que se desea y decir 3 veces:)

María Auxiliadora, Ruega por nosotros.

NOTA: San Juan Bosco decía: "Para estar más seguros de obtener la gracia pedida, comulgad algún día durante la novena y haced alguna limosna a la Iglesia o a los pobres".

"PEDID Y SE OS DARÁ. TODO EL QUE PIDE RECIBE, PERO PEDIDCON FE"

7. UN MINUTO CON LA VIRGEN

Bendíceme, ¡Madre!, y ruega por mí sin cesar.
Aleja de mí, hoy y siempre, el pecado.
Si tropiezo, tiende tu mano hacia mí.
Si cien veces caigo, cien veces levántame.
Si yo te olvido, tú no te olvides de mí.
Si me dejas Madre ¿Qué será de mí?
En los peligros del mundo, asísteme.
Quiero vivir y morir bajo tu manto.
Quiero que mi vida te haga sonreír.
Mírame con compasión, no me dejes Madre mía.
Y, al fin, sal a recibirme y llévame junto a ti.

Tu bendición me acompañe hoy y siempre. Amén. Aleluya. (Un Avemaría).

8. MISTERIOS DEL SANTO ROSARIO

MISTERIOS GOZOSOS
(Lunes y Sábado)

1o. La anunciación del Ángel a la Virgen María.

2o. La visita de la Virgen María a santa Isabel.

3o. El nacimiento de Jesucristo en el portal de Belén.

4o. La presentación del Niño Jesús en el Templo.

5o. Jesús hallado entre los doctores del Templo.

MISTERIOS LUMINOSOS
(Jueves)

1o. El Bautismo de Jesús en el Jordán.

2o. La autorevelación de Jesús en las bodas de Caná.

3o. El anuncio del Reino de Dios, invitando a la conversión.

4o. La transfiguración de Jesús en el Tabor.

5o. La institución de la Eucaristía.

MISTERIOS DOLOROSOS
(Martes y Viernes)

1o. La oración de Jesucristo en el huerto.

2o. La flagelación de Jesucristo en la columna.

3o. La coronación de espinas.

4o. La subida de Jesucristo al Calvario con la cruz a cuestas.

5o. La crucifixión y muerte de Jesucristo.

MISTERIOS GLORIOSOS
(Miércoles y Domingo)

1o. La Resurrección de Jesucristo.

2o. La ascensión de Jesucristo al cielo.

3o. La venida del Espíritu Santo sobre la Virgen María y los Apóstoles.

4o. La asunción de la Virgen María al cielo.

5o. La coronación de la Virgen María y la gloria de los Ángeles y de los Santos.

PALABRAS DE LA S. MISA

"El pueblo debe participar más activamente en la Santa Misa, con sus respuestas, sus aclamaciones y sus cantos" (Concilio Vaticano II).

YO CONFIESO

Yo confieso ante Dios Todopoderoso y ante vosotros hermanos, que he pecado mucho de pensamiento, palabra, obra y omisión, Por mi culpa, por mi culpa, por mi gran culpa. Por eso ruego a Santa María siempre virgen, a los ángeles, a los santos y a vosotros hermanos, que intercedáis por mí ante Dios, Nuestro Señor. Amén.

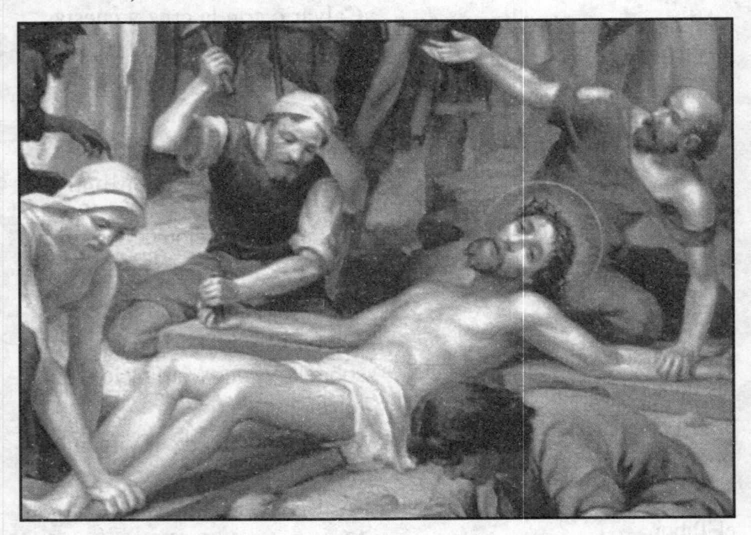

Cada vez que pecas: crucificas otra vez a Cristo.

GLORIA A DIOS EN EL CIELO

Y en la tierra paz a los hombres que ama el Señor, Por tu inmensa gloria te alabamos, te bendecimos, te adoramos, te glorificamos, te damos gracias, Señor Dios, Rey celestial, Dios Padre Todopoderoso Señor, Hijo Único Jesucristo, Señor Dios, Cordero de Dios, Hijo del Padre. Tú que quitas el pecado del mundo, ten piedad de nosotros. Tú que quitas el pecado del mundo, atiende nuestra súplica. Tú que estás sentado a la derecha del Padre, ten piedad de nosotros. Porque sólo Tú eres Santo, sólo Tú, Señor; sólo Tú, Altísimo Jesucristo, con el Espíritu Santo en la gloria de Dios Padre. *Amén.*

CREDO

Creemos en un solo Dios, Padre Todopoderoso, creador del cielo y tierra, de todo lo visible y lo invisible. Creemos en un solo Señor, Jesucristo, Hijo Único de Dios, nacido del Padre antes de todos los siglos. Dios de Dios, Luz de Luz, Dios verdadero de Dios verdadero, engendrado, no creado, de la misma naturaleza que el Padre, por quien todo fue hecho. Que por nosotros los hombres y por nuestra salvación bajó del cielo, y por obra del Espíritu Santo se encarnó de María la Virgen, y se hizo Hombre; y por nuestra causa fue crucificado en tiempos de Poncio Pilato. Padeció y fue sepultado, y resucitó al tercer día según las Escrituras y subió al Cielo y está sentado a la derecha del Padre. Y de nuevo vendrá con gloria para juzgar a vivos y muertos, y su Reino no tendrá fin. Creemos en el Espíritu Santo, Señor y dador de vida, que procede del Padre y del Hijo, que con el Padre y el Hijo recibe una misma adoración y gloria, y que habló por los profetas, y en la Iglesia que es UNA, SANTA, CATÓLICA y APOSTÓLICA. Reconocemos un solo Bautismo para el perdón de los pecados, esperamos la resurrección de los muertos y la vida del mundo futuro. *Amén.*

ORAD, HERMANOS, para que este sacrificio mío y vuestro, sea agradable a Dios Padre Todopoderoso.

R. El Señor reciba de tus manos este sacrificio para alabanza y gloria de su nombre, para nuestro bien y el de toda su santa Iglesia.

DESPUÉS DEL PADRENUESTRO

Sac: Líbranos, Señor, de todos los males, mientras esperamos la gloriosa venida de nuestro salvador Jesucristo.

R. Tuyo es el Reino, el poder y la gloria por siempre, Señor.

AL DAR LA COMUNIÓN

El Sacerdote dice:

EL CUERPO DE CRISTO

y respondemos:

AMÉN. Amén significa:
"Estoy de acuerdo, así es, como tú lo has dicho, así será".

DECLARACIÓN DEL PRELADO DE CONFIANZA DEL SUMO PONTÍFICE: "SERÍA UN GRAVE ERROR NO DARLE IMPORTANCIA AL ANTIGUO CATECISMO

TODO CATECISMO PARA SER COMPLETO DEBE, TRATAR CUATRO TEMAS: LA ORACION, EL CREDO, LOS MANDAMIENTOS Y LOS SACRAMENTOS".

(Son los cuatro temas que trata este Catecismo).

(Palabras del Cardenal Ratzinger, Prefecto de la Congregación para la Doctrina de la fe, publicadas en El Catolicismo, el 3 de abril de 1983).

¿CATÓLICO O PROTESTANTE?

Diferencias entre Católicos y Protestantes

1. ¿QUIÉN FUNDÓ A LOS PROTESTANTES?

A la Iglesia Católica la fundó Nuestro Señor Jesucristo con sus 12 Apóstoles. Pero las Iglesias protestantes tienen otros fundadores. El principal fundador de los protestantes fue MARTÍN LUTERO, un sacerdote alemán que en 1520 se rebeló contra la Iglesia, se casó con una ex-monja y fundó los EVANGÉLICOS, y separó de la Iglesia Católica a la tercera parte de los creyentes de Europa. Luego llegó CALVINO en Suiza, terrible y cruel. Enseguida ENRIQUE VIII, rey de Inglaterra, que se separó de la Iglesia porque no le permitía divorciarse. Tuvo 4 esposas y a una de ellas la mató. Fundó a los ANGLICANOS. El siglo pasado, el norteamericano JOSÉ SMITH, que tuvo 27 esposas, y era especialista en inventar falsedades, fundó a los MORMONES. A finales del siglo XIX, un tendero de Nueva York, RUSSEL, sin haber hecho estudios especiales, inventó que él era el único que sabía explicar la Biblia, y fundó a los TESTIGOS DE JEHOVÁ, la secta más agresiva y peligrosa. A los ADVENTISTAS los propagó Elena White, mujer enfermiza que por haber recibido una pedrada en la cabeza, decía tener visiones.

2. ¿CUÁLES SON LOS 11 ERRORES DE TODOS LOS PROTESTANTES?

Las sectas protestantes se diferencian en muchas cosas una de otra, y unas afirman lo que otras niegan. Pero todas profesan los siguientes 11 errores:

1º NO ACEPTAN QUE LOS SACRAMENTOS SON SIETE: Unos aceptan sólo tres y otros sólo uno. El único sacramento que aceptan todos los protestantes es el Bautismo.

2º NIEGAN 7 LIBROS DE LA BIBLIA: No aceptan sino 66 de los 73 libros de la S. Biblia. Los libros que ellos niegan son: Tobías, Judith, Sabiduría, Eclesiástico, 1 y 2 de Macabeos y Baruc.

3º ATACAN EL CULTO A LAS IMÁGENES: Ellos toman a la letra una frase de la Biblia que dice: "No te harás imágenes ni te postrarás ante ellas" (Éxodo 20, 4) y de ahí concluyen que es pecado tener cualquier imagen. No se dan cuenta de que lo que la Biblia prohíbe es adorar las imágenes (tratarlas como si fueran un dios) pero que no prohíbe venerar, o sea rendirles respeto. Los católicos no adoramos las imágenes (no las tratamos como si ellas fueran Dios o tuvieran poder como el de Dios) pero sí las veneramos, es decir, les rendimos honor como al retrato de seres muy queridos y muy santos que rezan por nosotros en el cielo.

4º SON ENEMIGOS DE LA DEVOCIÓN A LA VIRGEN: Dicen que los católicos la tratamos como si fuera una diosa y que le rendimos adoración. Los católicos veneramos a la Virgen María por ser la Madre de nuestro mejor amigo, que es Jesucristo, pero no la adoramos como si fuera una diosa. La amamos como a la mejor de las madres, pero no la adoramos como si fuera una divinidad. Sabemos que ella nos puede obtener de su Hijo todos los favores que necesitamos, y por ello le estamos muy agradecidos; pero sólo a Dios lo adoramos. (Venerar es rendirle honores: eso hacemos con la Virgen. Adorar es creer que tiene poderes divinos: eso solamente lo hacemos con Dios).

5º DICEN QUE BASTA LA FE PARA SALVARSE. Que no son necesarias las buenas obras. Esto lo repiten siempre y en todas partes olvidando lo que dice el Apóstol Santiago en la Biblia: "La fe sin las obras está muerta" (St, 2, 17).

6º NIEGAN LA PRESENCIA DE JESUCRISTO EN LA EUCARISTÍA: Aunque Lutero decía que aquellas palabras de Jesús "Esto es mi cuerpo", son tan claras que para negar que Jesús esté en la Eucaristía tiene uno que ser un ignorante o un loco, sin embargo los protestantes no aceptan que Jesús esté presente en la Santa Hostia (Aunque algunas sectas ya están volviendo a creer en esta gran verdad).

7º NO ACEPTAN QUE EN LA CONFESIÓN SE PUEDEN PERDONAR LOS PECADOS. Olvidando que Jesús dijo a sus discípulos (y a los que los reemplazan que son los sacerdotes) "A todo el que le perdonéis los pecados, le quedan perdonados", los protestantes dicen que los pecados no se perdonan al confesarse con un sacerdote sino únicamente pidiéndole perdón directamente a Dios. (Aunque en algunas sectas ya están volviendo a la práctica de la confesión otra vez, como por ejemplo los anglicanos).

8º DICEN QUIE LA BIBLIA LA ENTIENDE CADA UNO COMO LE PAREZCA:

Esto los ha llevado a muchos errores porque cada individuo, llevado por su egoísmo o por su ignorancia, puede hacerle decir a la Biblia, lo que Dios no quiso decir. En cambio, los católicos interpretan la Biblia, como la explican los Sumos Pontífices, los santos y los sabios de la Iglesia.

9º NO CREEN EN EL PURGATORIO NI ACEPTAN QUE HAYA QUE REZAR POR LOS DIFUNTOS: Los protestantes dicen que si uno cree en Dios, tan pronto se muera se va para el cielo. ¿Y entonces cómo se cumple aquello del Apocalipsis que "Al cielo no entrará nada manchado"? Si no alcanzaron a purificarse de sus manchas en la tierra, ¿cómo pueden entrar así en el cielo? Y entonces, cómo se cumple lo que Dios prometió en el Éxodo: "No dejaré ninguna culpa sin castigo", si la persona muere poco después de haber cometido sus faltas y no ha recibido castigo en la tierra. ¿Cómo puede ir al cielo sin haberle pagado a Dios sus pecados sufriendo en el purgatorio? ¿Nos atrevemos a entrar al cielo así de manchados sin pagarle nuestras maldades? ¿De veras nos atreveremos a estar así entre los ángeles purísimos y los grandes santos? Aunque Dios no nos mandara, nosotros nos iríamos voluntariamente a esa "sala de belleza" que se llama Purgatorio, a purificarnos de las manchas de nuestros pecados. Y con nuestras oraciones ayudamos a los difuntos a salir de allí más pronto.

10º RECHAZA TODO CULTO A LOS SANTOS: Dicen que eso es negar que nuestro único mediador es Jesucristo. Los católicos responden: Hay dos clases de mediadores: el que paga por nuestros pecados y salva nuestra alma; ese es uno solo, Jesucristo. Pero hay otra clase de mediador: el que ruega a Jesús al Padre y al Espíritu Santo por nosotros para obtenernos los favores que necesitamos. Esos son los santos. Y en este sentido sí puede haber más de un mediador. Así la Virgen María en las Bodas de Caná rogó a Jesús y Él hizo un milagro. La Virgen y los santos son "mediadores" ante el Gran Mediador que es Jesucristo. ¿Por qué, siendo tan amigos de Él, no pueden ir a pedirle favores para nosotros?

11º MUCHOS PROTESTANTES TIENEN ANTIPATÍA CONTRA EL PAPA, LOS SACERDOTES Y LA MISA: En Europa son más civilizados y menos agresivos. Pero en América del Sur, casi todos los pastores protestantes fueron católicos, en un tiempo renegaron de la religión de sus padres y se pasaron al protestantismo; saben que mientras una persona tenga aprecio al Sumo Pontífice, al sacerdote, a la misa y a la Virgen, no se pasará a su secta. Por eso atacan sin compasión estos grandes amores de los católicos. Al Papa lo llaman "anticristo". A la Santa Madre Iglesia le dicen la Gran Prostituta (¿Se atreverían a llamar así a la madre de otros ciudadanos?). De los sacerdotes dicen que son unos negociantes hipócritas, etc. Uno de los peligros de asistir a reuniones protestantes es que allí se aprende a despreciar a los sacerdotes, a la Misa y a la devoción a la Virgen. Ellos en programas por radio no se atreven a decirlo, pero en reuniones privadas lo dicen a cada rato.

3. CUALIDADES DE LOS PROTESTANTES

Los protestantes tienen estas cuatro grandes cualidades: 1º Propagan mucho la Sagrada Biblia, la leen y la hacen leer. Ésta es su primera y más grande cualidad. 2º Insisten mucho en que hay que tener una gran fe en Dios. Lo cual es algo sumamente bueno. 3º Luchan contra ciertos vicios como el alcoholismo, el robo, la mentira y la impiedad. 4º Insisten en que la gente debe ser muy generosa con Dios y con la religión (la Biblia dice que para Dios hay que dar la décima parte de lo que uno gana, el diezmo). Esto lo predican mucho los protestantes, y por eso pueden hacer tantas obras, porque cada uno de sus correligionarios da el diezmo, la décima parte de sus ganancias para extender su religión. (Ojalá los católicos hicieran algo parecido a esto).

Lástima que tan grandes cualidades vayan mezcladas con los **11 errores** terribles que acabamos de enumerar.

4. ¿POR QUÉ ES MEJOR SER CATÓLICO QUE SER PROTESTANTE?

POR 6 RAZONES:

1º PORQUE LA RELIGIÓN CATÓLICA TIENE LA VERDAD COMPLETA, MIENTRAS QUE LA RELIGIÓN PROTESTANTE TIENE APENAS UNA PARTE DE LA VERDAD.

El protestantismo tiene una parte de verdad, mezclada con 11 errores fenomenales. La religión católica tiene la verdad completa, sin negar ninguna de las verdades de la fe, y cuando aparece algún error, inmediatamente el Papa y los Obispos están listos a combatirlo, denunciarlo y alejarlo.

2º LA IGLESIA CATÓLICA TIENE UNIDAD, LOS PROTESTANTES ESTÁN DIVIDIDOS. Ellos son más de 650 sectas que se combaten entre sí, y unos niegan lo que otros afirman. En cambio la Iglesia Católica, en los 180 países en donde está fundada, tiene una gran unidad de doctrina, de costumbres y de ritos, liturgias y modos de orar. Lo que el Sumo Pontífice y la Santa Sede de Roma ordena y declara, lo aceptan los católicos de todo el mundo. En cambio, los protestantes no tienen más autoridad que los pastores de cada sitio, dispersos, divididos, pensando y opinando cada uno por su cuenta.

3º. LA RELIGIÓN CATÓLICA ES LA SOCIEDAD RELIGIOSA MÁS GRANDE Y MEJOR ORGANIZADA DEL MUNDO. Mientras las sectas protestantes son pequeñas, independientes y hasta opuestas a veces unas a otras y dependientes de lo que opine cada pastor en cada sitio, la religión católica, con más de mil millones de fieles, 2 millones de religiosos, 440. 000 sacerdotes, 3.000 obispos, 500 arzobispos, 120 cardenales y el Papa, forman una UNIDAD COMPACTA, perfectamente bien organizada. En la Iglesia las cosas no se hacen al azar o chamboneando. Todo está planeado, organizado y ejecutado con plan e inteligencia. ¿No será mejor pertenecer a una organización tan perfecta como la Iglesia Católica, que a unas sectas desunidas e inseguras? Todas las sectas juntas suman 300 millones. La sola Iglesia Católica tiene mil millones de fieles en unidad compacta y sólida.

4º LA RELIGIÓN CATÓLICA PROGRESA INMENSAMENTE. Cada día hay en el mundo 50.000 católicos más que en el día anterior. Cada mes hay un millón y medio de católicos más que el mes anterior.

Cada año hay 18 millones de católicos más que el año anterior. Durante un solo Pontífice, Pablo VI, la religión católica pasó de 600 millones a 750 millones (150 millones de católicos más durante un solo pontificado 1963 a 1978). Durante el gobierno de SS. Juan Pablo II el número de católicos pasó de 750 millones a 1.000. ¡Qué bueno pertenecer a una religión tan llena de vitalidad y que no se está acabando sino que progresa admirablemente día por día!

5º LA IGLESIA CATÓLICA HA PRODUCIDO MILLONES Y MILLONES DE SANTOS: Cuentan por centenares de miles los mártires que han derramado su sangre por defender las verdades de la santa religión, y por medio de sus métodos espirituales ha llevado y sigue llevando día por día a millones de personas hacia la santidad. Una sociedad que obtiene que millones de personas lleguen a la santidad, es necesariamente digna de inscribirse en ella y serle fiel.

Basta que leamos la vida de algunos santos y nos daremos cuenta a qué grandes alturas de virtud llegan los que obedecen a las técnicas espirituales de la Iglesia Católica.

6º LOS MILAGROS HAN ACOMPAÑADO SIEMPRE A LA IGLESIA CATÓLICA: En los 500.000 templos que los católicos tienen en los cinco continentes, el buen Dios obra maravillas de conversiones y regala muchos favores. Pero especialmente en los santuarios o templos más famosos (como Fátima, Lourdes, Monserrate, Guadalupe, Chiquinquirá, Las Lajas, Bojacá, Niño Jesús, Buga, El Quinche, Luján, Nuestra Señora del Cobre, etc.) los milagros se obran tan seguidamente y de manera tan admirable, que las personas no pueden sino repetir la frase de la Biblia: "La mano de Dios está aquí".

5. LAS SECTAS QUE INVADEN AL PAÍS

Secta significa "pequeño grupo", o sea un grupo minoritario que se ha separado de un gran conjunto o sociedad. En religión se llama "secta" a un grupo de herejes que se ha separado de la Madre Iglesia Católica, al negar algunas verdades de la fe.

Se llaman "Protestantes", porque al separarse de la Iglesia Católica en 1529, redactaron un documento por medio del cual "protestaban" contra lo que ordenaba la Iglesia.

Hereje es el que niega una o más verdades de la fe.

Vamos a hablar de las sectas más difundidas en la actualidad.

LOS PENTECOSTALES: ("Iglesia Pentecostal Unida"): En 1900 se reunieron en Estados Unidos 30 protestantes de distintas sectas, y al final de varios días de reunión se imaginaron que el Espíritu Santo les había hablado y que debían dedicarse a predicar las doctrinas que ellos profesan. Su libro preferido es el de los Hechos de los Apóstoles. Invocan mucho al Espíritu Santo. En nuestro país, están presentes con muchas casas de reunión y varios miles de adeptos. Al católico que se les adhiere lo meten entre una alberca o en el pozo de un río o de una quebrada y lo rebautizan diciendo: "Yo te bautizo en el nombre de Nuestro Señor Jesucristo" (Jesús dijo "Bautizad en el nombre del Padre, y del Hijo y del Espíritu Santo" –Mateo 28, 19– y no en el nombre de Jesús).

Oran gritando con voz estentórea, aplaudiendo y repitiendo muchas veces: "Aleluya". En cada reunión piden sanación interior y exterior, salud para el cuerpo (imponiéndoles las manos sobre la cabeza a los que desean ser sanados), y ordenando que se vayan los malos espíritus de aquellos que los tengan. Esto es lo que les atrae muchos adeptos... el deseo de sanarse de alguna enfermedad o de verse libres de malos espíritus.

Los Pentecostales tienen los mismos 11 errores de todos los protestantes (Véase el No. 2 del capítulo anterior).

Ir a sus reuniones es exponerse al contagio de los errores protestantes.

LOS TESTIGOS DE JEHOVÁ: Es la secta que más se extiende, la que más errores difunde, y más fanáticos y sectarios vuelve a sus adeptos. Hasta los demás protestantes le tienen terror. Todo Testigo de Jehová tiene que examinar cada noche su conciencia, y si en ese día no habló a algunos de lo que su secta enseña, ha cometido pecado por no haber hablado. Por eso hablan de sus doctrinas en todas partes, y son propagandistas fanáticos. Y no se cansan nunca de insistir. Si usted les da alguna pequeñísima probabilidad de aceptarlos, los tendrá en la puerta de su casa día por día, hasta desesperarlo o hacerlo Testigo de Jehová. Los católicos han tenido que conseguir unas calcomanías que dicen: "Soy católico y no voy a cambiar de religión", y colocarlas en las puertas de su casa, y como única respuesta a los Testigos de Jehová, señalarles la calcomanía.

Discutir con los Testigos de Jehová es tiempo perdido, porque jamás aceptan que su adversario pueda tener razón.

Nota: SON MUCHO MÁS PELIGROSOS POR LO QUE NIEGAN QUE POR LO QUE ENSEÑAN. Los Testigos de Jehová **niegan verdades importantísimas:** Niegan que Jesús es Dios. No aceptan la Santísima Trinidad. No creen que haya eternidad, ni infierno. No creen que el Espíritu Santo sea una persona. Y además tienen los 11 errores de todo protestante (Véase No. 2). **La lista de las verdades que los Testigos de Jehová niegan y rechazan, causa horror a los mismos protestantes de otras sectas.**

¿QUIÉN FUNDÓ A LOS TESTIGOS DE JEHOVÁ?

R: Los Testigos de Jehová fueron fundados por un tendero, Carlos Russel, en Brooklin, Nueva York, en 1872. Russel era un simple comerciante que no había hecho estudios religiosos. Se puso a leer la S. Biblia y llegó a la conclusión de que nadie hasta entonces había entendido el Libro Santo, ni Pontífices, ni santos, ni doctores: sólo él, Russel, la había entendido. Fundó en Brooklin una poderosa sociedad económica que tiene edificios, negocios y más de 1.600 empleados, y propaga errores por todo el mundo. Reparte más de veinte millones de impresos cada año. **Su revista se llama ATALAYA.** El libro donde están todos los errores de Russel se titula **"Sea Dios veraz",** los Testigos lo propagan mucho.

• ¿POR QUÉ SE LLAMAN TESTIGOS DE JEHOVÁ?

R. Porque creían que el nombre de Dios en la S. Biblia era Jehová. Pero los sabios han descubierto que el nombre de Dios en la S. Biblia no es Jehová, sino Yahvéh (Éxodo 3, 14).

• ¿QUÉ HACER CUANDO LLEGAN A SU CASA?

Recuerde: es muy peligroso aceptar las enseñanzas de los Testigos de Jehová. Cuando lleguen a su casa, querido amigo católico, dígales muy caballerosamente, pero muy valientemente: "Yo quiero vivir y morir en la religión de mis padres y abuelos, y deseo que esa misma sea la religión para mis hijos. Estoy contento con mi religión católica, dirigida tan sabiamente desde Roma por el Sumo Pontífice, y desde la capital por el Sr. Obispo y los párrocos. Les agradezco su interés, pero les comunico de una vez por todas, que mi religión católica no la voy a cambiar por ninguna otra".

Y tenga cuidado: **no deje a sus familiares asistir a las reuniones** de los Testigos de Jehová, porque regresarán a casa con el cerebro transformado. NINGUNA SECTA TRAE TANTA DIVISIÓN A LAS FAMILIAS COMO ÉSTA. No aceptan diálogo. Su método es repetir sus afirmaciones cientos de veces hasta convencer a la persona.

LOS TESTIGOS DE JEHOVÁ POR SUS GRANDES, ERRORES, EXIGEN DE TODO CATÓLICO UN RECHAZO CLARO Y ABSOLUTO.

3. LOS MORMONES

Son una secta fundada en 1830 por José Smith, en Estados Unidos.

Smith creía tener visiones. Inventó la idea de que había encontrado un libro escrito muy antiguamente por un tal Mormón y en el cual estarían los secretos para salvarse. Publicó en 1830 "El Libro del Mormón", que no es sino un guiso de todo lo que enseñan las sectas protestantes, más lo que enseñaban algunos brujos indios de EE.UU., junto a varias enseñanzas de Mahoma. A todos los que aceptaron las enseñanzas de su libro los reunió en una secta que él llamó: "Iglesia de Jesucristo de los Santos del último día". Ahora se llaman simplemente Mormones. Como a todo Mormón se le obliga dar para su secta la décima parte de lo que gana, se han enriquecido muchísimo y envían propagandistas muy bien pagos a muchos países. Es una de las sectas que más grandes cantidades de dinero gasta para poder infiltrarse en nuestro país. Les gusta más infiltrarse en las clases ricas. No fuman y no toman licor. Tienen los once errores de todo protestante (ver el No. 2) y además se parecen a los Adventistas y a los Testigos de Jehová en que sufren una **"psicosis de Fin del mundo"**, o sea un miedo aterrador a que ya va a llegar el fin de todo. Muchos jóvenes norteamericanos vienen por varios años con sueldo de los Mormones a extender sus errores aquí de casa en casa. Los Mormones tienen también el error de aceptar la poligamia (Smith su fundador, tuvo 27 mujeres). Son muy agresivos contra otras religiones, por eso los mismos protestantes de Estados Unidos los persiguieron y mataron a su fundador.

Su cualidad es que no se emborrachan ni fuman.

4. LOS ADVENTISTAS

Es una de las sectas más difundidas por toda América "El Adventismo del séptimo día" fue fundado en Estados Unidos por Guillermo Muller, quien se dedicó a anunciar con fechas precisas cuándo iba a ser el fin del mundo. Lo anunció para 1813, y nada; luego para 1844, y tampoco. En 1899 dijeron que el 31 de diciembre de ese año sí se acababa el mundo. La gente se asustó, salieron de sus casas y se fueron a las colinas a aguardar el fin, y los únicos que salieron ganando fueron los ladrones que aprovecharon mientras tanto para llevarse de cada casa todo lo que pudieron.

La verdadera organizadora de los Adventistas fue Elena White, una mujer que en su juventud sufrió un golpe muy fuerte en la cabeza, que la hacía tener desequilibrios mentales, que ella llamaba visiones o profecías. Era una terrible enemiga de la Iglesia Católica, a la cual llamaba "La Bestia del Apocalipsis". Al Papa lo llamaba (lo llaman también ahora) el "anticristo".

¿QUÉ ERRORES ENSEÑAN LOS ADVENTISTAS?

Además de los 11 errores de todo protestante, ellos enseñan otros 3:

a) **Que el alma no es inmortal.** Si es bueno vive después mil años y no más. Si es malo el alma se muere con el cuerpo.

b) **Que el día de descanso es el sábado** y no el domingo. Los católicos descansamos el domingo porque ese es el día más grande de toda la historia, porque en domingo resucitó Nuestro Señor Jesucristo. La costumbre de consagrar el domingo como el día más importante viene desde tiempo de los Apóstoles, y la costumbre de cambiar el domingo por el sábado viene solamente desde la señora White.

c) **Fijan fechas precisas para el fin del mundo,** siendo así que Jesús dijo: "Cuándo será el fin, no lo saben ni siquiera los ángeles. Solamente lo sabe Dios" (Mateo 24, 36). Ahora ya hay dos que saben esta fecha: ¿Dios y el adventista? ¡Qué maravilla!

El fin del mundo es para cada uno el día de su muerte. Y ésta llega cuando uno menos lo piensa, y hay que estar preparados con una vida santa y muchas buenas obras. Lo importante no es cuándo va a ser el fin del mundo. Ese secreto dejemos que pacíficamente lo posea Dios. LO IMPORTANTE ES CUÁNDO VA A SER EL FIN DE NUESTRA PROPIA VIDA, Y SI ESTAMOS PREPARADOS PARA DAR CUENTA A DIOS DE LO QUE HICIMOS, PENSAMOS Y DIJIMOS. Por eso Jesús decía: "Estad preparados a cualquier momento para morir y dar cuenta a Dios porque no sabéis ni el día ni la hora; la muerte llegará como un ladrón, a la hora menos pensada. Dichoso el que esté preparado para recibir a su Señor" (Mateo 23).

Los Adventistas no aceptan sino un solo sacramento: el Bautismo, y por inmersión, o sea metiéndolo a uno en una alberca, en el pozo de una quebrada o río.

5º. ¿EN QUÉ SE CONOCE UN EVANGÉLICO O LUTERANO?

¿CUÁLES SON LOS ONCE ERRORES QUE ENSEÑAN LOS EVANGÉLICOS?

R. LA SECTA PROTESTANTE MÁS NUMEROSA ES LA DE LOS EVANGÉLICOS.

Los "Evangélicos" fueron fundados en 1520 por Martín Lutero, el sacerdote que se declaró en rebelión contra el Papa, se casó con una ex-monja y separó de la Iglesia Católica la tercera parte de los católicos de ese entonces.

Los evangélicos se llaman también luteranos, y con su fundador Martín Lutero sostienen los siguientes errores comunes a todos los protestantes:

1º No hay más autoridad en lo religioso que la S. Biblia. Por lo tanto ni Romano Pontífice, ni Obispos ni sacerdotes. Sólo la Biblia.

2º Cada uno interpreta y entiende la Biblia como a él le parezca. Así que no es lo que digan los sabios y doctores de la Iglesia lo que quiere decir la Biblia, sino lo que a cada uno le parezca que es.

3º Niegan el sacramento del Matrimonio, el sacramento del Orden, el sacramento de la Confesión, y no creen en la presencia real de Jesucristo en la Eucaristía.

4º Algunos tienen una especial aversión por los sacerdotes católicos y los Obispos y el Papa (especialmente en América del Sur).

5º Dicen que basta la fe para salvarse. Que lo que vale no es hacer buenas obras, sino tener fe. Parece que se les olvida lo que dice la S. Biblia "cada uno recibirá según sus obras" (Mt 16, 27).

"Tú, oh Dios, pagas a cada uno según sus obras" (Salmo 62, 13).

6º No aceptan que se venere o se rece a la Virgen Santísima ni a los santos.

7º Aborrecen todas las imágenes sagradas y las destruyen.

8º Dicen que la Virgen María tuvo más hijos además de Jesús (entendiendo mal una palabra de la Biblia que llama "hermanos" de Jesús a sus primos, porque en la Biblia a todos los familiares cercanos se les llama hermanos).

9º No aceptan 7 libros de la S. Biblia: Tobías, 1 y 2 de Macabeos, Judit, Sabiduría, Eclesiástico y Baruc.

10º No aceptan que exista el purgatorio ni que haya que rezar por las benditas almas.

11º No tienen sacerdotes, ni confesión, ni Misa. En vez de la confesión con el sacerdote, le dicen sus pecados a Dios directamente. En vez de Misa, tienen reuniones para leer la S. Biblia, y comentarla. En vez de sacerdotes, tienen unos instructores a quienes llaman "pastores" o "ministros".

LOS EVANGÉLICOS TIENEN UNA GRAN CUALIDAD: QUE LEEN, ESTUDIAN, MEDITAN Y PROPAGAN MUCHO LA BIBLIA.

Pero, al asistir a sus reuniones existe el gran peligro de que uno se contagie con los grandes errores que ellos enseñan.

6. EL ESPIRITISMO

Espiritismo es una asociación que se dedica a invocar los espíritus de los muertos para que vengan a traer respuestas que se desean. El espiritismo niega verdades muy importantes de la fe católica; por ejemplo, va contra la clarísima prohibición de la S. Biblia que dice: "No consultarás los espíritus ni evocarás a los muertos, porque el que hace esto comete una gravísima falta contra Yahvéh, Dios, y por esta causa el Señor castigó a otros pueblos" (Deuteronomio 18, 9s).

¿QUÉ DICE LA S. BIBLIA ACERCA DEL ESPIRITISMO?

En la S. Biblia, Dios **prohíbe terminantemente el espiritismo** con estas palabras: "Que no haya entre vosotros quien se dedique a consultar espíritus, ni a evocar muertos, porque **todo el que hace estas cosas es una abominación para Dios** (algo muy repugnante para Él) y por causa de estas maldades fue que el Señor castigó a los otros pueblos" (S. Biblia, Deuteronomio (18, 9-12).

Esta prohibición divina es absoluta, total y rigurosa, y este mandamiento divino jamás ha sido revocado o abolido.

Por eso, EL ESPIRITISMO ES UN ACTO DE DESOBEDIENCIA A DIOS. Y aunque llamen a los espíritus en nombre de Dios, esto no los excusa, pues no es permitido desobedecer a una ley divina aunque se haga en nombre de Dios. El que roba o el que asesina no puede justificar su robo o su asesinato diciendo que lo hizo "en nombre de Dios".

La Iglesia Católica ha condenado el espiritismo desde que apareció por primera vez. Cuando en 1857 se publicó el "Libro de los espíritus" de Allan Kardec, la Iglesia de Roma declaró: "Evocar las almas de los muertos para recibir respuestas está totalmente prohibido; el hacerlo es ilícito y malo" (Dz 1654).

¿QUÉ HA DICHO LA IGLESIA CATÓLICA RESPECTO AL ESPIRITISMO?

La S. Biblia manda no evocar jamás los espíritus de los muertos para que vengan a comunicarnos secretos (Dt 18). El espiritista va contra esta Ley, y Jesucristo dijo muy claro: "El que desprecie un mandato de la Ley Santa y enseñe a otros a hacer lo mismo, será el inferior a todos en el Reino de los cielos" (S. Mateo 5, 19).

El papa León XIII en 1898 declaró: "No es permitido y no está bien, el pedir respuestas a los espíritus".

El 24 de abril de 1917 la Santa Sede de Roma, en nombre del Sumo Pontífice declaró: "No es permitido a los católicos participar en reuniones de espiritistas, ni asistir a evocaciones de espíritus, aunque estos espíritus sean muy buenos" (Dz 2182).

MALES DEL ESPIRITISMO

EL ESPIRITISMO LLEVA A LA LOCURA, porque desencadena disturbios mentales, dispone a las alucinaciones (imaginar como realidad lo que no existe), perjudica el sistema nervioso, y desequilibra las secreciones de las glándulas internas del organismo.

He aquí lo que han dicho profesores de psiquiatría, médicos, directores de manicomios, etc., para denunciar los GRAVÍSIMOS PELIGROS QUE TRAE EL ESPIRITISMO a los que se dedican a practicarlo:

— "El Espiritismo es una verdadera fábrica de locos" (Dr. R. Rozo).

— "El Espiritismo produce delirios peligrosísimos" (Dr. Almeida).

— "Las prácticas espiritistas son las que más llenan los manicomios" (Dr. Dutra).

— "En el Hospital Nacional de alienados, un inmenso grupo de enfermos proviene de las reuniones de espiritistas" (Dr. Moreira, Director).

— "Las clínicas de enfermos nerviosos están llenas de gente que se dedicó al espiritismo" (Profesor Portocarrero).

7. EL TEOSOFISMO Y EL ROSACRUCISMO

El Teosofismo fundado por M. Blavastky, en Oriente, es una colección de errores gravísimos, de herejías atroces y de afirmaciones gratuitas, sin ninguna base o fundamento.

En Colombia, un señor llamado Israel Rojas se propuso divulgar todos estos errores con el nombre de ROSACRUCISMO. El Rosacrucismo es el grado 17 de la Masonería, secta secreta que ha llenado el mundo de crímenes atroces, y por siglos le juró la guerra a la Iglesia Católica.

El Rosacrucismo logró engañar a bastantes personas, especialmente en la Costa, donde la ignorancia religiosa es alarmante.

8. ¿QUÉ SON LOS GNÓSTICOS?

Cuando el Rosacrucismo empezó a desacreditarse, vino el señor Manuel Gómez, en Ciénaga, Magdalena, y con el nombre pomposo de "Samael Aun Weor", empezó a extender todas estas ideas erróneas con el nombre de "GNOSTICISMO O IGLESIA GNÓSTICA". Se propuso plagiar (o repetir casi remedando) todas las ceremonias católicas, y hasta colocar el nombre de la Virgen del Carmen en sus folletos y una imagen del Corazón de María en la carátula de algunos de sus libros, para engañar incautos. Repite lo que enseñan los rosacruces.

Los espiritistas, rosacrucistas y gnósticos dicen que cuando una persona muere, su alma queda flotando en los aires y luego se reencarna en otro cuerpo para purificarse de las faltas que cometió. Y que a cada uno le obliga reencarnarse 108 veces. Una persona prudente sabe que esto es charlatanería y engaño, pero las personas ingenuas, especialmente en la Costa, se dejan engañar.

El Karma o reencarnación aparece como una ley de castigo, pero el único que puede castigar los pecados, que es Dios, no habla ni siquiera una sola vez en la Biblia, acerca de la reencarnación. Aquí se cumple lo que decía Jesucristo:

“Están enseñando doctrinas inventadas por los hombres” (Marcos 7, 7).

La Santa Sede declaró en 1919 que no es lícito a un católico pertenecer a estas asociaciones de Rosacruces, Teósofos y Espiritistas. Recordemos lo que decía María Blavasky, la fundadora del Teosofismo: “Lo que nos proponemos con esta doctrina no es propagar el hinduismo, sino acabar con el cristianismo”.

Hay un error entre católicos y aún padres de familia creyentes: creer que el gnosticismo, el rosacrucismo, y el teosofismo son cosas raras pero no peligrosas. Sí son peligrosas estas sectas porque apagan la fe, y llenan de errores la mente, y una vez torcido el modo de pensar de una persona, es bien difícil obtener que vuelva a pensar como lo quiere la verdad católica, que es la única completa y plenamente segura.

Si vamos viajando a la eternidad en un jet modernísimo y muy completo que es la Iglesia Católica, ¿para qué bajarnos de ese vehículo formidable para seguir el viaje en un carrito tirado por asnos, en una secta llena de errores?

Dejar la verdadera Iglesia por pasarse a una secta es disminuirse, echar para atrás.

9. LA SUPERSTICIÓN

Superstición es una creencia semirreligiosa, irracional e infundada, que trata de convencer a las personas de que ciertas obras, objetos o números pueden traerles suerte o desgracias, como creer que romper un espejo trae mala suerte o llevar una herradura trae buena ventura, o que la sal, un maleficio, el número 13, un gato negro pueden trae desgracias, etc.

CUANTO MENOR SEA LA VERDADERA FE DE UNA PERSONA, TANTO MAYORES SON SUS SUPERSTICIONES. La gente que cree en Dios y en su poder, no necesita vanas e irrazonables creencias en un poder que las cosas materiales no tienen.

CUIDADO CON LOS CULEBREROS, BRUJOS Y ESPIRITISTAS.

Para sacarle su dinero le van a enseñar estos ERRORES:

1. QUE LA TIERRA DE CEMENTERIO TRAE MALA SUERTE. Eso es una mentira. Creer que la tierra de cementerio o los huesos de muerto traen mala suerte sería creer que en esos seres minerales tienen poderes de Dios. Eso es SUPERSTICIÓN y disgusta mucho a Dios. No les crea. No les compre sus menjurjes. No se deje engañar.

2. QUE A USTED LE HAN HECHO MALEFICIOS. Esta es una mentira horrible de culebreros, brujos y espiritistas para robarle a usted su dinero. A usted nadie le puede hacer maleficios. Si usted cree en esa mentira de que le están haciendo maleficios, usted empieza a odiar a otras personas y eso es lo que quiere el diablo, que usted odie. El culebrero, el brujo y espiritista lo engañan en nombre de Satanás cuando le dicen que existen maleficios. Los maleficios no existen.

3. QUE LE HAN ECHADO SAL. A usted le pueden echar toda la sal del mundo y no le hace ningún daño. La sal no es un dios. Es un ser muerto. Todo el que le diga que le echaron sal, le quiere robar su plata con riegos y engaños. No les crea. La sal no trae mala suerte, ni a usted le trae males.

4. QUE USTED NECESITA RIEGOS, talismanes, bebedizos, pomadas, jabones, perfumes, cruces magnéticas, matas de sábila, etc. TODO ESO ES MENTIRA y disgusta a Dios porque es SUPERSTICIÓN. Si usted lee la Biblia y va a la Misa no creerá en esas cosas.

LO GRAVE ES QUE LA GENTE LE CREE A ESTOS ENGAÑADORES. "Me va mal en los negocios"... y ella le responde: "Porque su suegra le echó sal". Y aquella persona empieza a odiar horriblemente a la pobre suegra, que ni siquiera sabe qué es eso de echarle sal a otra persona. "No consigo novio, ¿por qué será?..." Y la bruja o el brujo contesta: "Porque su compañera de oficina le hizo un maleficio", y... desde aquel día no volverá jamás a saludar a la pobre compañera, la odiará a muerte, la desprestigiará, y la otra jamás pensó siquiera en hacerle un maleficio, ni sabe qué es eso. Pero la bruja ganó su dinero inventando mentiras y mató el amor en esas vidas, quizá para siempre. Qué terribles suenan a este respecto las palabras de Jesús: "En verdad en verdad os digo que DE TODA PALABRA QUE HACE DAÑO

A LOS DEMÁS, TENDRÉIS QUE DAR CUENTA A DIOS" (S. Mateo 12, 36). Ojalá las recordaran las "adivinas" y los brujos. Las brujas y los adivinos hacen mal como si fueran una peligrosa secta.

SI DIOS ESTÁ CON NOSOTROS, ¿QUIÉN PODRÁ CONTRA NOSOTROS? (S. Pablo, Rom 8, 31).

RECUERDE: DIOS PIENSA EN USTED
24 HORAS AL DÍA;
60 MINUTOS CADA HORA Y
60 SEGUNDOS POR MNUTO.
¿Entonces para qué necesita Ud. confiar en supersticiones que de nada sirven?

DIOS BENDIGA A QUIENES LEAN Y PROPAGUEN ESTE CATECISMO

ÍNDICE

TERCERA PARTE:

TALLER SAN PABLO
BOGOTÁ, D.C.
IMPRESO EN COLOMBIA — PRINTED IN COLOMBIA